隋書經籍志校注

（一）

曾貽芬　校注

U0845314

商務印書館
創于1897 The Commercial Press

圖書在版編目(CIP)數據

隋書經籍志校注：全二册 / 曾貽芬校注. — 北京：
商務印書館，2021
ISBN 978-7-100-18502-8

Ⅰ. ①隋… Ⅱ. ①曾… Ⅲ. ①古籍－圖書目録－中國－
隋代 Ⅳ. ①Z838

中國版本圖書館CIP數據核字（2020）第085361號

權利保留，侵權必究。

隋書經籍志校注
（全二册）
曾貽芬　校注

商　務　印　書　館　出　版
（北京王府井大街36號　郵政編碼 100710）
商　務　印　書　館　發　行
三河市尚藝印裝有限公司印刷
ISBN 978－7－100－18502－8

2021年4月第1版　　開本 640×960　1/16
2021年4月第1次印刷　　印張 66 3/4

定價：290.00元

前　言

《隋書經籍志》是現存的繼《漢書藝文志》之後最重要的古代目録。

首先，它以《隋大業正御書目録》爲底本，删其“文義淺俗，無益教理者”，附入“辭義可采，有所弘益者”，“今考見存”，有“八萬九千六百六十六卷”的隋代遺書，記述了隋朝一代藏書之盛。不僅如此，還在注中以“梁有”爲名，收録了隋已亡佚的典籍，比較完整地反映出六朝典籍的發展、流傳的面貌，彌補了因六朝所撰目録亡佚帶來的缺失、遺憾。

其次，隨着社會發展典籍的增加，人們對文獻的分類有了新的認識。晉代即出現了以甲乙丙丁四類分法的《晉中經簿》，而明確使用經史子集四部分類，現可考見的最早的目録，即爲《隋書經籍志》。而它所創立的這一體例，順應了文獻典籍發展狀況和趨勢，有很强的生命力，一直沿用至清代，對中國古代目録學乃至歷史文獻學的發展，皆具有非常重要的影響。

再次，《隋書經籍志》仿效《漢書藝文志》有總序、大序、小序。各部大序、各類小序，主要闡述各部類典籍的性質、源流、演變、社會作用，以及分部、分類的原則。而總序則是以時間爲經闡述典籍的産生、發展、存佚、整理諸方面的情況。統觀《隋書經籍志》的總序、大序、小序，它們作爲一部目録的序，不僅總結了目録的發展與貢獻，而且對隋以前文獻發展、整理作了歷史的描述，勾勒出簡賅的文獻發展史，受到後世學者的特别關注。《隋書經籍志》和《漢書藝文志》同樣有小注，多介紹作者、典籍本身諸情況，然最值得注意的是，小注中還以"梁有"今無的形式，記録了六朝典籍流通的狀況，即將"梁有"佚書，或按體例，或按内容附於隋現存典籍之下，這樣的編排，類目清晰，可因類相求，一檢即得。這種編排形式，是前所未有的，是《隋書經籍志》的創造。注中著録"梁有"而隋亡的書有一千餘部，大大擴充了紀一代藏書之盛的《隋書經籍志》的容量，提高了它在目録學史以及文獻學上的地位。

對於這部重要的目録，宋代王應麟《玉海》卷五二《書目》有著録，言及開皇初牛弘上表開獻書之路，列出《隋志》經史子集四部與釋道所收典籍的部數及卷數。清代有三部整理研究《隋志》的著述，即張鵬一《隋書經籍志補》一卷，章宗源《隋書經籍志考證》十三卷，姚振宗《隋書經籍志考證》四十卷。兩部《隋書經籍志考證》對學界產生較大影響，前者可謂開山之作，考證範圍僅限於史部，而且不是逐一考證，但對内容的考辨，多有精到之處。同時還根據後世著録，補其缺漏。後者不注總序、大序、小序及有關道、佛典籍的記述，對經史子集四部所有著録的典籍，均作了詳盡的考證，所引材料頗爲豐富，其中包括作者生平傳記、歷代目録的著録狀況，以及有關典籍對此書的評介等，特别值得注意的是，作者以按語的形式，對有爭議的記載，加以翔實的考辨，作出自己的判斷。這樣不僅能幫助學習者解除疑惑，也能爲研究者提供有益的啓發。可以認爲，姚振宗《隋書經籍志考證》體現出清代研究《隋志》的最高水平。

隨着時間的推移，《隋書經籍志考證》已不能適應、滿足現代人學習、研究《隋志》的需要，爲其重新作注勢在必行。本次作注，充分吸取原有成果，考慮當前讀者的需求，力求材料準確、翔實，内容全面，表達通俗，兼及新的研究成果。首先勘出本志在流傳過程中出現的訛誤，除有確鑿證據者予以改正，一般不改，只説明異同。其次，介紹作者，包括生卒年、籍貫、主要經歷、學術專長，以及著述。對於所注典籍，介紹其内容，他人的評介，根據歷代目録及有關記載，追溯其流傳脈絡。流傳至今者，釐清其流傳中的軌迹，辨其真僞，介紹後人的研究情況，以及今存最早善本、通行本等。已亡佚之典籍，若有輯佚，指明其所在。凡有出土文本的典籍，亦記述其相關成果。本校注所涉注釋内容，皆註明資料出處，既表明言之有據，也可爲有意進一步研究者提供些許綫索。章宗源《隋書經籍志考證》僅注史部，對本部的序，偶有提及。姚振宗《隋書經籍志考證》除四部外，不注道、釋部分，不注總序、大序、小序，就《隋書經籍志》整體而言，不免缺失。本校注以爲，道、釋以及諸序都是《隋志》不可或缺的組成部分，更何況它們對於全面、客觀了解、認識《隋志》有重要啓示作用，必須爲其作注。此《隋書經籍志校注》是《隋志》的完整注本。另外，爲讀者檢索、查閲方便，書后附有書名索引、著者人名索引，使《隋志》的學術價值及實用價值得到充分體現。

曾貽芬

2016 年 7 月

目録

史　部

子　部

集部

緒　言

夫經籍也者，機神之妙旨[1]，聖哲之能事，所以經天地，緯陰陽[2]，正紀綱，弘道德，顯仁足以利物[3]，藏用足以獨善[4]，學之者將殖焉[5]，不學者將落焉。大業崇之，則成欽明之德[6]，匹夫克念[7]，則有王公之重。其王者之所以樹風聲，流顯號，美教化，移風俗，何莫由乎斯道？故曰："其爲人也，温柔敦厚，《詩》教也；疏通知遠，《書》教也；廣博易良，《樂》教也；潔静精微，《易》教也；恭儉莊敬，《禮》教也；屬辭比事[8]，《春秋》教也。"遭時制宜，質文迭用[9]，應之以通變，通變之以中庸[10]。中庸則可久，通變則可大，其教有適，其用無窮，實仁義之陶鈞[11]，誠道德之橐籥也[12]。其爲用大矣，隨時之義深矣，言無得而稱焉[13]。故曰："不疾而速[14]，不行而至。"今之所以知古，後之所以知今，其斯之謂也。是以大道方行，俯龜象而設卦[15]，後聖有作，仰鳥迹以成文[16]。書契已傳[17]，繩木棄而不用，史官既立，經籍於是興焉。

[1] 機神：機，事物樞要、關鍵；神，神奇。

[2] 陰陽：古代解釋宇宙萬物化生的理念，凡天地、日月、男女等皆屬陰陽。

[3] 顯仁足以利物：與下句源於《易・繫辭上》"顯諸仁，藏

諸用，鼓萬物而不與聖人同憂”。利物，濟世利民。

[4] 藏用：隱藏於陰陽之道生育萬物的作用中。

[5] 殖：樹立。

[6] 欽明：敬仰、顯著。

[7] 克念：克，能；念，考慮。

[8] 屬辭比事：《春秋》聚合、會同之辭，是屬辭；比次褒貶之事，是比事。此段見《禮記·經解》“孔子曰”。

[9] 質文：質樸、文采。

[10] 中庸：此爲孔子最高道德標準。中，無過、無不及，居中；庸，平常、平凡。中庸亦可理解爲適度。

[11] 陶鈞：製陶器的轉輪。用此比喻對事物的控制和調節。

[12] 橐籥（tuó yuè）：古代冶煉時所用以鼓風的設備，用以比喻動力、源泉。橐，是外置的箱子；籥，是内置的送風管。

[13] 言無得而稱焉：没有什麼語言的表達能與經籍的功用相稱。

[14] 不疾而速：與下句見於《易·繫辭上》。

[15] 龜象：指龜背上的紋理。龜甲是占卜的用具，依其紋理變化論吉凶。設卦：卦是古代記事的符號，後成爲占卜的符號，有八卦，傳説是伏羲所作。

[16] 鳥迹：本指鳥的爪印，後以其比喻書法。以上兩句即龜文鳥迹之意，指古代文字。

[17] 書契：書，文字；契，刻木而書其側。即文字。

夫經籍也者，先聖據龍圖[1]，握鳳紀[2]，南面以君天下者，咸有史官，以紀言行。言則左史書之，動則右史書之。故曰“君舉必書”[3]，懲勸斯在。考之前載，則《三墳》、《五典》、《八索》、《九丘》之類是也[4]。下逮殷、周[5]，史官尤備，紀言書事，靡有闕遺，則《周禮》所稱：太史掌建邦之六典、八法、八則[6]，以詔王治[7]；小史掌邦國之志[8]，定世繫[9]，辨昭穆[10]；内史掌王之八柄[11]，策命而貳之[12]；外史掌王之外令及四方之志[13]，三皇、五帝之書[14]；御史掌邦國都鄙萬民之治令[15]，以贊冢宰[16]。此則天子之史，凡有五焉。諸侯亦各有國史，分掌其職。則《春秋傳》，晉趙穿弑靈公[17]，太史董狐書曰“趙盾殺其君”，以示於朝。宣子曰：“不然。”對曰：“子爲正卿，亡不越境，反不討賊，非子而誰？”齊崔杼弑莊公[18]，太史書曰“崔杼弑其君”，崔子殺之。其弟嗣書，死者二人。其弟又書，乃舍之。南史聞太史盡死，執簡以往，聞既書矣，乃還。楚靈王與右尹子革語[19]，左史倚相趨而過[20]。王曰：“此良史也，能讀《三墳》、《五典》、《八索》、《九丘》。”然則諸侯史官，亦非一人而已，皆以記言書事，太史總而裁之，以成國家之典。不虚美，不隱惡，故得有所懲勸，遺文可觀，則《左傳》稱《周志》，《國語》有《鄭書》之類是也。

[1] 龍圖：即河圖，傳説其由龍馬從黄河負出，故稱龍圖。《竹書紀年》上《黄帝軒轅氏》“鳳鳥至，帝祭于洛水”。沈約注“龍圖出河，龜書出洛，赤文篆字，以授軒轅”。借指神授君權。

[2] 鳳紀：猶鳳曆。《左傳・昭公十七年》：“鳳鳥適至，故紀於鳥，爲鳥師而鳥名。鳳鳥氏，曆正也。”後以鳳曆稱歲曆，有曆數正朔之意。

[3] 君舉必書：見《左傳・莊公二十三年》曹劌語。

[4]《三墳》、《五典》、《八索》、《九丘》：相傳爲古代書名。《三墳》，三皇時書；《五典》，五帝之常典；《八索》，八王之法；《九丘》，九州之國誡。見《周禮注疏》卷二六。

[5] 殷：朝代名，三代之一。殷契佐禹治水有功，封于商，至湯滅夏，建立商朝（前 1562 ？ —前 1066 ？ ）。傳至盤庚，遷都

至殷，以後或殷、商並舉，或殷、商並稱。見《史記·殷本紀》。周：朝代名，三代之一。后稷之後人周武王滅商，建立周朝（前1066？—前256）。見《史記·周本紀》。

[6] 太史：亦作大史，在六官之春官屬下，爲史官之長。典、法、則，皆法也。六典、八法、八則，由天官冢宰所建，以治百官。

[7] 以詔王治：大史掌六典、八法、八則，以爲王迎受其治也。

[8] 邦國：即指諸侯。志：記也。小史掌諸侯國内所有記録之事。

[9] 定世繫：奠定帝世繫、世本類事。

[10] 昭穆：古代宗法制度，用以分别宗族内部的長幼、親疏和遠近。

[11] 八柄：即爵、禄、廢、置、殺、生、予、奪。

[12] 策命：以策書封官授爵。貳：協助。

[13] 外令：畿外之令。四方之志：諸侯國之記，若《魯春秋》、《晉乘》、《楚檮杌》等。

[14] 三皇、五帝之書：或指《三墳》、《五典》。三皇五帝，傳説中的古代帝王，具體所指，説法不一，首見於《周禮·春官·外史》。

[15] 邦國都鄙萬民之治令：即指六典、八則，前者治諸侯國，後者治京都及邊邑萬民。

[16] 贊：贊佐。冢宰：天子之大宰。

[17] 晉趙穿弒靈公：事見《左傳·宣公二年》。趙穿，趙盾堂弟，於桃園殺晉靈公。靈公，名夷皋，襄公子。前620—前607年在位。《史記》卷三九有傳。趙盾，晉襄公、靈公時任國政。謚宣孟，故稱宣子。《史記》卷四三有傳。

[18] 齊崔杼弒莊公：事見《左傳·襄公二十五年》。崔杼迎齊靈公太子光爲莊公，後又殺之。莊公，前553—前448年在位。《史記》卷三二有傳。

[19] 楚靈王與右尹子革語：事見《左傳·昭公十二年》。楚靈王，名圍，前541—前529年在位。《史記》卷四〇有傳。右尹，楚官，在令尹屬下。

[20] 倚相：楚史名。

暨夫周室道衰，紀綱散亂，國異政，家殊俗，褒貶失實，隳紊舊章[1]。孔丘以大聖之才[2]，當傾頹之運[3]，歎鳳鳥之不至，惜將墜於斯文，乃述《易》道而删《詩》、《書》[4]，修《春秋》而正《雅》、《頌》[5]。壞禮崩樂，咸得其所。自哲人萎而微言絶[6]，七十子散而大義乖[7]，戰國縱横[8]，真僞莫辨，諸子之言，紛然淆亂[9]。聖人之至德喪矣，先王之要道亡矣，陵夷踳駁[10]，以至于秦。秦政奮豺狼之心[11]，剗先代之迹[12]，焚《詩》、《書》，坑儒士，以刀筆吏爲師[13]，制挾書之令[14]。學者逃難，竄伏山林，或失本經，口以傳説。

[1] 隳（huī）紊：毁壞、紊亂。舊章：原有的法規。

[2] 孔丘：即孔子（前551—前479），字仲尼。春秋時魯國人。著名的思想家、偉大的教育家、傑出的文獻學家。孔子整理解釋的六經是儒家的重要經典，對中國傳統文化有極其重要的影響。《史記》卷四七有傳。

[3] 傾頹：倒塌、墜落。

[4] 述《易》道：孔子喜《易》，撰《十翼》。删《詩》、《書》，古詩三千餘篇，孔子去其重，定三百五篇；序《書傳》，上紀唐虞之際，下至秦穆。見《史記》卷四七。

[5] 修《春秋》：孔子因史記作《春秋》，上自隱公元年，下訖哀公十四年，紀十二公。正《雅》、《頌》，孔子曰："吾自衛反魯，然後樂正，《雅》、《頌》各得其所。"見《史記》卷四七。

[6] 哲人：明達而有才智的人。微言：精微不顯之言。

[7] 七十子散而大義乖：七十子，謂孔子弟子七十二子，此爲約數。大義，孔子思想之要旨。

[8] 縱横：或指戰國時期的形勢錯綜複雜。或是合縱連横的縮語，蘇秦主張合縱，合山東六國抗秦；張儀主張連横，説六國以奉秦。於此，前説爲是。

[9] 淆（xiáo）亂：雜亂。

[10] 陵夷：衰落。踳（chǔn）駁：雜亂。

[11] 秦政：即秦始皇（前 259—前 210），嬴姓，名政。秦昭襄王四十八年生於邯鄲，十三歲代立爲秦王，先後滅六國，建立統一的秦王朝。《史記》卷六有傳。

[12] 剗（chǎn）：通“鏟”，鏟除。

[13] 刀筆吏：刀、筆原爲書寫和修改工具，後引申爲書寫成的文字。刀筆吏則是主辦文案的官吏。

[14] 制挾書之令：秦始皇采納李斯言，下令除秦記、醫藥、卜筮、種樹書外，焚毁民間收藏的《詩》、《書》、百家語，敢偶語《詩》、《書》者處死，以古非今者族。事見《史記》卷六。

漢氏誅除秦、項[1]，未及下車[2]，先命叔孫通草緜蕝之儀[3]，救擊柱之弊[4]。其後張蒼治律曆[5]，陸賈撰《新語》[6]，曹參薦蓋公言黄老[7]，惠帝除挾書之律[8]，儒者始以其業行於民間。猶以去聖既遠，經籍散逸，簡札錯亂，傳説紕繆，遂使《書》分爲二[9]，《詩》分爲三[10]，《論語》有齊、魯之殊，《春秋》有數家之傳[11]。其餘互有踳駁，不可勝言。此其所以博而寡要[12]，勞而少功者也。武帝置太史公[13]，命天下計書[14]，先上太史，副上丞相[15]，開獻書之路，置寫書之官，外有太常[16]、太史、博士之藏，内有延閣、廣内、祕室之府[17]。司馬談父子[18]，世居太史，探采前代[19]，斷自軒皇[20]，逮于孝武，作《史記》一百三十篇。詳其體制，蓋史官之舊也。至於孝成[21]，祕藏之書，頗有亡散，乃使謁者陳農[22]，求遺書於天下。命光禄大夫劉向校經傳諸子詩賦[23]，步兵校尉任宏校兵書，太史令尹咸校數術[24]，太醫監李柱國校方技[25]。每一書就，向輒撰爲一録，論其指歸，辨其訛謬，叙而奏之。向卒後，哀帝使其子歆嗣父之業[26]。乃徙温室中書於天禄閣上[27]。歆遂總括群篇，撮其指要，著爲《七略》：一曰《集略》[28]，二曰《六藝略》，三曰《諸子略》，四曰《詩賦略》，五曰《兵書略》，六曰《術數略》，七曰《方技略》。大凡三萬三千九十卷。王莽之末[29]，又被焚燒。光武中興[30]，篤好文雅，明、章繼軌[31]，尤重經術。四方鴻生鉅儒，負袠自遠而至者[32]，不可勝算。石室、蘭臺[33]，彌以充積。又於東觀及仁壽閣集新書[34]，校書郎班固、傅毅等典掌焉[35]。並依《七略》而爲書部[36]，固又編之，以爲《漢書·藝文志》。董卓之亂[37]，獻帝西遷[38]，圖書縑帛[39]，軍人皆取爲帷囊。所收而西，猶七十餘載。兩京大亂[40]，掃地皆盡。

[1] 項：即項籍（前232—前202），字羽，下相（今江蘇宿遷附近）人。秦末起兵反秦，後自立西楚霸王，與劉邦争天下，兵敗垓下，逃至烏江，自刎。《史記》卷七、《漢書》卷三一有傳。

[2] 下車：原指爲送葬明器而製作的粗陋的車，後引申爲即位或到任。

[3] 叔孫通：薛（今山東滕州東南）人。秦時爲待詔博士，後佐漢高祖，任奉常、太子太傅等職，參與制定漢諸儀法。《史記》卷九九、《漢書》卷四三有傳。緜蕝（mián jué）：亦作緜蕞（zuì），引繩爲緜，束茅以表位爲蕝，後謂制定整頓朝儀典章爲緜蕝。事見《史記》卷九九。

[4] 擊柱：刺柱。《史記·叔孫通傳》“群臣飲酒争功，醉或妄

呼，拔劍擊柱，高帝患之”。後指臣下爭功無禮。

[5] 張蒼（？—前 152）：陽武（今河南陽武）人。秦時曾爲御史，後事漢高祖，出任諸王之相，封北平侯。善用算律曆，明習天下圖書計籍。《史記》卷九六、《漢書》卷四二有傳。

[6] 陸賈（前 240？—前 170）：楚（今江蘇徐州附近）人，以客從漢高祖定天下，著《新語》言儒學。後在誅諸吕、立文帝中頗有功。《史記》卷九七、《漢書》卷四三有傳。

[7] 曹參（？—前 193）：沛（今江蘇沛縣）人。漢高祖起事即追隨左右，後任相國，卒，謚懿侯。《史記》卷五四、《漢書》卷三九有傳。蓋公：膠西（今山東膠州附近）人，善治道家之言。曹參任齊國丞相用蓋公，齊國安集。事見《史記》卷五四。黄老，黄帝與老子，道家以黄、老爲祖，故謂道家爲黄老。

[8] 惠帝（前 211—前 187）：劉盈，高祖與吕后之子，在位七年，史稱“寬仁之主”。《史記》卷九、《漢書》卷二有傳。

[9]《書》分爲二：指《尚書》分爲《今文尚書》、《古文尚書》。

[10]《詩》分爲三：指《詩》分爲《齊詩》、《魯詩》、《韓詩》。

[11]《春秋》有數家之傳：《春秋》於漢有公羊、穀梁、鄒氏、夾氏、左氏數家。王莽亂，鄒氏、夾氏亡。

[12] 博而寡要：學識廣博，却少得要領。

[13] 武帝（前 156—前 87）：劉徹，漢景帝之子，七歲立爲皇太子。十六歲即皇帝位，在位五十四年，其間開拓疆土、獨尊儒術、開始使用年號等，漢處於興盛時期。謚曰孝武皇帝。《史記》卷一二（此紀乃褚少孫所補）、《漢書》卷六有傳。

[14] 計書：計算典籍並造册。

[15] 副：貳、次。丞相：漢官，掌丞天子，助理萬機。

[16] 太常：漢官，掌宗廟禮儀。太史爲其屬官。博士亦屬其下，掌通古今。

[17] 延閣廣内祕室：三者皆爲漢宫廷藏書之所。

[18] 司馬談父子：司馬談（？—前 110），漢左馮翊夏陽（今陝西韓城）人，武帝建元、元封年間任太史公，有修史的計劃，並論六家要旨。其子司馬遷（前 145？—？），字子長，元封三年（前 108）繼任太史公，爲完成其父的遺願，忍受宫刑的巨大恥辱，撰成中國第一部紀傳體通史《史記》。其事迹見《史記》卷一三〇及《漢書》卷六二本傳。

[19] 探采：探求采集。

[20] 軒皇：即黄帝軒轅氏。

[21] 孝成（前 52—前 7）：劉驁，字太孫，漢元帝之子，在位二十六年。《漢書》卷一〇有傳。

[22] 謁（yè）者：官名，漢代屬光禄勳，其職掌賓贊授事。

[23] 劉向（前 78—前 7）：劉向，字子政，本名更生，高祖同父弟楚元王劉交後裔，居列大夫官前後三十餘年，任光禄大夫期間領銜整理宫廷典籍，撰就《七略别録》。《漢書》卷三六有傳。

[24] 數術：亦作術數，古代關於天文、曆法、占卜的學問。

[25] 方技：指古代醫卜、星相之術。

[26] 哀帝（前 26—前 1）：劉欣，元帝庶孫，定陶恭王劉康子，在位六年。《漢書》卷一一有傳。劉歆（？—23），字子駿，與父劉向領校祕書，完成其父未竟事業，撰成《七略》。新莽時，被尊爲國師。《漢書》卷三六有傳，其事迹於卷九九《王莽傳》亦多有記載。

[27] 温室：殿名，以冬暖夏涼而得名。天禄閣：漢殿名，以藏祕室、處賢才也。

[28]《集略》：亦作《輯略》。

[29] 王莽（前 45—23）：字巨君，元城（今河北大名東）人，漢元帝王皇后之侄，受寵專權。漢平帝崩，立孺子嬰，自稱假皇帝，三年後即改國號爲新，地皇四年（23）被農民軍所殺。《漢書》卷九九有傳。

[30] 光武（前 6—57）：劉秀，字文叔，南陽郡蔡陽（今湖北棗陽）人，漢高祖九世孫。新莽地皇三年起兵，更始三年（25）即帝位，定都洛陽，是爲東漢。《後漢書》卷一有傳。

[31] 明：漢明帝（27 — 75）劉莊，光武帝子，在位十八年。《後漢書》卷二有傳。章：漢章帝（57—88）劉炟（dá），明帝子，在位十四年。《後漢書》卷三有傳。繼軌：接繼前人事業。

[32] 袠（zhì）：同“帙”，書函、書套。

[33] 石室：國家藏書之所。蘭臺：漢代宫廷藏書處，設御史中丞掌管，後置蘭臺令史掌書奏。

[34] 東觀：位於洛陽南宫，是聚藏圖書之處。仁壽閣：漢殿閣，亦爲藏書之所。

[35] 班固（32—92）：字孟堅，班彪子，扶風安陵（今陝西咸陽東北）人，明帝時詔爲蘭臺令史，後爲校書郎，典校祕書，獲准撰《漢書》，這是第一部紀傳體斷代史，然表、志尚未完成，就因謀殺竇憲事發，死於獄中。《漢書》卷一〇〇上、《後漢書》卷四〇下有傳。傅毅：傅毅（？—90），字武仲，扶風茂陵（今陝西興平東北）人。章帝時爲蘭臺令史，拜郎中，與班固、賈逵共典校書，有詩賦、誄頌等傳世。《後漢書》卷八〇上有傳。

[36] 部：部類。

[37] 董卓（？—192）：字仲穎，臨洮（今甘肅岷縣）人。東漢末年掌帝王廢立權，挾獻帝至長安，自爲太師。不久被王允設計殺死。《後漢書》卷七二、《三國志》卷六有傳。

[38] 獻帝：劉協（180—234），靈帝子、少帝弟。靈帝中平六年（189）即帝位，延康元年（220）遜位，曹丕稱帝。魏青龍二年（234）崩。《後漢書》卷九有傳。

[39] 縑（jiān）帛：供書寫用的絹類絲織物，此指絲質的圖書。

[40] 兩京：即東漢的西京長安和東京洛陽。

魏氏代漢[1]，采掇遺亡，藏在祕書中、外三閣。魏祕書郎鄭默[2]，始制《中經》。祕書監荀勖[3]，又因《中經》，更著《新簿》，分爲四部，總括群書。一曰甲部，紀六藝及小學等書；二曰乙部，有古諸子家、近世子家、兵書、兵家、術數；三曰丙部，有史記、舊事、皇覽簿[4]、雜事；四曰丁部，有詩賦、圖讚、《汲冢書》[5]，大凡四部合二萬九千九百四十五卷。但録題及言[6]，盛以縹囊[7]，書用緗素[8]。至於作者之意，無所論辯。惠、懷之亂[9]，京華蕩覆，渠閣文籍，靡有孑遺[10]。

[1] 魏（220—265）：三國之一。漢獻帝延康元年（220），曹丕廢漢稱帝，國號魏，都洛陽。魏主曹奂咸熙二年（265），司馬炎廢魏稱帝，魏亡。

[2] 鄭默（212—280）：字思元（《三國志》卷一六裴注引《晉陽秋》稱字思玄），滎陽開封（今河南開封南）人。起家祕書郎，作《中經簿》，後任大司農、光禄勳等。太康元年卒，謚曰成。《晉書》卷四四有傳。

[3] 荀勖（？—289）：字公曾，潁川潁陰（今河南許昌附近）人。早年仕魏，晉時拜中書監，又領祕書監。受詔撰次汲冢中古文竹書，以爲《中經》，列在祕書。太康十年（289）卒，謚曰成。《晉書》卷三九有傳。本志史、集部有其著述三部。

[4] 皇覽簿：類似《皇覽》的典籍。

[5]《汲冢書》：晉太康二年（281），汲郡（今河南衛輝）人不準盜發魏襄王（或言魏安釐王）墓，得竹書数十車，有《紀年》、《穆天子傳》等多種典籍，總稱《汲冢書》。

[6] 但：只。

[7] 縹（piǎo）囊：用淡青色絲帛製成的書囊。

[8] 緗素：書寫用的淺黄色縑帛。

[9] 惠：晉惠帝（259—306）司馬衷，字正度。昏聵不堪政事，在位期間發生八王之亂。光熙元年（306），中毒身亡。《晉書》卷四有傳。懷，晉懷帝（284—313）司馬熾，字豐度。專玩史籍，即位後雖勤於政務，但已無回天之力，永嘉七年（313）遇弒。《晉書》卷五有傳。

[10] 孑（jié）遺：殘存、剩餘。

東晉之初[1]，漸更鳩聚[2]。著作郎李充[3]，以勖舊簿校之，其見存者，但有三千一十四卷。充遂總没衆篇之名，但以甲乙爲次。自爾因循，無所變革。其後中朝遺書，稍流江左。宋元嘉八年[4]，祕書監謝靈運造《四部目録》[5]，大凡六萬四千五百八十二卷。元徽元年[6]，祕書丞王儉又造《目録》[7]，大凡一萬五千七百四卷。儉又别撰《七志》：一曰《經典志》，紀六藝、小學、史記、雜傳；二曰《諸子志》，紀今古諸子；三曰《文翰志》，紀詩賦；四曰《軍書志》，紀兵書；五曰《陰陽志》，紀陰陽圖緯；六曰《術藝志》，紀方技；七曰《圖譜志》，紀地域及圖書。其道、佛附見[8]，合九條。然亦不述作者之意，但於書名之下，每立一傳，而又作九篇條例，編乎首卷之中。文義淺近，未爲典則。齊永明中[9]，祕書丞王亮、監謝朏[10]，又造《四部書目》[11]，大凡一萬八千一十卷。齊末兵火，延燒祕閣，經籍遺散。梁初，祕書監任昉[12]，躬加部集[13]，又於文德殿内列藏衆書，華林園中總集釋典[14]，大凡二萬三千一百六卷，而釋氏不豫焉[15]。梁有祕書監任昉、殷鈞《四部目録》[16]，又《文德殿目録》[17]。其術數之書，更爲一部，使奉朝請祖暅撰其名[18]。故梁有《五部目録》。普通中[19]，有處士阮孝緒[20]，沉静寡慾，篤好墳史，博采宋、齊已來，王公之家凡有書記，參校官簿，更爲《七録》：一曰《經典録》，紀六藝；二曰《記傳録》，紀史傳；三曰《子兵録》，紀子書、兵書；四曰《文集録》，紀詩賦；五曰《技術録》，紀數術；六曰《佛録》；七曰《道録》。其分部題目，頗有次序，割析辭義，淺薄不經[21]。梁武敦悦詩書[22]，下化其上[23]，四境之内，家有文史。元帝克平侯景[24]，收文德之書及公私經籍，歸于江陵，大凡七萬餘卷。周師入郢[25]，咸自焚之。陳天嘉中[26]，又更鳩集，考其篇目，遺闕尚多。

[1] 東晉（317—420）：匈奴劉聰軍攻佔長安，西晉亡。司馬睿在建康（今江蘇南京）稱帝，偏安江南，史稱東晉，共歷十一帝。

[2] 鳩（jiū）聚：聚集。

[3] 李充（生卒年不詳）：字弘度，江夏（今湖北安陸附近）人，早年辟丞相王導掾，任大著作郎時，删除典籍繁重，以類相從，分爲四部，甚有條貫，祕閣以爲永制。《晉書》卷九二有傳。

[4] 宋（420—479）：南朝之一。東晉末年劉裕代晉稱帝，國號宋，都建康，亦稱劉宋，共歷八帝。元嘉，宋文帝年號，公元424—453年。

[5] 謝靈運（385—433）：祖籍陽夏（今河南太康），謝玄孫，襲封康樂公。文帝時徵爲祕書監，使整祕閣遺闕，又令撰晉書，書竟不就。頗有文才，以山水詩聞名，有詩文集傳世。後以謀反罪被殺。《宋書》卷六七、《南史》卷一九有傳。本書史、集部有其九部著述。《四部目録》，當爲謝靈運任祕書監時所撰，此目録本志已無載，亡佚。本書史、集部有其著述九部。

[6] 元徽：南朝宋廢帝劉昱的年號，公元473—477年。

[7] 王儉（452—489）：字仲寶，琅邪臨沂（今山東臨沂）人。宋明帝時，超遷祕書丞，依《七略》撰《七志》，元徽年間又撰《四部書目録》。入齊，先爲右僕射，後領中書監，累遷侍中、中書令、太子太傅、國子祭酒、開府儀同三司。永明七年卒，追贈

太尉，謚文憲。少年即留意三禮，尤善《春秋》，撰《古今喪服集記》等行於世。《南齊書》卷二三、《南史》卷二二有傳。本書經、史、集部著録王儉九部著述。《目録》，即《元徽元年四部書目録》四卷，本書有著録。

[8] 道：指道家典籍；佛，指佛家典籍，或稱釋氏典籍。

[9] 齊（479—502）：南朝之一，史稱南齊。蕭道成廢宋順帝自稱帝，國號齊，都建康，共歷七帝。永明，齊武帝蕭賾的年號，公元 483—493 年。

[10] 王亮（？—510）：字奉叔，琅邪臨沂（今山東臨沂）人。宋時，任祕書丞。入齊任吏部尚書，入梁，任太常卿、中書監等職。天監九年卒，謚煬子。《梁書》卷一六、《南史》卷二三有傳。謝朏（441—506）：朏（fěi），字敬冲，祖籍陽夏（今河南太康）。仕宋、齊、梁三朝，歷任祕書監、侍中、尚書令等職。天監五年卒，謚孝靖。《梁書》卷一五、《南史》卷二〇有傳。本志史、集部著録其著述三部。

[11]《四部書目》：此以四部分類的書目，本志已無著録，亡佚。

[12] 任昉（459—507）：昉（fǎng），字彦昇，博昌（今山東博興附近）人。仕齊，位不過列校。入梁，爲御史、祕書監，手自讎校祕閣四部，編定目録。任昉家富藏書，墳籍無所不見。天監六年卒，謚敬子。《梁書》卷一四、《南史》五九有傳。本志史、集部著録其五部著述。

[13] 躬加部集：親自加以部類聚集。

[14] 華林園：位於今江蘇南京鷄鳴山南古臺城内，三國時吴始建，南朝時又有擴建。

[15] 豫：參與。

[16] 殷鈞（481—529）：字季和，陳郡長平（今河南項城東北）人，好學，善隸書。梁初，起家祕書郎，任祕書丞期間，啓校定

祕閣四部書，更爲目録。又受詔料檢法書古迹，别爲品目。卒，謚貞。《梁書》卷二七、《南史》六〇有傳。《四部目録》，當爲本志史部所著録之《梁天監六年四部書目録》四卷。

[17]《文德殿目録》：似爲本志史部所著録之署名劉孝標撰《梁文德殿四部目録》四卷。

[18] 祖暅（456—536）：暅（gèng），《南史》作祖暅之，字景爍，范陽遒（今河北淶水）人，祖冲之之子。少傳家業，究極精微，亦有巧思，善算曆、機巧，故撰術數類典籍目録。《南史》卷七二有傳。本志子部著録其二部著述。

[19] 普通：梁武帝蕭衍年號，公元520—528年。

[20] 處士：未仕或不仕的人。阮孝緒（479—536），字士宗，陳留尉氏（今河南尉氏）人。十三歲遍通五經，一生不仕，撰《七録》等書二百五十卷。大通二年卒，謚文貞處士。《梁書》卷五一、《南史》卷七六有傳。本《志》經、史部著録其著述四部。

[21] 不經：不合常規，無依據。

[22] 梁武（464—549）：梁武帝蕭衍，字叔達，南蘭陵中都里（今江蘇常州）人。仕齊，廢東昏侯，立和帝。次年，弑君自稱帝，國號梁。太清二年接納侯景，不久侯景叛梁，武帝被幽死。武帝有文才，多有著述。佞佛，三次捨身於佛寺。《梁書》卷一、二、三，《南史》卷六，《魏書》卷九八有傳。本志經、史、子、集著録其二十部著述。

[23] 下化其上："上"疑爲"土"之誤。

[24] 元帝（508—554）：梁元帝蕭繹，字世誠，武帝子。簡文帝大寶二年（551）破侯景，於江陵即帝位。承聖三年（554），江陵被西魏軍攻佔，元帝遇害，在位僅三年。元帝聰悟嗜書，並多有著述。《梁書》卷五、《南史》卷八有傳。本志史、子、集著録其著述十六部。侯景（？—552）：字萬景，朔方（今内蒙古鄂爾多斯）或曰雁門（今山西代縣西北）人。初爲魏尒朱榮將，後

歸高歡，又投梁，不久即叛，幽死梁武帝，縱兵燒殺劫掠，史稱“侯景之亂”。最終敗於王僧辯，被部下殺死。《梁書》卷五六、《南史》卷八〇有傳。

[25] 周師入郢（yǐng）：周（557—581），鮮卑人宇文覺廢西魏主自立，建國號爲周，都長安，史稱北周、後周，共歷五帝。據《梁書》、《南史》記載，破郢之軍乃魏師。郢，在今湖北荆州附近。

[26] 陳（557—589）：陳霸先廢梁，建國號爲陳，都建康，共歷五帝。天嘉，陳文帝陳蒨的年號，公元 560—566 年。

其中原則戰爭相尋[1]，干戈是務，文教之盛，苻、姚而已[2]。宋武入關[3]，收其圖籍，府藏所有，纔四千卷。赤軸青紙，文字古拙。後魏始都燕、代[4]，南略中原，粗收經史，未能全具。孝文徙都洛邑[5]，借書於齊，祕府之中，稍以充實。暨於尒朱之亂[6]，散落人間。後齊遷鄴[7]，頗更搜聚，迄於天統、武平[8]，校寫不輟。後周始基關右，外逼强鄰，戎馬生郊[9]，日不暇給。保定之始[10]，書止八千，後稍加增，方盈萬卷。周武平齊[11]，先封書府，所加舊本，纔至五千。

[1] 相尋：相繼、連續不斷。

[2] 苻：指東晉十六國之一的前秦（351—394），氐族苻氏據關中，國號秦，史稱前秦。國盛時，南至邛僰，東抵淮泗，西極西域，北盡大磧。晉太元八年（383），苻堅攻晉，兵敗淝水，元氣大傷，後爲姚萇所殺。事見《晉書》卷一一二至卷一一五。姚，指東晉十六國之一的後秦（384—417），羌族人姚萇殺苻堅，後稱帝於長安。東晉義熙十三年（417），後秦被劉裕所滅。

[3] 宋武（363—422）：南朝宋武帝劉裕，字德輿，彭城（今

江蘇徐州）人。仕東晉，爲北府兵將領，先後攻打孫恩、桓玄，進擊四川割據勢力，統一江南，兩次北伐，滅南燕、後秦。元熙二年（420）廢晉恭帝，建立宋王朝。《宋書》卷一、《魏書》卷九七、《南史》卷一有傳。關，指陝西潼關。

[4] 後魏（386—534）：鮮卑拓跋部的拓跋珪，先自立爲代王，後稱帝，都平城（今山西大同）。明元帝進攻劉宋，奪得黄河以南大片土地。太武帝先後滅北燕、北凉，統一北方。後分裂爲東魏、西魏。見《魏書》卷二。都：都於。燕，今北京以及以北地區。代，今内蒙古、山西、河北境内長城以北地區。

[5] 孝文（467—499）：魏孝文帝拓跋宏，即位後興文治，太和十八年（494）年遷都洛陽，不久又改姓元，大力推行漢化。《魏書》卷七、《北史》卷三、《南齊書》卷五七有傳。

[6] 尒（ěr）朱之亂：尒朱，此指尒朱榮（493—530），字天寶，秀容（今山西朔州西北）人，世爲部落酋帥。魏明帝時，進封爲博陵郡公，兵威漸盛，朝廷難以控制。胡太后毒殺明帝，尒朱榮起兵進洛陽，立莊帝，又擒政敵葛榮，遥專朝政，掌廢立大權。永安三年（530）被莊帝設計殺死於朝中。事見《魏書》卷七四、《北史》卷四八。

[7] 後齊（550—577）：即北齊，北朝之一。534 年北魏分裂爲東魏、西魏，東魏的實權落在大將高歡手中。550 年高歡之子高洋自立爲帝，以北齊取代東魏，遷都於鄴，凡六帝，後爲北周所滅。

[8] 天統、武平：天統（565—569），武平（570—576），是北齊後主高緯的兩個年號。

[9] 戎馬生郊：出於《老子》，牝馬在戰地郊野産駒，意謂國家不安定，連懷駒的母馬也得參戰。

[10] 保定：北周武帝宇文邕的年號，公元 561—565 年。

[11] 周武（543—578）：北周武帝宇文邕，字禰羅突，代郡武川（今内蒙古武川）人，宇文泰第四子。武成二年（560）四月

即皇帝位。建德五年（576）率軍東伐，次年攻占鄴城，滅北齊。《周書》卷五、卷六《北史》卷一〇有傳。

隋開皇三年[1]，祕書監牛弘[2]，表請分遣使人，搜訪異本。每書一卷，賞絹一匹，校寫既定，本即歸主。於是民間異書，往往間出。及平陳已後，經籍漸備。檢其所得，多太建時書[3]，紙墨不精，書亦拙惡。於是總集編次，存爲古本。召天下工書之士，京兆韋霈、南陽杜頵等[4]，於祕書内補續殘缺，爲正副二本，藏於宫中，其餘以實祕書内、外之閣，凡三萬餘卷。煬帝即位[5]，祕閣之書，限寫五十副本，分爲三品：上品紅瑠璃軸[6]，中品紺瑠璃軸[7]，下品漆軸。於東都觀文殿東西廂構屋以貯之，東屋藏甲乙，西屋藏丙丁。又聚魏已來古迹名畫[8]，於殿後起二臺，東曰妙楷臺，藏古迹；西曰寶迹臺，藏古畫。又於内道場集道、佛經[9]，别撰目録。

[1] 隋（581—618）：北周大丞相楊堅襲封隋國公，不久廢周自立爲帝，國號隋，都長安，後被唐取代，凡三帝。開皇，隋文帝楊堅的年號，公元581—600年。

[2] 牛弘（545—610）：字里仁，本姓尞氏，魏時賜姓牛，安定鶉觚（今甘肅靈臺）人。仕周，官至大將軍、儀同三司。隋初爲祕書監，上表請開獻書之路，使典籍稍備。頗具文才，有文集問世。《周書》卷三、《隋書》卷四九、《北史》卷七二有傳。本志史、集著録其三部著述。

[3] 太建：南朝陳宣帝陳頊年號，公元569—582年。

[4] 京兆：今陜西西安周邊。韋霈，生平事迹不詳。南陽，今河南南陽。杜頵（yūn 或 jūn）：生平事迹不詳。

[5] 煬帝（589—618）：楊廣，一名英，文帝次子。在位十四

年，對外大肆用兵，於内大興土木，賦重役繁，民不聊生，各地農民起義此起彼伏。大業十四年（618），被宇文化及等縊殺於宫中。《隋書》卷三、四有傳。

[6] 紅瑠璃軸：一種用紅色寶石製作的用來捲書卷的軸。

[7] 紺（gàn）：天青色。

[8] 古迹：古人的法書和墨迹。

[9] 内道場：隋煬帝大業中改天下寺爲道場，故此指宫内寺廟。

大唐武德五年[1]，克平僞鄭[2]，盡收其圖書及古迹焉。命司農少卿宋遵貴載之以船，泝河西上[3]，將致京師。行經底柱[4]，多被漂没，其所存者，十不一二。其《目録》亦爲所漸濡[5]，時有殘缺。今考見存，分爲四部，合條爲一萬四千四百六十六部，有八萬九千六百六十六卷。其舊録所取，文義淺俗、無益教理者，並删去之。其舊録所遺，辭義可采，有所弘益者，咸附入之。遠覽馬《史》、班《書》，近觀王、阮《志》、《録》，挹其風流體制[6]，削其浮雜鄙俚[7]，離其疏遠，合其近密[8]，約文緒義，凡五十五篇，各列本條之下，以備《經籍志》。雖未能研幾探賾[9]，窮極幽隱，庶乎弘道設教[10]，可以無遺闕焉。夫仁義禮智，所以治國也，方技數術，所以治身也；諸子爲經籍之鼓吹[11]，文章乃政化之黼黻[12]，皆爲治之具也。故列之於此志云。

[1] 大唐（618—907）：隋末農民起義雲起，唐國公李淵起兵太原，攻占長安。618 年隋煬帝在江都被殺，不久李淵稱帝，國號唐，定都長安，共歷二十一帝。武德，唐高祖李淵的年號，公元 618—626 年。

[2] 僞鄭：隋末王世充（因避唐太宗李世民諱，又稱王充）所建政權，武德四年（621）李世民率師大破之，投降，鄭亡。

[3] 泝（sù）河西上：泝，“溯”之異體字，逆水而上；河，黄河。

[4] 底柱：又作砥柱，亦名三門山。三門，南曰鬼門，中曰神門，北曰人門。原在今河南三門峽市東北黄河中，修三門峽水庫後，此山已不見。河水至此分流，繞山而過。南門險急，舟筏入者，往往舟覆人亡。因山在水中若柱，故稱砥柱。

[5]《目録》：此指《隋大業正御書目録》九卷，本志有著録。漸濡（rú），浸漬、濕潤。

[6] 挹（yì）其風流體制：挹，抑制。風流，有才而不拘禮法的氣派。

[7] 鄙俚：粗俗。

[8] 離其疏遠，合其近密：此乃本志部類典籍的原則。

[9] 研幾：窮究精微之理。探賾（zé），探尋精微、深奥之事理。

[10] 庶乎：希望於、但願於。

[11] 鼓吹：宣揚。

[12] 黼黻（fǔ fú）：原指古代禮服上繪繡的花紋，此言文章是政治化俗的華美修飾和襯托。

經部

易

《歸藏》十三卷。晉太尉參軍薛貞注。

薛貞：生平事迹不詳。《歸藏》，三《易》之一。後漢桓譚《新論》言《歸藏》四千三百言，藏於太卜。《周禮注疏》卷二四，杜子春曰“《歸藏》，黄帝”。賈公彦曰“此《歸藏易》以純坤爲首，坤爲地，故萬物莫不歸而藏於中，故名爲《歸藏》也。……《連山》、《歸藏》、《周易》皆以八卦乾、坤、震、巽、坎、離、艮、兑爲本，其别六十四”。《七略》、《漢志》未著録此書。《舊唐志》著録《歸藏》十三卷，司馬膺注。《新唐志》著録《歸藏》十三卷，不署注者名。宋《崇文總目》著録《歸藏》三卷，晉太尉參軍薛正（即薛貞）注。又稱“今但存《初經》、《齊母》、《本著》三篇。文多闕亂，不可詳解”。明《文淵閣書目》已無著録，亡佚。清王謨、王朝璩、嚴可均、洪頤煊、朱彝尊、觀頮道人皆輯有《歸藏》。1993年，湖北江陵王家臺出土秦簡《歸藏》，據有關專家研究，此簡本是故楚國地區流傳的本子，與保存下來的《歸藏》佚文有所不同。

《周易》二卷。魏文侯師卜子夏傳，殘缺。梁六卷。

魏文侯（？—前387）：名都或斯，六國之君中最爲好古，受經於子夏。《史記》卷四四有傳。卜子夏（前507—前400）：名商，字子夏，春秋衛（今河南滑縣東）人，孔子弟子。善文學，序《詩》傳《易》，教於河西，爲魏文侯師。《史記》卷六七有傳。此書梁時尚存六卷，《唐會要》引阮孝緒《七録》"《子夏易》六卷，或云韓嬰作，或云丁寬作"。兩《唐志》皆有著録，爲二卷，然《宋志》著録《易傳》十卷，題卜子夏傳。《郡齋讀書志》則稱"今此書約王弼注爲之者，止《雜卦》"。《四庫全書總目》卷一著録《子夏易傳》十一卷，提要指出此爲僞書，所以著録是因"流傳既久，姑存以備一家云爾"。清有孫堂、孫馮翼、張惠言、張澍、黄奭、吴騫所輯《子夏易傳》。

《周易》十卷。漢魏郡太守京房章句。

京房：顔師古曰有兩京房，一爲楊叔元弟子、梁丘賀師。此京房（前77—前37）字君明，東郡頓丘（今河南濮陽附近）人。本姓李，推律自定爲京氏。受《易》於孟喜之徒梁人焦延壽。元帝時任魏郡太守，後被石顯等譖殺。《漢書》卷七五、卷八八有傳。本書經部、子部尚有署京房名之典籍十九部。此書在《漢志》著録"《孟氏京房》十一篇"，《經典釋文序録》題爲"《京氏章句》十二卷"，兩《唐志》皆著録十卷，《宋志》無載，亡佚。清孫堂、張惠言、黄奭、馬國翰、王仁俊、王保訓、胡薇元輯《周易京房章句》。

《周易》八卷。漢曲臺長孟喜章句，殘缺。梁十卷。又有漢單父長費直注《周易》四卷，亡。

孟喜（前90？—前40？）：字長卿，東海蘭陵（今山東蘭陵）人。從田何再傳弟子田王孫受《易》，爲《易章句》。舉孝廉爲郎，曲臺長。《漢書》卷八八有傳。《漢志》言："漢興，田何傳之，訖于宣、元，有施、孟、梁丘、京氏列於學官。而民間有費、高二家説。"此書本書著録八卷，並稱梁有十卷，而兩《唐志》則著録十卷。《宋志》無載，亡佚。清朱彝尊、王謨、孫堂、張惠言、黄奭、馬國翰、胡薇元輯有孟喜《周易章句》。費直：字長翁，東萊（今山東萊州周邊）人。治《易》爲郎，至單父令。《漢書》卷八八有傳。獨傳古文《易》，而不列於學官。東漢多人傳《費氏易》，至魏，費氏大興。本志子部著録費直一部撰著。本志言此書已亡佚，然兩《唐志》著録此書四卷，《宋志》無載，亡佚。清馬國翰、胡薇元輯有費氏注《周易》。

《周易》九卷。後漢大司農鄭玄注。梁又有漢南郡太守馬融注《周易》一卷，亡。

鄭玄（123—200）：字康成，北海高密（今山東高密）人。曾從師馬融，頗得其贊賞。范曄稱其“能囊括大典，網羅衆家，删裁繁誣，刊改漏失，自是學者略知所歸”。爲《易》、《詩》、《尚書》、《禮》等儒家經典作注，並多流傳至今，又多有著述。《後漢書》卷三五有傳。本志經部、子部尚著録署鄭玄名的典籍二十三部。本志與《舊唐志》著録此書爲九卷，《新唐志》則著録十卷。《宋志》有鄭玄《周易文言注義》一卷，不似此書。此書亡佚。宋王應麟輯《周易鄭康成注》一卷附《易贊易論》一卷，清惠棟、丁杰對其有所補定。另，清朱彝尊、黄奭、袁鈞、孔廣林輯有鄭玄注《周易》。馬融（79—166）：字季長，扶風茂陵（今陝西咸陽西）人。永初四年（110）拜爲校書郎，詣東觀典校祕書。馬融才高博洽，爲世通儒，常有數千門徒。注《孝經》、《論語》、《詩》、《易》、《尚書》等經典，又撰有賦、頌、表記等二十一篇。《後漢書》卷六〇上有傳。本志經部尚著録馬融著述五部。本志稱此書梁已亡，然兩《唐志》皆著録馬融《周易章句》十卷。《宋志》無載，亡佚。清朱彝尊、孫堂、張惠言、黄奭、馬國翰、胡薇元輯有馬融《周易傳》，另有臧庸輯《馬王易義》一卷。

《周易》五卷。漢荆州牧劉表章句。梁有漢荆州五業從事宋忠注《周易》十卷，亡。

劉表（？—208）：字景升，山陽高平（今山東金鄉周邊）人。少知名，受學於同郡王暢。獻帝初爲荆州牧，封成武侯。後南收零、桂，北據漢川，雄霸一方。建安十三年（208）曹操征討劉表，未至，劉表病死。《後漢書》卷七四下、《三國志》卷六有傳。此書兩《唐志》皆有著録，《宋志》無載，亡佚。清孫堂、張惠言、黄奭、馬國翰、胡薇元輯劉表《周易章句》。宋忠（？—219）：又作宋衷，字仲子，南陽章陵（今湖北棗陽南）人。後漢荆州五業從事。後因數與魏諷謀反，被曹操所殺。李仁、尹默並從宋衷受古學，王肅從衷讀《太玄》。虞翻稱“北海鄭玄、南陽宋衷，雖各立注，衷小差玄，而皆未得其門，難以示世”。見《三國志》卷五七、《經典釋文序録》。本志史、子部尚有宋衷著述四部。所注《周易》，兩《唐志》著録十卷，《經典釋文叙録》記載九卷，《宋志》無載，亡佚。清孫堂、張惠言、黄奭、馬國翰、胡薇元輯宋衷《周易注》。

《周易》十一卷。漢司空荀爽注。

荀爽（128—190）：又名諝，字慈明，潁川潁陽（今河南許昌）人。先拜郎，後遭黨錮，隱於海上。獻帝朝，董卓擅政，進拜司空。著《易傳》、《詩傳》、《尚書正經》等，凡百餘篇，多亡缺。《後漢書》卷六二有傳。本志經部尚有荀爽一部著述。此書兩《唐志》、《經典釋文叙録》皆載十卷，《宋志》無載，亡佚。清孫堂、黄奭、馬國翰、胡薇元輯荀爽《周易注》。

《周易》十卷。魏衛將軍王肅注。

王肅（195—256）：字子雍，東海郯（今山東郯城）人。正始初，爲侍中，遷太常。甘露元年（256）卒，追贈衛將軍，謚景侯。

善賈逵、馬融之學，不好鄭玄之説。爲《尚書》、《詩》、《論語》等作解。《三國志》卷一三有傳。本志經、子部還著録王肅十九部著述。此書兩《唐志》皆有著録，《宋志》有王肅《周易傳》十一卷。《崇文總目》言此非王肅本書，是後人纂《經典釋文》所取者附益之。此書亡佚。清朱彝尊、孫堂、張惠言、黄奭、馬國翰輯王肅《周易注》。

《周易》十卷。魏尚書郎王弼注《六十四卦》六卷，韓康伯注《繫辭》以下三卷，王弼又撰《易略例》一卷，梁有魏大司農卿董遇注《周易》十卷，魏散騎常侍荀煇注《周易》十卷，亡。

王弼（226—249）：字輔嗣，山陽（今山東金鄉周邊）人。注《易》及《老子》，爲尚書郎。太原王濟曰，“見弼《易》注，所悟者多”。事見《三國志》卷二八。本志經、子部尚有二部王弼著述。《經典釋文叙録》曰，永嘉之亂後，唯鄭玄、王弼所注《易》行於世，而王氏爲世所重。其言王弼注七卷，即注《易上下經》六卷、《易略例》一卷。《繫辭》以下王不注，相承以韓康伯注續之。兩《唐志》著録王弼《周易注》七卷和王弼、韓康伯注《易》十卷。《宋志》著録《周易上下經》六卷，未署名，疑即王弼所注，又著録韓康伯《繫辭説卦序卦雜卦》三卷以及王弼《略例》一卷、《易辨》一卷。《四庫全書總目》著録《周易注》十卷，即此書，稱“自鄭玄傳費直之學，始析《易傳》以附經，至弼又更定之”。唐孔穎達以此書爲本作《周易正義》。王弼、韓康伯注《周易》及《易略例》，現存最好的本子是宋刻本，通行的本子是《十三經注疏》本。20世紀陸續出土的戰國楚竹書《周易》，馬王堆帛書《周易》、《二三子問》、《繫辭》等，和傳世本《周易》頗有差異，也有不少勝過傳世本之處。韓康伯（生卒年不詳）：名伯，穎川長社（今河南長葛）人。晉簡文帝居藩時引爲談客，累官至散騎常侍、豫章太守，入爲侍中。後改授太常，未拜卒，時年四十九。《晉書》卷七五有傳。本志本部還有一部韓康伯著述。其注《易繫辭》以下三卷，與王弼所注《六十四卦》、《易略例》一卷，合爲十卷，流傳至今。董遇（生卒年不詳）：字季直，弘農華陰（今陝西華陰東南）人。漢末關中紛亂，仍手不釋卷。魏明帝時，入爲侍中、大司農。歷注經傳，頗傳於世。主張“讀書百遍，而義自見”，從學者少，無傳其説之人。事見《三國志》卷一三所引《魏略》。本志經部尚有一部董遇著述。其《周易注》十卷，《經典釋文叙録》載其爲《章句》十二卷，兩《唐志》皆著録十卷，《宋志》無載，亡佚。清朱彝尊、孫堂、張惠言、黄奭、馬國翰有此書輯本。荀煇（生卒年不詳）：字景文，潁川潁陰（今河南許昌）人。晉太子中庶子，與賈充共定音律，又作《易集解》。事見《三國志》卷一〇所引《荀氏家傳》。《經典釋文叙録》亦言荀煇爲晉太子中庶子。兩《唐志》皆著録此書，《舊唐志》作荀暉，《宋志》無載，亡佚。

《周易》十卷。吴太常姚信注。

姚信（生卒年不詳）：據《經典釋文叙録》載，“字德裕，《七録》云字元直，吴興人，吴太常卿。《七録》云十二卷”。本志子部尚有二部姚信著述。此書兩《唐志》皆著録十卷，《宋志》無載，亡佚。清孫堂、張惠言、黄奭、馬國翰輯有此書。

《周易》四卷。晉儒林從事黄穎注。梁有十卷，今殘缺。

據《經典釋文序録》記載，黄穎（生卒年不詳）：南海（今廣東）人，晉廣州儒林從事。此書兩《唐志》皆著録十卷，《宋志》無載，亡佚。清黄奭、馬國翰有輯本。

《周易》九卷。吴侍御史虞翻注。

虞翻（163—232）：字仲翔，會稽餘姚（今浙江餘姚）人。初爲王朗公曹，後詔爲侍御史，不就。事孫策、孫權，爲騎都尉，屢犯顔諫争，被放交州。爲《易》、《老子》等作注。《三國志》卷五七有傳。傳中裴注引《翻别傳》所載虞翻有關《易注》的上奏，可參見。此書《舊唐志》著録九卷，《新唐志》著録十卷，《宋志》無載，亡佚。清孫堂、黄奭有此書輯本。

《周易》十五卷。吴鬱林太守陸績注。

陸績（188—219）：又作陸勣，字公紀，吴郡吴（今江蘇蘇州）人。仕吴爲鬱林太守，加偏將，雖有軍事，著述不廢，注《易》、釋《玄》，年三十二卒。《後漢書》卷三一、《三國志》卷五七有傳。本志經、子部尚有二部陸績之作。此書兩《唐志》與《經典釋文叙録》皆作十三卷，《宋志》無載，亡佚。明姚士粦輯、清孫堂增補，清張惠言、黄奭、馬國翰、汪氏亦有輯本。

《周易》十卷。晉散騎常侍干寶注。

干寶（？—336）：字令升，新蔡（今河南新蔡）人。以才器召爲著作郎，後遷散騎常侍，領國史，著《晉紀》，咸稱良史。注《周易》、《周官》，撰《搜神記》。《晉書》卷八二有傳。本志經、史、子、集部尚有干寶之作十一部。此書兩《唐志》、《宋志》皆有著録，然《文獻通考》無載，亡佚。元屠曾，明姚士粦，清黄奭、汪氏有輯本。

《周易》三卷。晉驃騎將軍王廙注，殘缺。梁有十卷。

王廙（276—322）：廙（yì），字世將，琅邪臨沂（今山東臨沂）人。晉元帝姨弟。少能屬文，多所通涉。卒，贈侍中、驃騎將軍，謚曰康。《晉書》卷七六有傳。本志集部尚有王廙兩部著述。此書兩《唐志》著録十卷，《經典釋文序叙録》記載十二卷，《宋志》無載，亡佚。清孫堂、張惠言、黄奭、馬國翰有輯本。

《周易》八卷。晉著作郎張璠注，殘缺。梁有十卷。

張璠（生卒年不詳）：安定（今甘肅定西）人，東晉祕書郎，參著作。《經典釋文叙録》稱此書爲《張璠集解》十二卷，"集二十二家解，序云依向秀本"。二十二家，鍾會、向秀、庾運、應貞、荀煇、張輝、王宏、阮咸、阮渾、楊乂、王濟、衛瓘、欒肇、鄒湛、杜育、楊瓚、張軌、宣舒、邢融、裴藻、許適、楊藻。兩《唐志》皆著録《周易集解》十卷，《宋志》無載，亡佚。清孫堂、黄奭、馬國翰輯張璠《周易集解》。

《周易馬鄭二王四家集解》十卷。

此書不署撰者，集馬融、鄭玄、王弼、王肅四家之説爲一書。《周易楊氏集二王注》五卷條下，"梁有《集馬鄭二王解》十卷，亡"，可能與此書同爲一書。

《周易荀爽九家注》十卷。

《經典釋文叙録》記載此書："不知何人所集，稱荀爽者，以爲主故也。其序有荀爽、京房、馬融、鄭玄、宋衷、虞翻、陸績、姚信、翟子玄。"兩《唐志》皆著録此書，《宋志》無載，亡佚。清王謨、孫堂、張惠言、黄奭有輯本。

《周易楊氏集二王注》五卷。梁有《集馬鄭二王解》十卷，亡。

楊氏：不詳其始末。此書集王弼、王肅《易》注，《舊唐志》著録二王《集注》十卷，《新唐志》著録二王《集解》十卷，皆不署集解者名。《宋志》無載，亡佚。《集馬鄭二王解》疑即前著録的《周易馬鄭二王四家集解》，隋時此書實未亡。

《周易》十卷。蜀才注。梁有齊安參軍費元珪注《周易》九卷，謝氏注《周易》八卷，尹濤注《周易》六卷，亡。

蜀才：《顔氏家訓·書證》據《李蜀書》言，蜀才“姓范，名長生，自稱蜀才”。《經典釋文序録》亦據是書，稱“姓范，名長生，一名賢，隱居青城北，自號蜀才，李雄以爲丞相”。此書兩《唐志》皆著録十卷，《宋志》無載，亡佚。清孫堂、張澍、黄奭輯有此書，馬國翰補張澍輯本。費元珪：蜀人，齊安（今湖北黄岡西北）參軍。《經典釋文叙録》則作“齊安西參軍”，於是姚振宗即認爲應是“南齊安西參軍”，安西指的是唐代的安西督護府，在今新疆境内，與南齊疆域相距遥遠，不屬南齊統轄範圍，故本志作“齊安參軍”不誤。此書兩《唐志》已不載，亡佚。謝氏：不詳何人。此書兩《唐志》已不載，亡佚。尹濤：其人始末不詳。《經典釋文叙録》亦著録此書六卷，兩《唐志》已不載，亡佚。

《周易》十卷。後魏司徒崔浩注。

崔浩（？—450）：字伯淵，清河東武城（今河北清河）人。博覽經史，百家之言，無不關綜。初給事祕書，轉著作郎。魏世祖時遷司徒。太平真君十一年（450）被誅，滅族。《魏書》卷三五、《北史》卷二一有傳。本志經、子、集部尚有崔浩三部著述。此書兩《唐志》皆著録十卷，《宋志》無載，亡佚。

《周易》十卷。梁處士何胤注。梁有臨海令伏曼容注《周易》八卷，侍中朱异集注《周易》一百卷，又《周易集注》三十卷，亡。

何胤（446—531）：字子季，廬江灊（今安徽霍山東北）人。雖因后族而貴顯，然多次固辭徵辟，歸隱不仕，世號小山，亦曰東山。注《易》、《詩》、《禮》等。《南齊書》卷五四、《梁書》卷五一、《南史》卷三〇有傳。本志經、史部尚有何胤著述。此書兩《唐志》皆著録十卷，《宋志》無載，亡佚。伏曼容（421—502）：字公儀，平昌安丘（今山東安丘）人。齊武帝時，入拜中散大夫。入梁，召拜司馬，出爲臨海太守。爲《易》、《詩》、《老》、《莊》

作注。《梁書》卷四八、《南史》卷七一有傳。此書兩《唐志》已無載，亡佚。清黄奭、馬國翰有此書輯本。朱异（488—548）：字彦和，吴郡錢唐（今浙江杭州）人。累官鴻臚卿、右衛將軍，加侍中，遷中領軍。有《易》、《禮》講疏等百餘篇，亂中多亡佚。侯景反，遭指責，慚憤而卒。《梁書》卷三八、《南史》六二有傳。據《梁書》卷四八、《南史》卷七一《孔子袪傳》言，孔子袪"續朱异《集注周易》百卷"，此書當爲朱、孔二人合著，而"又《周易集注》三十卷"未署撰者，當爲朱异所作。

《周易》七卷。姚規注。

姚規：不詳何人，既在朱异之下，疑爲齊梁間人，也不排除是後魏、北齊人。此書兩《唐志》已不載，亡佚。清黄奭、馬國翰有此書輯本。

《周易》十三卷。崔覲注。

崔覲：不詳何人。本志經部尚有崔覲著述一部。此書兩《唐志》皆著録十三卷，《宋志》無載，亡佚。清黄奭、馬國翰有此書輯本。

《周易》十三卷。傅氏注。

傅氏：不載其名，其事迹難以查考。此書兩《唐志》著録十四卷，《宋志》無載，亡佚。清黄奭、馬國翰有輯本。

《周易》一帙十卷。盧氏注。

盧氏：不載其名，姚振宗與馬國翰皆根據北魏盧景裕注《周易》，其注《易》大行於世，而認爲此盧氏即盧景裕。此人於《魏書》卷四八、《北史》卷三〇有傳。是書兩《唐志》皆著録十卷，《宋志》無載，亡佚。清黄奭、馬國翰有輯本。

《周易繫辭》二卷。晉桓玄注。

桓玄（369—404）：字敬道，譙國龍亢（今安徽懷遠西）人。少襲父爵爲南郡公，元興元年（402）舉兵，攻下建康，逼晉安帝禪位，建國號楚。後被劉裕擊敗，斬於江陵。《晉書》卷九九、《魏書》卷九七有傳。此書只注《周易》中的《繫辭傳》，兩《唐志》皆著録二卷，《宋志》無載，亡佚。清黄奭、馬國翰有輯本。

《周易繫辭》二卷。晉西中郎將謝萬等注。

謝萬（320—361）：字萬石，阳夏（今河南太康）人，謝安弟。工言論，善屬文。官拜豫州刺史，監司、豫、冀、并四州軍事、假節。受命北征，敗歸，廢爲庶人。昇平五年（361）卒，時年四十二。《晉書》卷七九有傳。本志經、集部尚有二部謝萬著述。此書兩《唐志》皆著録謝萬注《周易繫辭》二卷，《宋志》無載，亡佚。

《周易繫辭》二卷。晉太常韓康伯注。

此前已著録韓康伯注《繫辭》以下三卷，此應是韓康伯所注《繫辭》的單行本，兩《唐志》不著録。

《周易繫辭》二卷。梁太中大夫宋褰注。又有宋東陽太守卞伯玉注《繫辭》二卷，亡。

宋褰（qiān）：不詳何人。兩《唐志》著録此書二卷，《宋志》無載，亡佚。卞伯玉：據《經典釋文叙録》載，濟陰（今江蘇睢寧）人，宋東陽太守、黄門郎。此書兩《唐志》已不載，亡佚。

《周易繫辭》二卷。荀柔之注。

荀柔之（生卒年不詳）：據《經典釋文序録》載，潁川潁陰（河南許昌）人，宋奉朝請。《舊唐志》著録荀諺注《繫辭》二卷，

《新唐志》著録荀諺注《繫辭》二卷、荀柔之注《繫辭》二卷，疑荀諺即荀柔之。《宋志》不載此書，亡佚。清黄奭、馬國翰有輯本。

《周易集注繫辭》二卷。梁有宋太中大夫徐爰注《繫辭》二卷，亡。

此書不署撰者。朱彝尊疑此書即下列徐爰注《繫辭》二卷。徐爰（394—475）：本名瑗，字長玉，南琅邪開陽（今江蘇南京）人。前廢帝時，寵待隆密，群臣莫二。太宗時，除太中大夫，著作並如故，後被貶交州。《宋書》卷九四、《南史》卷七七有傳。本志經、史、子、集部尚有徐爰五部著述。此二書兩《唐志》已不載，亡佚。

《周易音》一卷。東晉太子前率徐邈撰。

徐邈（344—397）：字仙民，東莞姑幕（今山東諸城）人。博涉多聞，四十四歲始補中書舍人，傳正五經音訓，學者宗之。孝武帝時，爲前衛率，授太子經。《晉書》卷九一有傳。本志經、子、集部尚有徐邈十部著述。此書兩《唐志》已無載，亡佚。清黄奭、馬國翰有輯本。

《周易音》一卷。東晉尚書郎李軌弘範撰。

李軌（生卒年不詳）：據《經典釋文敘録》載，字弘範，江夏（今湖北武漢）人。東晉祠部郎中、都亭侯。本志經、史、子、集部尚有李軌十一部著述。此書兩《唐志》已不載，亡佚。清黄奭、馬國翰有輯本。

《周易音》一卷。范氏撰。

范氏：不詳何人。此書兩《唐志》已不載，亡佚。

《周易并注音》七卷。祕書學士陸德明撰。

陸德明（550—630）：名元朗，以字行，蘇州吴（今江蘇蘇州）人。由陳入隋，爲祕書學士。入唐，爲國子博士，封吴縣男。貞觀初卒。著《易疏》、《老子疏》，所撰《經典釋文》，是漢魏以來研究古代經典的重要著作。《舊唐書》卷一八九上、《新唐書》卷一九八有傳。本志經部尚有陸德明一部著述。兩《唐志》不著録此書，著録其《周易文句義疏》二十四卷、《周易文外大義》二卷，《宋志》與《直齋書録解題》著録陸德明《周易釋文》一卷，而《經典釋文》中有《周易音義》一卷，這幾種書之間是何關係，尚待考證。

《周易盡神論》一卷。魏司空鍾會撰。梁有《周易無互體論》三卷，鍾會撰，亡。

鍾會（225—264）：字士季，潁川長社（今河南長葛東北）人。有才數技藝。魏景元中，因征蜀有功，官至司徒。後謀據蜀，爲部將亂兵所殺。《三國志》卷二八有傳。本志經、子部尚有鍾會三部著述。此書兩《唐志》不載，然著録鍾會《周易論》四卷。《宋志》不載，亡佚。《周易無互體論》，《三國志》亦有提及，本志言梁時已亡。

《周易象論》三卷。晉尚書郎欒肇撰。

欒肇（生卒年不詳）：據《經典釋文叙録》載，字永初，太山（今山東泰安東南）人，晉太保掾尚書郎。本志經、集部尚有三部欒肇之作。兩《唐志》著録《周易象論》一卷，《宋志》無載，亡佚。

《周易卦序論》一卷。晉司徒右長史楊乂撰。

楊乂（生卒年不詳）：據《經典釋文叙録》載，字玄舒，汝南

（今河南駐馬店西南）人。晉司徒左長史。本志經、集部尚有楊乂二部著述。此書兩《唐志》著録一卷，《宋志》無載，亡佚。清黄奭、馬國翰有輯本。

《周易統略》五卷。晉少府卿鄒湛撰。

鄒湛（？—299）：字潤甫，南陽新野（今河南新野）人。少以才學知名，仕魏。入晉官至散騎常侍、國子祭酒，轉少府。元康末卒。《晉書》卷九二有傳。本志集部尚有鄒湛一部著述。此書兩《唐志》皆著録三卷，《宋志》無載，亡佚。清黄奭、馬國翰有輯本。

《周易論》二卷。晉馮翊太守阮渾撰。

阮渾（生卒年不詳）：字長成，阮籍子，陳留尉氏（今河南尉氏）人。太康中爲太子庶子、馮翊太守。附《晉書》卷四九《阮籍傳》。此書《舊唐志》著録"《周易論》二卷暨長成難，暨仲容答"，《新唐志》著録"阮長成、阮仲容《難答論》二卷"，應即爲此書。《宋志》無載，亡佚。

《周易論》一卷。晉荆州刺史宋岱撰。梁有《擬周易説》八卷，范氏撰；《周易宗塗》四卷，干寶撰；《周易問難》二卷，王氏撰；《周易問答》一卷，揚州從事徐伯珍撰；《周易難王輔嗣義》一卷，晉揚州刺史顧夷等撰；《周易雜論》十四卷。亡。

宋岱（？—303）：又作宗岱。晉惠帝時任襄陽太守、兗州刺史、荆州刺史。《文心雕龍·論説》稱，"宋岱、郭象鋭思於幾神之區"。本志集部尚有宋岱二部著述。此書《舊唐志》著録宋處宗《易論》一卷、《新唐志》著録宋處宗《通易論》一卷，疑宋處宗即宋岱，處宗爲其字。《宋志》無載，亡佚。范氏：姚振宗、嚴可均皆認爲當爲范宣。范宣（生卒年不詳），字宣子，陳留（今河南開封）人，居豫章（今江西南昌），屢拒徵召，以講誦爲業，著《禮論難》、《易論難》，卒年五十四。《晉書》卷九一有傳。本志經、集部尚有范宣兩部著述。《擬周易説》，兩《唐志》亦無載，亡佚。《周易宗塗》：兩《唐志》無載，亡佚。王氏：始末不詳。其書兩《唐志》無載，亡佚。徐伯珍（414—497）：字文楚，東陽太末（今浙江衢州）人。好釋氏、老莊。永明二年（484）辟議從事，不就。《南齊書》卷五四、《南史》卷七六有傳。所撰《周易問答》一卷，兩《唐志》無載，亡佚。顧夷（生卒年不詳）：據《世説新語·文學》引《顧氏譜》"夷字君齊，吴郡人，辟州主簿，不就"。本志史、子部尚有三部顧夷之作。子部著録"《顧子》十卷，晉揚州主簿顧夷撰"，此載官職與《顧氏譜》相符，爲確。所撰《周易難王輔嗣義》，亡佚。《周易雜論》不署撰者名，其書亦亡。

《周易義》一卷。宋陳令范歆撰。

范歆：除所任官職外，其他事迹不詳。所著書兩《唐志》無載，亡佚。

《周易玄品》二卷。

不署撰者。《册府元龜·注釋》稱"干寶又撰《周易玄品》二卷"，不知何據。本志子部五行類著録此書，亦不署撰者，疑即此書。

《周易論》十卷。齊中書郎周顒撰。梁有三十卷，亡。

周顒（生卒年不詳）：顒（yóng），字彦倫，汝南安成（今河南汝南東南）人。初仕宋，入齊，歷太子僕、中書郎、國子博士兼著作，卒官。兼善《老》、《易》。《南齊書》卷四一、《南史》卷三四有傳。本志集部尚有一部周顒之作。此書兩《唐志》已無載，亡佚。

《周易論》四卷。范氏撰。

范氏：缺名。《補晉書藝文志》據《晉書·范宣傳》，以爲《周易論》爲范宣撰，范氏即指范宣。此前已著録范宣《擬周易説》八卷。此書兩《唐志》亦著録，《宋志》無載，亡佚。

《周易統例》十卷。崔覲撰。

此書兩《唐志》已無載，亡佚。

《周易爻義》一卷。干寶撰。

此書兩《唐志》皆有著録，《宋志》無載，亡佚。

《周易乾坤義》一卷。齊步兵校尉劉瓛撰。梁又有齊臨沂令李玉之、梁釋法通等《乾坤義》各一卷，亡。

劉瓛（434—489）：瓛（huán），字子珪，沛國相（今安徽濉溪）人。少篤學，博通五經，聚徒教授。宋舉秀才，入齊，重拜彭城郡丞，後除步兵校尉，不就。卒年五十六。《南齊書》卷三九、《南史》卷五〇有傳。本志經、集部尚有劉瓛五部著述。此書兩《唐志》皆著録《周易乾坤義疏》一卷，《宋志》無載，亡佚。清孫堂、黄奭、馬國翰、王仁俊有劉著輯本，然難以確定其出自哪一書。李玉之（生卒年不詳）：據《南齊書》卷五一載，崔慧景率軍“至臨沂，令李玉之發橋斷路，慧景收殺之”。崔慧景敗死，追贈李玉之給事中。本志經部尚有李玉之一部著述。釋法通（442—511）：據《高僧傳》記載，其本姓褚，河南陽翟（今河南禹州）人。十二歲出家，踐迹京城，止定林上寺，晦迹鍾山三十餘載。此二人分别撰著的《乾坤義》，兩《唐志》已無載，亡佚。

《周易大義》二十一卷。梁武帝撰。

兩《唐志》著録《周易大義》二十卷，《宋志》無載，亡佚。

《周易幾義》一卷。梁南平王撰。梁有《周易疑通》五卷，宋中散大夫何諲之撰；《周易四德例》一卷，劉瓛撰。亡。

南平王（476—533）：蕭偉，字文達，梁文帝第八子。少好學，趨賢重士。天監元年（502）封建安郡王，七年（508），改封南平郡王。中大通四年（532），遷中書令、大司馬。五年（533）卒，謚元襄。《梁書》卷二二、《南史》卷五二有傳。《舊唐志》著録《周易發題義》一卷、《周易幾義》一卷蕭偉撰。《新唐志》著録蕭偉《發義》一卷，又《幾義》一卷。《宋志》無載，亡佚。何諲（yīn）之（生卒年不詳）：《南齊書・輿服志》稱，“永明六年，太常丞何諲之議服章事”。所撰《周易疑通》五卷，兩《唐志》已無載，亡佚。《周易四德例》，兩《唐志》無載，亡佚。

《周易大義》一卷。有《周易錯》八卷，京房撰；《周易日月變例》六卷，虞翻、陸績撰；《周易卦象數旨》六卷，東晉樂安亭侯李顒撰；《周易爻》一卷，馬揩撰。亡。

不署撰者，兩《唐志》已無載，亡佚。京房，見前注。本志子部五行類著録“《周易錯卦》七卷，京房撰”，疑即此書。虞翻、陸績見前注。《周易日月變例》兩《唐志》無載，亡佚，李顒（生卒年不詳）：李充子，多所述作，郡舉孝廉。附《晉書・李充傳》。本志經、集部尚著録三部李顒之作。《周易卦象數旨》，兩《唐志》已無載，亡佚。馬揩：不詳何人。所撰《周易爻》，兩《唐志》已無載，亡佚。

《周易大義》二卷。陸德明撰。

參見前注《周易并注音》。

《周易釋序義》三卷。

不署撰者。此書兩《唐志》皆有著録，並署“梁蕃撰”。此書

《宋志》無載，亡佚。

《周易開題義》十卷。梁蕃撰。

梁蕃：不詳何人。《舊唐志》著録《周易開題論序疏》十卷，不署撰者；《新唐志》著録梁蕃《開題論序疏》十卷。《宋志》無載，亡佚。

《周易問》二十卷。

不署撰者。姚振宗根據《梁書·武帝本紀》記載，認爲此書是武帝解答群臣質疑的文字，因由臣下所録，故不署名。而朱彝尊、全祖望則以爲此書與著録於《新唐志》子部五行類的《周易問》十卷爲一書。此書《宋志》無載，亡佚。

《周易義疏》十九卷。宋明帝集群臣講。梁又有《國子講易議》六卷；《宋明帝集群臣講易義疏》二十卷；《齊永明國學講周易講疏》二十六卷；又《周易義》三卷，沈林撰。亡。

宋明帝（439—472）：劉彧，字休炳，文帝第十一子。好讀書，愛文藝，嘗於華林園含芳堂講《周易》，常自臨聽。又有著述行於世。《宋書》卷八、《魏書》卷七九、《南史》卷三有傳。本志經、史、子、集部尚著録宋明帝五部著述。此書兩《唐志》皆著録宋明帝注《周易義疏》二十卷，《宋志》無載，亡佚。《國學講易議》：不署撰者，擬爲宋國學所講，與下列齊國學所講相類。兩《唐志》無載，亡佚。《宋明帝集群臣講易義疏》：此書不署撰者，然兩《唐志》則著録張該等注《群臣講易疏》二十卷。張該：事迹不詳。此書《宋志》無載，亡佚。《齊永明國學講周易講疏》：不署撰者。據《南齊書》之《武帝本紀》、《禮志》記載，永明三年有詔"高選學官，廣延胄子"。"凡置生二百人，其年秋中悉集。"此書當爲國學講誦之作，兩《唐志》已無載，亡佚。沈林：不詳何人，姚振宗疑此爲沈洙之誤，可參見《南史》卷七一。此書兩《唐志》已無載，亡佚。

《周易講疏》三十五卷。梁武帝撰。

此書《舊唐志》有著録，《新唐志》無著録，而兩《唐志》皆著録梁武帝《周易大義》、《周易大義疑問》。此書《宋志》無載，亡佚。

《周易講疏》十六卷。梁五經博士褚仲都撰。

褚仲都（生卒年不詳）：吴郡錢唐（今浙江杭州）人。善《周易》，爲當時之最。天監中，歷官五經博士。見《梁書》卷四七。本志經部尚有一部褚仲都之作。此書兩《唐志》有著録，《宋志》無載，亡佚。清黄奭、馬國翰有輯本。

《周易義疏》十四卷。梁都官尚書蕭子政撰。

《周易繫辭義疏》三卷。蕭子政撰。

蕭子政：其生平事迹不詳，僅《顔氏家訓・勉學》有一記述，"梁朝冠冕則有何胄、劉瓛、明山賓……蕭子政、劉縚等兼通文史，不徒講説也。"本志經部尚有二部蕭子政之作。此二書，《舊唐志》只著録《周易義疏》十四卷，《新唐志》除此之外，還著録《繫辭義》二卷。《宋志》均無載，亡佚。

《周易講疏》三十卷。陳諮議參軍張譏撰。

張譏（生卒年不詳）：字直言，清河武城（今河北清河）人。受學於周弘正。陳後主即位，領南平王諮議參軍、東宫學士。講《周易》、《老》、《莊》，並多著述。陳亡入隋，終於長安，卒年七十六。《陳書》卷三三、《南史》卷七一有傳。本志經、子部尚著録張譏二部著述。此書兩《唐志》皆有著録，《宋志》無載，亡佚。

《周易文句義》二十卷。梁有《擬周易義疏》十三卷。

此書不署撰者。據兩《唐志》著録梁蕃撰《周易文句義疏》二十卷，可以推測這兩書爲一書，皆梁蕃所撰。《擬周易義疏》，不署撰者。嚴可均謂此即前所著録之范氏所撰《擬周易説》八卷。姑備一説。

《周易義疏》十六卷。陳尚書左僕射周弘正撰。

尚書右僕射：原作"尚書左僕射"，據《周弘正傳》改。周弘正（496—574），字思行，汝南安成（今河南汝南東南）人。於梁，十五歲召補國子生，講《周易》。陳太建五年（573），授尚書右僕射、祭酒。六年（574），卒，謚簡子。著《周易講疏》、《論語疏》等，並行於世。《陳書》卷二四、《南史》卷三四有傳。本志經、子、集部尚著録周弘正三部著述。此書兩《唐志》已無載，亡佚。

《周易私記》二十卷。

不署撰者。兩《唐志》已無載，亡佚。

《周易講疏》十三卷。國子祭酒何妥撰。

何妥（生卒年不詳）：字棲鳳，西城（今陝西安康西北）人。北周時，任太子博士。入隋，除國子博士，加通直散騎常侍，進爵爲公，後爲國子祭酒。卒官，謚曰肅。撰《周易講疏》、《孝經講疏》、《樂要》等，並行於世。《隋書》卷七五、《北史》卷七〇有傳。本志經、子、集部尚著録何妥四部著述。兩《唐志》著録《周易講疏》十三卷，《宋志》無載，亡佚。

《周易繫辭義疏》二卷。劉瓛撰。

此書兩《唐志》皆有著録,《宋志》無載，亡佚。

《周易繫辭義疏》一卷。梁武帝撰。

此書兩《唐志》無載，亡佚。

《周易繫辭義疏》二卷。蕭子政撰。梁有《周易乾坤三象》、《周易新圖》各一卷；又《周易普玄圖》八卷，薛景和撰;《周易大演通統》一卷，顔氏撰。

此前已著録蕭子政《周易繫辭義疏》三卷，雖與此書卷數不同，但仍可能是一書重出。《周易乾坤三象》及《周易新圖》：不署撰者。可能是有關《周易》的圖。此二書兩《唐志》無載，亡佚。薛景和：生平事迹不詳，所撰《周易普玄圖》，兩《唐志》無載，亡佚。顔氏：僅存姓氏，事迹難考。所撰《周易大演通統》，兩《唐志》無載，亡佚。

《周易譜》一卷。

不署撰者。《舊唐志》著録《周易略譜》一卷，沈熊撰;《周易譜》一卷，袁宏撰。《新唐志》著録袁宏《略譜》一卷，沈熊《周易譜》一卷。可以推測，此書的撰者或是沈熊，或是袁宏。《宋志》不載此書，亡佚。

右六十九部，五百五十一卷。通計亡書，合九十四部，八百二十九卷。

六十九部：實爲七十部。九十四部：存書七十部，亡書實爲三十七部，故爲九十七部。

昔宓羲氏始畫八卦[1]，以通神明之德[2]，以類萬物之情，蓋因而重之[3]，爲六十四卦[4]。及乎三代，實爲三《易》：夏曰《連山》[5]；殷曰《歸藏》[6]；周文王作卦辭[7]，謂之《周易》。周公又作爻辭[8]，孔子爲《彖》、《象》、《繫辭》、《文言》、《序卦》、《説卦》、《雜卦》[9]，而子夏爲之傳。及秦焚書，《周易》獨以卜筮得存，唯失《説卦》三篇[10]。後河内女子得之。漢初，傳《易》者有田何[11]，何授丁寬[12]，寬授田王孫[13]，王孫授沛人施讎[14]、東海孟喜、琅邪梁丘賀[15]。由是有施、孟、梁丘之學。又有東郡京房，自云受《易》於梁國焦延壽[16]，别爲京氏學。嘗立，後罷。後漢施、孟、梁丘、京氏，凡四家並立，而傳者甚衆。漢初又有東萊費直傳《易》，其本皆古字，號曰《古文易》。以授琅邪王璜[17]，璜授沛人高相[18]，相以授子康及蘭陵毋將永[19]。故有費氏之學，行於人間，而未得立。後漢陳元[20]、鄭衆[21]，皆傳費氏之學。馬融又爲其傳，以授鄭玄。玄作《易注》，荀爽又作《易傳》。魏代王肅、王弼，並爲之注。自是費氏大興，高氏遂衰。梁丘、施氏、高氏，亡於西晉。孟氏、京氏有書無師。梁、陳鄭玄、王弼二注，列於國學。齊代唯傳鄭義。至隋，王注盛行，鄭學浸微，今殆絶矣。《歸藏》，漢初已亡，案晉《中經》有之，唯載卜筮，不似聖人之旨。以本卦尚存，故取貫於《周易》之首，以備《殷易》之缺。

[1] 宓羲：又作包犧，風姓，古代傳説中的三皇之一，相傳其始作八卦。八卦，是《易》中的八種符號，由陰（--）陽（—）兩種綫形組成，陰陽是八卦的根本。八卦即乾（天）、震（雷）、兑（澤）、離（火）、巽（風）、坎（水）、艮（山）、坤（地）。

[2] 以通神明之德：此句與下句“以類萬物之情”，出於《易・繫辭下》。類，類别。情，情狀。

[3] 蓋因而重之：重卦爲何人，説法不一。此以爲重卦之人爲

宓羲。參見《周易正義》卷首。

[4] 六十四卦：將《易》之八卦，兩兩重複排列爲六十四卦。《易上經》有三十卦，《易下經》有三十四卦。

[5] 夏：三代之一。相傳由禹建立，建都安邑。連山，夏《易》爲《連山》，《漢志》及志皆無著録。《周禮・春官・大卜》杜子春注"《連山》伏羲，《歸藏》黄帝"。其疏曰"雲氣出内於山，故名《易》爲《連山》"。

[6] 殷：三代之一。商湯滅夏桀而建立商朝，盤庚遷都至殷，後世因此稱商爲殷。至紂亡國，三十一王，約六百年。

[7] 周文王：姬昌，武王父。殷時居岐，一度被囚羑里。獲釋後，爲西方諸侯之長，稱西伯。見《史記》卷四。卦辭，説明六十四卦每卦要義的筮辭，即各卦卦形、卦名後的文辭。

[8] 周公：姬旦，文王子。輔助武王滅紂，建立周王朝，封於魯。武王死，成王年幼，周公攝政。《史記》卷三三有傳。爻辭，説明《易》六十四卦各爻象的文辭。關於爻辭的作者，或曰周文王，或曰周公。本志采後者。

[9]《彖》、《象》、《繫辭》、《文言》、《序卦》、《説卦》、《雜卦》：即孔子所作十翼，其間《彖》、《象》、《繫辭》分上下二篇，凡十篇。《史記・孔子世家》首稱十翼爲孔子作，然經後人考證，十翼作者不是一人，大致作於戰國中後期至漢初。

[10]《説卦》三篇：還應包括《序卦》、《雜卦》。王充《論衡・正説》"孝宣帝之時，河内女子發老屋，得逸《易》、《禮》、《尚書》各一篇，奏之"。《淮南子》曾引《序卦》，司馬遷言及《説卦》。20 世紀 70 年代，馬王堆出土帛書《易》，其中的《繫辭》包括一段《説卦》的内容。由此可以認爲，王充言《易》增加一篇可信，這一篇即是《雜卦》。可參見楊伯峻《周易譯注・前言》。

[11] 田何：淄川（今山東淄博）人。漢興，由齊徙杜陵，號杜田生。傳《易》於王同、周王孫、丁寬、服生。事見《漢書》

卷八八。

[12] 丁寛（前 180？—？）：字子襄，梁（今河南虞城、安徽碭山等地）人。從師田何，又從周王孫受古義。景帝時爲梁孝王將軍拒吴楚，號丁將軍。作《易説》。《漢書》卷八八有傳。

[13] 田王孫（生卒年不詳）：梁郡碭（今安徽碭山附近）人。師從丁寛學《易》，授施讎、孟喜、梁丘賀。事見《漢書》卷八八。

[14] 施讎（生卒年不詳）：字長卿，沛（今江蘇沛縣）人。從田王孫受《易》。詔拜博士。甘露中於石渠閣雜論五經異同。《漢書》卷八八有傳。

[15] 梁丘賀（生卒年不詳）：字長翁，琅邪諸（今山東諸城西南）人。初從京房受《易》，後更事田王孫，授《易》於子梁丘臨。官至給事中、少府。《漢書》卷八八有傳。

[16] 焦延壽（生卒年不詳）：梁國睢陽（今河南商丘）人。曾言從孟喜問《易》，然業内人士並不認爲其傳孟氏學。事迹見《漢書》卷八八。京房從其學，托之孟氏，却自樹一幟。

[17] 王璜（生卒年不詳）：字平中，琅邪（今山東臨沂）人。能傳費氏學。事見《漢書》卷八八。

[18] 高相（生卒年不詳）：沛（今江蘇沛縣）人。專説陰陽災異，自言出於丁寛。《漢書》卷八八有傳。

[19] 高康（生卒年不詳）：高相子，以明《易》爲郎。王莽居攝，指其惑衆，殺之。由是《易》有高氏學。見《漢書》卷八。毌將永（生卒年不詳），蘭陵（今山東蘭陵）人，官至豫章都尉。事見《漢書》卷八。

[20] 陳元（生卒年不詳）：字長孫，蒼梧廣信（今廣東封開）人。少傳父業，習《左氏春秋》。建武初，其學爲學者所宗，力主立《左氏傳》博士。後辟司徒歐陽歙府，以病歸家。《後漢書》卷三六有傳。

[21] 鄭衆（？—83）：字仲師，河南開封人。精力於學，從父鄭興受《左氏春秋》，兼通《易》、《詩》。永平八年（65），持節使匈奴，不爲所屈。後拜中郎將，使護西域。遷左馮翊，政有名迹。建初六年（81）爲大司農，八年（83）卒官。《後漢書》卷三六有傳。

尚　書

《古文尚書》十三卷。漢臨淮太守孔安國傳。

孔安國（前156—前7）：字子國，孔子十一代孫。漢武帝時博士，官至臨淮太守。以今文讀古文《尚書》，又起其家逸《書》，因遭巫蠱，未立於學官。授《書》於都尉朝，司馬遷曾從安國問學。事見《史記》卷四七、《漢書》卷八八。尚書，古代史官記君主之言，而形成書。至漢代《尚書》成爲其專名。其内容包括典、謨、訓、誥、誓、命六種體裁。其時代上限斷自唐虞（約前2375），下限届至秦穆公（前659—前620）。相傳孔子曾對其進行了删減整理。漢興，有伏生傳之《今文尚書》和孔壁所藏《古文尚書》。《古文尚書》用秦小篆以前的文字寫成，武帝時，發現於孔子舊宅壁中。孔安國將其與伏生所傳二十九篇校對，增多了十六篇（一説二十四篇，其中《九共》又分爲九篇），二十四篇和伏生所傳的三十四篇（原二十九篇中的《盤庚》、《泰誓》，都分上、中、下三篇。又從《顧命》中分出《康王之誥》一篇）並爲五十八篇，四十六卷；并且用漢隸改寫過，上於朝廷。成帝時，張霸離析二十九篇成百篇，又將各篇前的序言合編成兩篇，即成《百兩篇》獻與朝廷。朝廷很快即發現這是張霸的僞作，並予以廢黜。但所載百篇《書序》卻流傳並盛行，西漢末年已得到學者認可，東漢就被説成是孔子所作，馬融、鄭玄對此説亦持肯定態度。《古文尚書》在西漢未立學官，東漢又無師説，馬融、鄭玄有闕著述亦未提及十六逸篇，疑四十六卷之《古文尚書》亡于魏晉間。東晉元帝時，豫章太守梅賾奏上孔安國作傳的《古文尚書》，它比伏生所傳《尚書》增多了二十五篇，又從伏生所傳諸篇中分出五篇，再加上孔安國撰《書序》一篇，共五十九篇，爲四十六卷。陸德明《經典釋文敘録》稱梅賾所上《古文尚書》亡《舜典》一篇，取王肅注《堯典》從慎徽五典以下，分爲《舜典》篇以續之。後范甯變爲今文集注。齊明帝時，吴興姚方興采馬、王之注，造《孔傳舜典》一篇。唐初，孔穎達領銜作《尚書正義》二十卷、陸德明作《經典釋文敘録》皆以此爲底本。今通行的《尚書正義》《十三經注疏》本、《四部叢刊》本，就是在此本上作疏，不計孔安國《書序》，共五十八篇，各篇附百篇《書序》及孔安國的《尚書傳》。此書不再單行。本志與《經典釋文敘録》皆著録此書十三卷。宋代吴域、朱熹即懷疑梅賾所獻《古文尚書》和孔安國傳的真實性。清代閻若璩、崔述等直指其僞，基本定案。然而 20 世紀出土的簡帛有引用《古文尚書》和《逸周書》的情况，動摇了《古文尚書》即僞書的觀點，對其還需進一步深入研究。

《今字尚書》十四卷。孔安國傳。

此書是晉范甯把隸古定本的僞古文《尚書》用當時的楷書改寫的，並作了注。見劉起釪《尚書學史》第 182 頁（中華書局 1996 年版）。

《尚書》十一卷。马融注。

《後漢書·儒林傳》“扶風杜林傳《古文尚書》，林同郡賈逵爲之作訓，馬融作傳”。此傳當即此書。《經典釋文敘録》著録十一卷，兩《唐志》著録十卷，《宋志》無載，亡佚。清王謨、馬國翰有輯本。

《尚書》九卷。鄭玄注。

《後漢書·鄭玄傳》曰："又從張恭祖受《古文尚書》。"《後漢書·儒林傳》則曰："鄭玄注解，由是《古文尚書》遂顯於世。"《經典釋文叙録》、兩《唐志》皆著録此書爲九卷。《宋志》無載，亡佚。有宋王應麟輯、清孔廣林增訂本，有王應麟輯、清孫星衍補輯本，又有清黄奭、袁鈞輯本。

《尚書》十一卷。王肅注。

《經典釋文》曰："王肅亦注今文，而解大與古文相類。或肅私見《孔傳》而祕之乎。"《日本國見在書目録》有"《今文尚書》十卷，王肅注"。此書兩《唐志》著録十卷，《宋志》無載，亡佚。清有馬國翰、王仁俊輯本。

《尚書》十五卷。晉祠部郎謝沈撰。

謝沈（290—342）：字行思，會稽山陰（今浙江紹興）人。博學多識，明練經史。多次拒徵辟。康帝在位時，除尚書度支郎，遷著作郎。卒年五十二。《晉書》卷八二有傳。本志經、史、集部尚有謝沈五部著述。此書《經典釋文叙録》著録十五卷，兩《唐志》著録十三卷，《宋志》無載，亡佚。

《集解尚書》十一卷。李顒注。

此書《經典釋文叙録》、兩《唐志》皆著録十卷，《宋志》無載，亡佚。清王仁俊有輯本。

《集釋尚書》十一卷。宋給事中姜道盛注。

姜道盛（生卒年不詳）：天水（今甘肅天水）人。任晉壽太守，討仇池有功，又稱建武將軍。其注《尚書》行於世。見《宋書》卷四七及卷九八、《經典釋文叙録》。此書《經典釋文叙録》、兩《唐志》皆著録十卷,《宋志》無載，亡佚。

《古文尚書舜典》一卷。晉豫章太守范甯注。梁有《尚書》十卷，范寧注，亡。

范甯（生卒年不詳）：字武子，南陽順陽（今河南淅川南）人。初爲餘杭令，遷臨淮太守，封陽遂鄉侯。徵拜中書侍郎，求補豫章太守。卒年六十三。作《春秋穀梁傳集解》。《晉書》卷七五有傳。本志經、集部尚有范甯二部著述。范寧，疑即范甯，他爲《古文尚書》作注，梁時流傳其注《尚書》十卷，至唐初已亡，唯傳其所注《舜典》一卷。《經典釋文叙録》稱俗間把范甯注的《舜典》補入僞《孔氏傳》中。然齊明帝時，姚方興采王肅、馬融注造《孔傳舜典》。後《孔氏傳》爲正,《舜典》一篇仍用王肅注，故此書亡佚。見劉起釪《尚書學史》第 182 頁（中華書局 1996 年版）。清馬國翰輯《古文尚書舜典注》一卷，王仁俊輯《書范氏集解》一卷。

《尚書亡篇序》一卷。梁五經博士劉叔嗣注。梁有《尚書》二十一卷，劉叔嗣注；又有《尚書新集序》一卷，亡。

劉叔嗣：生平事迹不詳。其所注二書及《尚書新集序》，兩《唐志》皆無載，亡佚。

《尚書逸篇》二卷。

不署撰者。本志“書類序”曰：“又有《尚書逸篇》，出於齊、梁之間，考其篇目，似孔壁中《書》之殘缺者，故附《尚書》之末。”《新唐志》有徐邈注《尚書逸篇》三卷。徐邈爲晉、宋間人，不可能注出於齊、梁間的《尚書逸篇》，可以認爲二者無關聯，然其間的是非則待考證。

《古文尚書音》一卷。徐邈撰。梁有《尚書音》五卷，孔安國、鄭玄、李軌、徐邈等撰。

《經典釋文叙録》言梅賾上僞孔傳《古文尚書》，徐邈即音此本。此書兩《唐志》已無載，亡佚。清馬國翰有輯本。《尚書音》五卷的四位撰者處於不同時代，《經典釋文序録》又曰："漢人不作音。"疑此書爲後人編輯。兩《唐志》無載，亡佚。

《今文尚書音》一卷。祕書學士顧彪撰。

顧彪（生卒年不詳）：字仲文，餘杭（今浙江餘杭）人。明《尚書》、《春秋》。隋煬帝時爲五經博士，撰《古文尚書義疏》，行於世。《隋書》卷七五、《北史》卷八二有傳。本志本部尚有三部顧彪著述。兩《唐志》皆著録《古文尚書音義》五卷。下又著録《大傳音》二卷，而《大傳》當指今文，所以此處應爲《古文尚書音》。此書《宋志》無載，亡佚。

《尚書大傳》三卷。鄭玄注。

此書《漢志》著録《傳》四十一篇。《經典釋文叙録》著録《尚書大傳》三卷，伏生作。此《尚書大傳》三卷，鄭玄注（《中興館閣書目》稱鄭玄將四十一篇析爲八十三篇）。《舊唐志》著録《尚書暢訓》三卷，伏勝注。《新唐志》著録伏勝注《大傳》三卷，又《暢訓》一卷。《宋志》著録伏勝《大傳》三卷，鄭玄注。《郡齋讀書志》卷一亦有著録。清《四庫全書總目》卷一二著録《尚書大傳》四卷，鄭玄注，《補遺》一卷，惠棟撰。今存。稱此書"實則張生、歐陽生等所述，特源出於勝，而非勝自撰也"。並認爲此書類古之緯書，故附經解之末。此書今流傳有杭州本三卷、揚州本四卷，而《書目答問》則著録《尚書大傳》定本八卷。此書現存較好的本子有清惠棟紅豆齋抄本、《雅雨堂叢書》本。

《大傳音》二卷。顧彪撰。

此應是顧彪所作《今文尚書音》。

《尚書洪範五行傳論》十一卷。漢光禄大夫劉向注。

《漢書·劉向傳》:“見《尚書洪範》,箕子爲武王陳陰陽休咎之應。向乃集合上古以來,歷春秋六國至秦漢符瑞災異之記,推迹行事,連傳禍福,著其占驗,比類相從,各有條目,凡十一篇,號曰《洪範五行傳論》,奏之。”本志本類序曰“濟南伏生之傳,唯劉向父子所著《五行傳》,是其本法,而又多乖戾”。《漢志》著録劉向《五行傳記》十一卷,班固自注曰“入劉向《稽疑》一篇”。兩《唐志》著録此書皆爲十一卷,《宋志》無載,亡佚。清王謨、黄奭、陳壽祺有輯本。

《尚書駁議》五卷。王肅撰。梁有《尚書義問》三卷,鄭玄、王肅及晉五經博士孔晁撰;《尚書釋問》四卷,魏侍中王粲撰;《尚書王氏傳問》二卷,《尚書義》二卷;吴太尉范順問,劉毅答。亡。

兩《唐志》皆著録《尚書釋駁》五卷,王肅撰。《宋志》無載,亡佚。《舊唐志》著録《尚書答問》三卷,王肅注;《新唐志》著録王肅孔安國《尚書答問》三卷。疑孔安國爲孔晁之誤,另外,兩志皆未提及鄭玄。孔晁:生平事迹不詳。王粲(177—217):字仲宣,山陽高平(今山東金鄉周邊)人。漢末投劉表,魏時拜侍中。博物多識,著詩、賦、論、議垂六十篇。《三國志》卷二一有傳。本志史、子、集部尚有王粲三部著述。兩《唐志》著録《尚書釋問》四卷,王粲問,田瓊、韓益正。不知是否即此書。《尚書王氏傳問》:不署撰者。兩《唐志》無載,亡佚。范順:《三國志·孫登傳》載,孫登爲皇太子,以范慎爲賓客。裴注引《吴録》“慎字孝敬,廣陵人……以爲太尉”。順、慎古通用,此范順即《孫登傳》言之范慎。劉毅:生平事迹不詳。

《尚書新釋》二卷。李顒撰。

此書兩《唐志》皆著録二卷，《宋志》無載，亡佚。

《尚書百問》一卷。齊太學博士顧歡撰。

顧歡（420—483）：字景怡，一字玄平，吴郡鹽官（今浙江海寧）人。及長，篤志好學。齊永明元年（483），徵召爲太學博士，不就。事黄老道，能解陰陽，又注王弼《易·繫辭》，學者傳之。卒年六十四。《南齊書》卷五四、《南史》卷七五有傳。本志經、子、集部尚有五部顧歡之作。兩《唐志》皆著録此書一卷，《宋志》無載，亡佚。

《尚書大義》二十卷。梁武帝撰。

《南史·劉之遴傳》稱"《周易》、《尚書》、《禮記》、《毛詩》，並有武帝義疏"。此書兩《唐志》已無載，亡佚。

《尚書百釋》三卷。梁國子助教巢猗撰。

巢猗：生平事迹不詳。《日本國見在書目録》、兩《唐志》皆著録此書三卷，《宋志》無載，亡佚。

《尚書義》三卷。巢猗撰。

兩《唐志》著録《尚書義疏》十卷，巢猗撰。此書《宋志》無載，亡佚。

《尚書義疏》十卷。梁國子助教費甝撰。梁有《尚書義疏》四卷，晉樂安王友伊説撰，亡。

費甝（生卒年不詳）：甝（hán），江夏（今湖北武漢）人。北齊儒士罕傳《尚書》，多數諸生難見孔氏注解。武平末年，劉焯、劉炫始獲費甝《義疏》，開始留意《尚書》。見《北史·儒林傳序》、《經典釋文叙録》。此書《日本國見在書目録》、兩《唐志》皆著録十卷，《宋志》無載，亡佚。晉樂安王：司馬鑒，字大明，司馬昭之子。武帝爲其高選師友，伊説當爲其一。伊説：生平事迹不詳。本志經部尚有一部伊説之作。兩《唐志》皆著録伊説《尚書釋義》四卷，《宋志》無載，亡佚。

《尚書義疏》三十卷。蕭詧司徒蔡大寶撰。

蔡大寶（？—564）：字敬位，濟陽考城（今河南蘭考）人。輔蕭詧，徵爲侍中、尚書令。蕭巋嗣位，授司空、中書監等職。卒，贈司徒，進爵爲公，謚曰文凱。所著《尚書義疏》行於世。《周書》卷四八、《北史》卷九三有傳。此書兩《唐志》皆有著録，《宋志》無載，亡佚。

《尚書義注》三卷。吕文優撰。

吕文優：生平事迹不詳。此書兩《唐志》皆有著録，《宋志》無載，亡佚。

《尚書義疏》七卷。

不署撰者。《舊唐志》著録劉焯撰《尚書義疏》二十卷、《新唐志》著録劉焯《尚書義疏》三十卷，由此疑此書是劉焯所著之殘本。

《尚書述義》二十卷。國子助教劉炫撰。

劉炫（546—613）：字光伯，河間景城（今河北滄州附近）人。與劉焯閉户讀書，十年不出。隋牛弘求天下書，劉炫僞造書百餘卷，上呈。後有人訟之，除名歸家，以教授爲務。煬帝年間，除太學博士。隋末，凍餓而死，時年六十八。《隋書》卷七五、《北史》卷八二有傳。本志本部尚有劉炫五部著述。兩《唐志》皆著録此書二十卷，《宋志》無載，亡佚。

《尚書疏》二十卷。顧彪撰。

此書兩《唐志》已無載，亡佚。

《尚書閏義》一卷。

不署撰者。兩《唐志》無載，亡佚。

《尚書義》三卷。劉先生撰。

劉先生：缺名，不知何許人。或疑其爲劉焯，然難以確定。兩《唐志》無載，亡佚。

《尚書釋問》一卷。虞氏撰。

虞氏：缺名，不詳爲何人。此書兩《唐志》無載，亡佚。

《尚書文外義》一卷。顧彪撰。

《舊唐志》著録此書爲三十卷，《新唐志》著録此書爲一卷。《宋志》無載，亡佚。

右三十二部，二百四十七卷。通計亡書，合四十一部，共二百九十六卷。

《書》之所興，蓋與文字俱起。孔子觀《書》周室，得虞[1]、夏、商、周四代之典，删其善者，上自虞，下至周，爲百篇，編而序之。遭秦滅學，至漢，唯濟南伏生口傳二十八篇[2]。又河内女子得《泰誓》一篇，獻之。伏生作《尚書傳》四十一篇[3]，以授同郡張生[4]，張生授千乘歐陽生[5]，歐陽生授同郡兒寬[6]，寬授歐陽生之子，世世傳之，至曾孫歐陽高[7]，謂之《尚書》歐陽之學。又有夏侯都尉[8]，受業於張生，以授族子始昌[9]，始昌傳族子勝[10]，爲大夏侯之學。勝傳從子建[11]，别爲小夏侯之學。故有歐陽，大、小夏侯，三家並立。訖漢東京，相傳不絶，而歐陽最盛。初漢武帝時，魯恭王壞孔子舊宅[12]，得其末孫惠所藏之書[13]，字皆古文。孔安國以今文校之，得二十五篇[14]。其《泰誓》與河内女子所獻不同。又濟南伏生所誦，有五篇相合[15]。安國並依古文，開其篇第，以隸古字寫之[16]，合成五十八篇。其餘篇簡錯亂，不可復讀，並送之官府。安國又爲五十八篇作傳[17]，會巫蠱事起[18]，不得奏上，私傳其業於都尉朝[19]，朝授膠東庸生[20]，謂之《尚書》古文之學，而未得立。後漢扶風杜林[21]，傳《古文尚書》，同郡賈逵爲之作訓，馬融作傳，鄭玄亦爲之注。然其所傳，唯二十九篇，又雜以今文，非孔舊本[22]。自餘絶無師説。

[1] 虞：此指虞舜。姚姓，有虞氏，名重華。由四嶽舉薦於堯，年五十攝行天下大事，天下大治。年六十一繼堯位，都於蒲阪，在位三十九年，南巡，死於蒼梧之野。見《史記·五帝本紀》。

[2] 伏生（前 260—前 161）：或曰名勝，濟南（今山東濟南東）人。秦博士，秦時禁《書》，伏生壁藏之。漢興，獨得二十九篇，教於齊、魯間。《漢書》卷八八有傳。

[3] 四十一篇：《漢志》有著録，《經典釋文叙録》稱《尚書大傳》三卷，伏生作。鄭玄爲其作注，本志有著録。

[4] 張生（生卒年不詳）：濟南人，從伏生受《尚書》，爲博士。夏侯勝從其受《尚書》。事見《漢書·儒林傳》。

[5] 張生授千乘歐陽生：《漢書·儒林傳》“伏生教濟南張生及歐陽生”，“歐陽生字伯和，千乘人也。事伏生，授倪寬”。見《漢書·儒林傳》。千乘，今山東博興周邊。

[6] 兒（ní）寬（？—前 103）：千乘郡（今山東博興周邊）人。治《尚書》，事歐陽生。又受業孔安國，與司馬遷等共定漢《太初曆》。至御史大夫，居位九年，以官卒。《漢書》卷五八有傳。

[7] 歐陽高（生卒年不詳）：字子陽，千乘郡（今山東博興周邊）人，爲博士。其孫地餘，貴幸，官至少府。地餘子政爲王莽講學大夫。由是《尚書》世有歐陽之學。事見《漢書·儒林傳》。

[8] 夏侯都尉：未留名，從張生受《尚書》，授於族子始昌。

[9] 夏侯始昌：魯人。通五經，以《齊詩》、《尚書》教授。深得漢武帝器重，爲昌邑王太傅。年老，以壽終。《漢書》卷七五有傳。

[10] 夏侯勝（生卒年不詳）：字長公，寧陽侯國（今山東寧陽）人。從始昌受《尚書》及《洪範五行傳》。後事簡卿，又從歐陽氏問。宣帝朝，爲長信少府，遷太子太傅。受詔撰《尚書》、《論語》説。爲大夏侯之學。年九十卒官。《漢書》卷八八有傳。

[11] 夏侯建（生卒年不詳）：字長卿，勝從父子。師事勝及歐陽高，左右采獲，又從五經諸儒問與《尚書》相出入者，牽引以次章句，爲小夏侯之學。爲議郎博士，至太子太傅。《漢書》卷七五有傳。

[12] 魯恭王（？—前 128）：劉餘，漢景帝子。治宫室壞孔子舊宅，於其壁中得古文經傳。《漢書》卷五三有傳。

[13] 惠：孔子第九代孫孔惠，《孔子家語》作孔騰，字子襄。畏秦法峻急，藏《尚書》、《孝經》、《論語》於夫子舊堂壁中。或載諸書爲其兄弟孔鮒所藏。

[14] 得二十五篇：《漢志》作“多十六篇”，此指《逸書》。此作二十五篇，疑爲牽合僞《古文尚書》的篇數。

[15] 有五篇相合：《經典釋文叙録》作“又伏生誤合五篇”。據《文選》卷四五孔安國《尚書序》“伏生又以《舜典》合於《堯典》，《益稷》合於《臯陶謨》，《盤庚》三篇合爲一，《康王誥》合

於《顧命》，復出此篇并序，凡五十九篇”。

[16] 以隸古字寫之：即以隸書寫定古文。

[17] 又爲五十八篇作傳：孔安國爲《古文尚書》作傳，未見漢代記載，而《經典釋文叙録》與《史通》有載。從有關記載考察，孔安國所傳乃今文《尚書》，但他以今文解讀古文《尚書》，使其得以流傳，是不争的事實。

[18] 巫蠱：巫師使用邪術加禍於人爲巫蠱。此指漢武帝病，江充謂帝祟在巫蠱，因於宫中掘地搜查。充與太子劉據有隙，遂誣稱在太子宫得木偶甚多。太子畏懼，起兵捕殺江充，失敗自殺。

[19] 都尉朝：服虔注“朝名，都尉姓”。《漢書・儒林傳》稱，孔安國爲諫大夫，授都尉朝《古文尚書》。事見《漢書》卷八八。

[20] 庸生（生卒年不詳）：膠東（今山東平度周邊）人。從都尉朝受《古文尚書》，授清河胡常。以明《穀梁春秋》爲博士、部刺史，又傳《左氏》。見《漢書》卷八八。

[21] 杜林（？—47）：字伯山，扶風茂陵（今陝西興平）人。博洽多聞，時稱通儒。於西州獲漆書《古文尚書》一卷，得衛宏、徐益重之，《古文尚書》遂行。官至大司空。《後漢書》卷二七有傳。本志經部有杜林著述一部。

[22] 非孔舊本：杜林所得漆書僅一卷，若非一篇，也不過二三篇，而杜林本却有二十九篇。孔舊本比今文《尚書》多十六篇《逸書》，此杜本則無，所以杜林本不是西漢以來流傳的孔氏《古文尚書》。參見劉起釪《尚書學史》第 129 頁（中華書局 1996 年版）。

晉世祕府所存，有《古文尚書》經文，今無有傳者。及永嘉之亂[1]，歐陽，大、小夏侯《尚書》並亡。濟南伏生之傳，唯劉向父子所著《五行傳》，是其本法[2]，而又多乖戾。至東晉，豫章内史梅賾[3]，始得安國之傳，奏之，時又闕《舜典》一篇。齊建武中[4]，吴姚方興[5]，於大桁市得其書[6]，奏上，比馬、鄭所注，多二十八字[7]，於是始列國學。梁、陳所講，有孔、鄭二家，齊代唯傳鄭義。至隋，孔、鄭並行，而鄭氏甚微。自餘所存，無復師説。又有《尚書逸篇》，出於齊、梁之間，考其篇目，似孔壁中書之殘缺者，故附《尚書》之末。

[1] 永嘉：晉懷帝司馬熾的年號，公元 307—313 年。

[2] 是其本法：以其原法則爲是。

[3] 梅賾（生卒年不詳）：字仲真，汝南（今湖北武昌西南）人。造僞孔氏《古文尚書傳》。見《經典釋文序録》。

[4] 建武：齊明帝蕭鸞年號。公元 495—498 年。

[5] 姚方興（生卒年不詳）：吴興（今浙江湖州境内）人。采馬、王之注，僞造一篇孔傳《舜典》，稱購自大桁。見《經典釋文叙録》。

[6] 大桁（héng）：疑爲地名。

[7] 多二十八字：即“曰若稽古帝舜曰重華協於帝濬哲文明温恭允塞玄德升聞乃命以位”，對於前十二字，《尚書正義》曰“此十二字是姚方興所上，《孔氏傳》本無”。後十六字，清臧琳、王鳴盛等論定爲劉炫所加。參見劉起釪《尚書學史》第 182 頁（中華書局 1996 年版）。

詩

《韓詩》二十二卷。漢常山太傅韓嬰，薛氏章句。

《詩經》是我國最早的詩歌總集。由孔子删定，卜商爲序。漢代經、傳别行。十五國風十五卷，小雅七十四篇爲七卷，大雅三十一篇爲三卷，周頌三十一篇爲三卷，魯、商頌各爲一卷，共二十八卷。1977年，安徽阜陽雙古堆一號漢墓出土一百七十枚《詩經》簡片，有國風、小雅兩種。國風只有檜風未見，計有殘詩六十五首（有的僅存篇名）。小雅只有《鹿鳴之什》中四首詩的殘句，與近本《毛詩》多有不同。《漢書·儒林傳》“言《詩》，於魯則申培公，於齊則轅固生，燕則韓太傅”。韓嬰（約前200—前130）：又稱韓生，燕（今河北境内）人。孝文帝時爲博士，景帝朝爲常山王太傅。推《詩》之意而爲《内》、《外傳》數萬言，其語與齊、魯間殊，然其歸一也。授淮南賁生。《史記》卷一二一、《漢書》卷七一有傳。本志經部尚有一部韓嬰著述。《漢志》著録《韓故》三十六卷、《韓内傳》四卷、《韓外傳》六卷、《韓説》四十一卷，皆無撰者。除《韓外傳》外，書名和卷數皆與此書不同，難以確定它們之間的承接關係。薛氏：《後漢書》卷七九下有記載，薛漢字公子，淮陽人也。世習《韓詩》，父子以章句著名。當世言《詩》者，推漢爲長。後坐楚事辭相連，下獄死。又載，杜撫字叔和，少有高才，受業於薛漢，定《韓詩章句》。可以推測薛氏即爲薛漢，其所撰《章句》由弟子杜撫最後完成。《舊唐志》

著録《韓詩》二十卷，卜商序，韓嬰撰。《新唐志》著録《韓詩》卜商序，韓嬰注二十二卷。《宋志》無載，亡佚。宋王應麟，清王謨、黄奭、蔣曰豫、馬國翰、阮元、嚴可均，近代龍璋有輯本。

《韓詩翼要》十卷。漢侯苞傳。

侯苞（生卒年不詳）：《漢書・揚雄傳》載，鉅鹿侯芭從揚雄居，揚雄死後，爲其起墳，喪之三年。本志子部著録漢侯苞注《揚子法言》六卷。芭、苞形近、義近，可以認爲侯芭即侯苞。此書《舊唐志》著録《韓詩翼要》十卷，卜商撰。韓詩起自漢，卜商是先秦人，不可能作有關韓詩的著述。《新唐志》著録“卜商《集序》二卷，又《翼要》十卷”，雖然錯誤不似《舊唐志》明顯，但也難認定卜商有《翼要》之作。此書《宋志》無載，亡佚。清王謨、馬國翰、王仁俊有輯本。

《韓詩外傳》十卷。梁有《韓詩譜》二卷，《詩神泉》一卷，漢有道徵士趙曄撰，亡。

《漢志》著録《韓外傳》六卷，本志作十卷，蓋後人所分。《四庫全書總目》卷一六言：“其書雜引古事古語，證以詩詞，與經義不相比附。”章學誠《校讎通義・内篇》稱，“其文雜記春秋時事，與《詩》意相去甚遠”。故曰《外傳》。考《文選》注、《藝文類聚》、《太平御覽》等引《外傳》文，今本無，疑今傳本此書非全帙。現存最早的本子是元至正十五年（1355）嘉興路儒學刻明修本。通行本爲四庫本、四部叢刊本。趙曄（生卒年不詳）：字長君，會稽山陰（今浙江紹興）人。官至犍爲資中，從杜撫受《韓詩》。歸家，州召補從事，不就。舉有道。著有《吴越春秋》、《詩細》、《歷神淵》。《後漢書》卷七九下有傳。本志史部尚有趙曄一部著述。有道，漢代選舉科目之一。朱彝尊《經義考》言，《詩細》，《七録》作《詩譜》二卷；《歷神泉》，《後漢書》作《歷神淵》,《七録》作一卷。此作《詩神泉》,“詩”爲“歷”之誤;“泉”乃唐人爲避李淵諱而改。

《毛詩》二十卷。漢河間太傅毛萇傳,鄭氏箋。梁有《毛詩》十卷,馬融注,亡。

《漢志》著録《毛詩》二十九卷。《毛詩故訓傳》三十卷。《毛詩》經文二十八卷,因《毛詩序》别爲一卷,故爲二十九卷。《詩經》中列於各篇之前,説明詩之大意者,爲小序;而連在首篇小序之後,概言全經主旨者,爲大序。對於《詩序》的作者歷來有四種説法,至今未有定論,宋朱熹甚至認爲《詩序》是僞作,《詩集傳》不予采用。《毛詩故訓傳》未著毛公名,《後漢書·儒林傳》始言“趙人毛萇傳《詩》”。鄭玄爲其作箋發明毛義,而且并卷,故此書作二十卷。署毛萇傳。陸璣《毛詩草木蟲魚疏》“……荀卿授魯國毛亨,亨作《訓詁傳》,以授趙國毛萇。時人謂亨爲大毛公,萇爲小毛公,以其所傳故名其《詩》曰《毛詩》”。《經典釋文叙録》“……(大)毛公爲《詩故訓傳》於家,以授趙人小毛公。小毛公爲河間獻王博士”。《四庫全書總目》卷一五“今參稽衆説,定作傳者爲毛亨,《隋志》題毛萇,誤也”。然今存《毛詩》皆署毛萇傳,鄭玄箋,陸德明釋文。據馬瑞辰《毛詩傳箋通釋·毛詩詁訓傳名義考》,“毛公傳《詩》多古文,其釋實兼詁、訓、傳三體”。唐孔穎達等作《毛詩正義》即以此爲底本。《舊唐志》著録《毛詩》十卷,毛萇撰;《新唐志》著録毛萇《傳》十卷。此書現存最早刻本爲北宋本,通行本爲《十三經注疏》本《毛詩正義》。《毛詩》十卷:《經典釋文叙録》有著録,並曰“無下帙”。清有黄奭、馬國翰輯本。

《毛詩》二十卷。王肅注。梁有《毛詩》二十卷,鄭玄、王肅合注;《毛詩》二十卷,謝沈注;《毛詩》二十卷,晉兖州别駕江熙注。亡。

《經典釋文敘録》"魏太常王肅更述毛非鄭"。歐陽修《詩本義》曾言鄭有不如王之處。兩《唐志》皆著録王肅注《毛詩》二十卷,《宋志》無載，亡佚。清黄奭、馬國翰有輯本。鄭玄、王肅合注：馬國翰《王注輯本序》"蓋魏晉人取肅注次鄭箋後，以便觀覽，非肅别有注也"。謝沈注：《經典釋文敘録》亦著録二十卷。江熙：熙字太和，濟陽（今河南蘭考東北）人，東晉兖州别駕。其注《毛詩》,《經典釋文敘録》亦有著録。

《集注毛詩》二十四卷。梁桂州刺史崔靈恩注。梁有《毛詩序》一卷，梁隱居先生陶弘景注，亡。

崔靈恩（生卒年不詳）：清河東武城（今河北清河）人。少篤學，遍習五經，尤精三《禮》、三《傳》。仕魏爲太常博士，天監歸梁，累遷步兵校尉，兼國子博士。出爲桂州刺史，卒官。有《集注毛詩》二十二卷等諸多著述。《梁書》卷四八、《南史》卷七一有傳。本志經部尚有崔靈恩六部著述。兩《唐志》皆著録此書二十四卷,《宋志》無載，亡佚。清馬國翰、王仁俊有輯本。陶弘景（456—536）：字通明，丹陽秣陵（今江蘇南京）人。讀書萬餘卷，善琴棋，工草隸。止於句容之句曲山，自號華陽隱居。好著述，老而彌篤。大同二年（536）卒，時年八十一。詔贈中散大夫，謚貞白先生。《梁書》卷五一、《南史》卷七六有傳。本志經、子、集部尚有陶弘景十一部著述。《毛詩序》，兩《唐志》無載，亡佚。

《毛詩箋音證》十卷。後魏太常卿劉芳撰。梁有《毛詩音》十六卷，徐邈等撰；《毛詩音》二卷，徐邈撰；《毛詩音隱》一卷，干氏撰。亡。

劉芳（453—513）：字伯文，彭城（今江蘇徐州）人，楚元王劉交之後。始爲主客郎中，官至國子祭酒、侍中、太常卿。劉芳特精經義，博聞强記，兼覽《蒼》、《雅》，尤長音訓，辨析無疑。撰有《毛詩箋音證》等多種著述。卒，謚文貞侯。《魏書》卷五五、《北史》卷四二有傳。本志經、史部尚有劉芳二部著述。此書兩《唐志》已無載，久佚。清朱彝尊、王謨、馬國翰有輯本。《毛詩音》十六卷：《經典釋文叙録》稱，爲《詩》音者九人，鄭玄、徐邈、蔡氏、孔氏、阮侃、王肅、江惇、干寶、李軌。兩《唐志》著録鄭玄等注《毛詩諸家音》十五卷，疑即此書。《毛詩音》二卷：兩《唐志》無載，可能已統入《毛詩音》十六卷中，而《日本國見在書目録》著録《毛詩音義》一卷，徐仙民撰。清馬國翰有輯本。干氏：疑爲干寶。其書兩《唐志》無載，亡佚。

《毛詩并注音》八卷。祕書學士魯世達撰。

魯世達（生卒年不詳）：餘杭（今浙江餘杭）人。隋大業元年被授學官，爲國子助教，撰《毛詩章句義疏》四十二卷，行於世。《隋書》卷七五有傳。本志經部尚有一部魯世達之作。兩《唐志》著録魯世達《毛詩音義》二卷，應與此書爲一書。《宋志》無載，亡佚。

《毛詩譜》三卷。吴太常卿徐整撰。

徐整（生卒年不詳）：字文操，豫章（今江西南昌）人，吴太常卿。熟知《毛詩》傳承。見《經典釋文叙録》。本志經、史部尚有徐整兩部著述。兩《唐志》不著録此書，而著録鄭玄《毛詩譜》二卷。《經典釋文叙録》著録鄭玄《詩譜》二卷，徐整暢、太叔裘隱。可以認爲，徐整暢達鄭旨，太叔裘詮發隱義。清王謨、馬國翰有輯本。

《毛詩譜》二卷。太叔求及劉炫注。

太叔求：或作太叔裘，生平事迹不詳。《日本國見在書目録》著録《毛詩譜序》一卷，鄭玄撰、太叔求撰。此書出自劉炫，疑此即劉氏爲太叔求所撰作注。

《謝氏毛詩譜鈔》一卷。梁有《毛詩雜議難》十卷，漢侍中賈逵撰，亡。

謝氏：不詳何人。此書兩《唐志》已無載，久佚。賈逵（30—101）：字景伯，扶風平陵（今陝西咸陽東北）人。父徽從劉歆受《左氏春秋》，兼習《國語》、《周官》，又受《古文尚書》於塗惲、《毛詩》於謝曼卿，逵悉傳父業。受詔撰《歐陽大小夏侯尚書古文同異》、撰《齊魯韓詩與毛詩異同》，並作《周官解故》，所著經傳義詁及論難百餘萬言。後世稱爲通儒。官至左中郎將、侍中、領騎都尉。永元十三年（101）卒，時年七十二。《後漢書》卷三六有傳。本志經、集部尚有賈逵四部著述。其書兩《唐志》無載，亡佚。

《毛詩義問》十卷。魏太子文學劉楨撰。

劉楨（？—217）：字公幹，東平（今山東東平附近）人。五官將曹丕和平原侯曹植皆好文學，王粲、徐幹、孔琳、阮瑀、應瑒、劉楨並見友善。被曹操辟爲丞相掾屬，曾因不敬被罰做苦工。官至魏太子文學。建安二十二年（217）卒。事見《三國志》卷二〇，本志集部尚有一部劉楨之作。兩《唐志》著録此書亦作十卷，《宋志》無載，亡佚。清王謨、馬國翰有輯本。

《毛詩義駁》八卷。王肅撰。

此書兩《唐志》有著録，皆作《毛詩雜義駁》八卷，《宋志》無載，亡佚。清馬國翰有輯本。

《毛詩奏事》一卷。王肅撰。有《毛詩問難》二卷，王肅撰，亡。

此書兩《唐志》已無載，久佚。清馬國翰有輯本。《毛詩問難》：兩《唐志》皆有著録，《宋志》無載，亡佚。清馬國翰有輯本。

《毛詩駁》一卷。魏司空王基撰，殘缺。梁五卷。又有《毛詩答問》、《駁譜》，合八卷；又《毛詩釋義》十卷，謝沈撰；《毛詩義》四卷，《毛詩箋傳是非》二卷，並魏祕書郎劉璠撰；《毛詩答雜問》七卷，吴侍中韋昭、侍中朱育等撰；《毛詩義注》四卷。亡。

王基（？—261）：字伯輿，東萊曲城（今山東萊州東北）人。黄初中，察孝廉，除郎中。王肅著諸經傳解及定朝儀，改易鄭玄舊説，王基據持玄義，常與抗衡。累官尚書、征南將軍、都督荆州諸軍事。景元二年（261）卒，追贈司空，謚曰景侯。《三國志》卷二七有傳。本志史、子部尚有王基二部著述。此書兩《唐志》皆有著録，《宋志》無載，亡佚。清黄奭、馬國翰有輯本。《毛詩答問》、《毛詩駁譜》：未著撰者，疑亦王基所作。《毛詩釋義》：兩《唐志》皆著録此書十卷，《宋志》無載，亡佚。劉璠：不詳何人。所撰二書，兩《唐志》皆無載，亡佚。韋昭（204—273）：字弘嗣，因避諱或作韋曜，吴郡雲陽（今江蘇丹陽）人。少好學，能屬文。從丞相掾除西安令。孫皓即位，封高陵亭侯，遷中書僕射，爲侍中，常領左國史。後因觸犯龍顔，遂積前後嫌忿，於鳳凰二年（273）下獄被誅。《三國志》卷六五有傳。本志經、史部尚有七部韋昭著述。朱育（生卒年不詳）：據《三國志·虞翻傳》裴注引《會稽典録》，稱其山陰（今浙江紹興）人，仕吴，曾在臺閣爲東觀令，遥拜清河太守，加位侍中。本志經、史部尚有三部朱育之作。此書兩《唐志》有著録，皆作

《毛詩雜答問》五卷，無撰者名，《宋志》無載，亡佚。清王謨、馬國翰有輯本。《毛詩義注》：無撰者名。兩《唐志》著録《毛詩義注》五卷，亦無撰者名，疑即此書。

《毛詩異同評》十卷。晉長沙太守孫毓撰。

孫毓（生卒年不詳）：《經典釋文叙録》稱其字休朗，北海平昌（今山東安丘南）人，長沙太守。爲《詩評》，評毛、鄭、王肅三家同異，朋於王。而《三國志·臧霸傳》載，孫毓，孫觀子，泰山人。官至青州刺史。本志經、子、集部尚有孫毓五部著述。此書兩《唐志》皆有著録，《宋志》無載，亡佚。清王謨、黄奭、馬國翰、吴騫有輯本。

《難孫氏毛詩評》四卷。晉徐州從事陳統撰。梁有《毛詩表隱》二卷，陳統撰，亡。

陳統（生卒年不詳）：《經典釋文叙録》稱其字元方。撰此書難孫申鄭。本志經、集部尚有二部陳統著述。此書兩《唐志》皆有著録，《宋志》無載，亡佚。清馬國翰有輯本。《毛詩表隱》：兩《唐志》皆有著録，然《舊唐志》失撰者名。

《毛詩拾遺》一卷。郭璞撰。梁又有《毛詩略》四卷，亡。

郭璞（276—324）：字景純，河東聞喜（今山西聞喜）人。好經術，博學有高才。惠、懷之際，與親朋避地東南，王導引爲參軍。元帝即位，爲著作郎，不久遷尚書郎。王敦起用其爲記室參軍，後因觸怒王敦而被殺，時年四十九。《晉書》卷七二有傳。本志經、史、子、集部尚有九部郭璞著述。兩《唐志》已不著録此書，久佚。清馬國翰有輯本。《毛詩略》：兩《唐志》無載，久佚。

《毛詩辨異》三卷。晉給事郎楊乂撰。梁有《毛詩背隱義》

二卷，宋中散大夫徐廣撰；《毛詩引辨》一卷，宋奉朝請孫暢之撰；《毛詩釋》一卷，宋金紫光禄大夫何偃撰；《毛詩檢漏義》二卷，梁給事郎謝曇濟撰；《毛詩總集》六卷，《毛詩隱義》十卷，並梁處士何胤撰。亡。

兩《唐志》著録《毛詩辨》三卷，楊乂撰，即爲此書。《宋志》無載，亡佚。徐廣（352—425）：字野民，東莞姑幕（今山東諸城北）人，徐邈之弟。好學，百家數術無不研覽。義熙年間，受敕撰修國史。官歷大司農、祕書監。永初元年（420），有詔稱其“可中散大夫”。元嘉二年（425）卒於家，年七十四。《晉書》卷八二、《宋書》卷五五、《南史》卷三三有傳。本志經、史、集部尚有徐廣八部著述。此書名《毛詩背隱義》，齊、梁間隱士何胤注書，於卷背書之，謂爲隱義（見《南齊書》卷五一）。背隱義之義，蓋如此，揭前人隱而未發之義。兩《唐志》無載，亡佚。孫暢之：生平事迹不詳。本志經、子部尚有孫暢之著述二部。所撰書兩《唐志》無載，亡佚。何偃（413—458）：字仲弘，廬江灊（今安徽霍山東北）人。與父何尚之並處權要，曲得時譽。世祖即位，除大司馬長史，遷侍中，領太子中庶子。素好談玄，注《莊子逍遥篇》傳於世。大明二年（458），卒官，時年四十六。贈散騎常侍、金紫光禄大夫，謚靖子。《宋書》卷五九、《南史》卷三〇有傳。本志集部有何偃一部著述。此書兩《唐志》無載，亡佚。謝曇濟：據《南齊書·周顒傳》載，“顒卒官時，會王儉講《孝經》未畢，舉曇濟自代，學者榮之。官爲給事中”。所撰書兩《唐志》無載，亡佚。《毛詩總集》、《毛詩隱義》：《梁書》卷五一《何胤傳》有記載。二書兩《唐志》無載，亡佚。

《毛詩異義》二卷。楊乂撰。梁有《毛詩雜義》五卷，楊乂撰；《毛詩義疏》十卷，謝沈撰；《毛詩雜義》四卷，晉江州刺史殷仲堪撰；《毛詩義疏》五卷，張氏撰。亡。

《毛詩異義》：兩《唐志》已無載，亡佚。殷仲堪（？—399）：陳郡（今河南淮陽附近）人。能清言談理，與韓康伯齊名。謝玄鎮京口，以爲長史。孝武帝召爲太子中庶子，後爲振威將軍、荆州刺史，假節鎮江陵。終爲桓玄所獲，被逼自殺。《晉書》卷八二有傳。本志經、子、集部尚有殷仲堪五部著述。兩《唐志》無載，亡佚。張氏：佚名，不詳何人。此書兩《唐志》有載，《宋志》無載，亡佚。

《毛詩集解叙義》一卷。顧歡等撰。

此書兩《唐志》無載，亡佚。

《毛詩序義》二卷。宋通直郎雷次宗撰。梁有《毛詩義》一卷，雷次宗撰；《毛詩序注》一卷，宋交州刺史阮珍之撰；《毛詩序義》七卷，孫暢之撰。亡。

雷次宗（386—448）：字仲倫，豫章南昌（今江西南昌）人。篤志好學，尤明三《禮》、《毛詩》。隱退不受徵辟，後徵詣京師，爲其築室於鍾山，謂之招隱館。元嘉二十五年（448）卒於鍾山。《經典釋文叙録》言“宋通直郎徵不起，爲《詩序義》”。《宋書》卷九三、《南史》卷七五有傳。本志經、史、子部尚有四部雷次宗之作四部。此書兩《唐志》已無載，久佚。阮珍之：生平事迹不詳。其書兩《唐志》無載，亡佚。

《毛詩集小序》一卷。劉炫注。

此書兩《唐志》無載，亡佚。

《毛詩序義疏》一卷。劉瓛等撰，殘缺。梁三卷。梁有《毛詩篇次義》一卷，劉瓛撰；《毛詩雜義注》三卷。亡。

《經典釋文叙録》曰：“宋徵士雁門周續之、豫章雷次宗、齊沛國劉瓛並爲《詩序義》。”即三人合作之此書。兩《唐志》有著録，皆作《毛詩序義》一卷，劉氏撰。《宋志》無載，亡佚。清馬國翰有輯本。

《毛詩發題序義》一卷。梁武帝撰。

此書兩《唐志》無載，亡佚。

《毛詩大義》十一卷。梁武帝撰。梁有《毛詩十五國風義》二十卷，梁簡文撰。

此書兩《唐志》無載，亡佚。梁簡文：蕭綱（503—551），字世纘，梁武帝第三子。天監五年（506）封爲晉安王。昭明太子崩，被立爲皇太子。武帝崩，即帝位，改元大寶。第二年被侯景廢爲晉安王，幽於永福省。十月被弑，時年四十九。簡文帝幼而聰睿，長而好學，有諸多著述行世。《梁書》卷四、《南史》卷八有傳。本志經、子、集尚有八部簡文帝著述。兩《唐志》無載，亡佚。清馬國翰有《毛詩十五國風義》輯本。

《毛詩大義》十三卷。

不署撰者。兩《唐志》無載，亡佚。

《毛詩草木蟲魚疏》二卷。烏程令吴郡陸璣撰。

陸璣（生卒年不詳）：本志原作陸機。《經典釋文叙録》曰："陸璣《毛詩草木蟲魚疏》二卷，字元恪，吴郡（今江蘇蘇州）人。吴太子中庶子、烏程令。"《崇文總目》稱，《毛詩草木蟲魚疏》二卷，吴太子中庶子、烏程令陸璣撰。世或以璣爲機，非也。機自爲晉人，本不治《詩》。今應以璣爲正。兩《唐志》著録此書爲陸璣撰。《四庫全書總目》卷一五稱，璣去古未遠，所言猶不甚失真，《詩正義》全用其説。此書現存較早的本子爲明汲古閣刻

《津逮祕書》本，通行本爲《四庫》本。

《毛詩義疏》二十卷。舒援撰。

舒援：生平事迹不詳。孔穎達《毛詩正義序》曰“近代爲義疏者有全緩、和胤、舒瑗……”援、瑗難辨是非。此書兩《唐志》已無載，久佚。清馬國翰有輯本。

《毛詩誼府》三卷。後魏安豐王元延明撰。

元延明（484—530）：父猛崩，襲安豐王，累遷給事黄門侍郎、侍中。博極群書，兼有文藻，與中山王熙、臨淮王彧等，並以才學令望有名於世。莊帝時，兼尚書令、大司馬。因元顥敗，攜妻兒奔梁武帝，客死江南。謚文宣。《魏書》卷二〇、《北史》卷一九有傳。本志經部尚有元延明二部著述。此書兩《唐志》皆有著録，《宋志》無載，亡佚。

《毛詩義疏》二十八卷。蕭巋散騎常侍沈重撰。

沈重（500—583）：字子厚（《周書》作德厚），吴興武康（今浙江德清附近）人。專心儒學，尤明《詩》、《左氏春秋》。北魏平江陵，留事蕭詧。周武帝派人至梁將沈重徵至京師，授驃騎大將軍、開府儀同三司、露門博士。建德末歸梁，蕭巋拜其爲散騎常侍、太常卿。有《毛詩義》、《毛詩音》等諸多撰述行於世。隋開皇三年卒，時年八十四。《周書》卷四五、《北史》卷八二有傳。本志經部尚有沈重三部著述。此書兩《唐志》已無載，久佚。清朱彝尊、王謨、馬國翰、王仁俊有輯本。

《毛詩義疏》二十卷。

《毛詩義疏》二十九卷。

《毛詩義疏》十卷。

《毛詩義疏》十一卷。

《毛詩義疏》二十八卷。

以上五部《毛詩義疏》皆不署撰者。此五書大抵出自北朝人之手,《北史·儒林傳》曰:“通《毛詩》者多出於魏朝劉獻之,獻之傳李周仁。周仁傳董令度、程歸則。歸則傳劉敬和、張思伯、劉軌思,其後能言《詩》者,多出二劉之門。”兩《唐志》無載,亡佚。

《毛詩述義》四十卷。國子助教劉炫撰。

《日本國見在書目録》著録此書爲三十卷,兩《唐志》著録此書爲三十卷,《宋志》無載,久佚。

《毛詩章句義疏》四十卷。魯世達撰。

《北史》卷八二載,魯世達撰《毛詩章句義疏》四十二卷。兩《唐志》無載,亡佚。

《毛詩釋疑》一卷。梁有《毛詩圖》三卷,《毛詩孔子經圖》十二卷,《毛詩古聖賢圖》二卷,亡。

不署撰者。兩《唐志》已無載,久佚。鄭樵《藝文略》稱,《毛詩圖》、《毛詩孔子經圖》、《毛詩古聖賢圖》三書並爲蕭梁人作。而王應麟《困學紀聞》卷三則稱晉衛協畫《毛詩圖》,草木鳥獸、古聖賢之像。三書皆不見兩《唐志》著録,亡佚。

《業詩》二十卷。宋奉朝請業遵注。

《經典釋文敘録》載,業遵字長儒,燕人,宋奉朝請,注《禮記》十二卷。本志本類序曰“又有《業詩》,奉朝請業遵所注,立義多異,世所不行”。此書兩《唐志》皆有著録,《舊唐志》“《葉詩》二十卷,葉遵注”,《新唐志》“葉遵《注》二十卷,號《葉詩》”。考《廣韻》、《氏族略》，無業姓，疑葉爲是。

右三十九部，四百四十二卷。通計亡書，合七十六部，六百八十二卷。

三十九部：實際爲四十部。七十六部：實際爲八十部。

《詩》者，所以導達心靈，歌詠情志者也。故曰[1]：“在心爲志，發言爲詩。”上古人淳俗樸，情志未惑。其後君尊於上，臣卑於下，面稱爲諂[2]，目諫爲謗[3]，故誦美譏惡，以諷刺之[4]。初但歌詠而已，後之君子，因被管絃[5]，以存勸誡。夏、殷已上，詩多不存。周氏始自后稷[6]，而公劉克篤前烈[7]，太王肇基王迹[8]，文王光昭前緒[9]，武王克平殷亂[10]，成王、周公化至太平[11]，誦美盛德，踵武相繼[12]。幽、厲板蕩[13]，怨刺並興。其後王澤竭而詩亡，魯太師摯次而録之[14]。孔子刪詩，上采商，下取魯，凡三百篇。至秦，獨以爲諷誦，不滅。漢初，有魯人申公[15]，受《詩》於浮丘伯[16]，作詁訓，是爲《魯詩》。齊人轅固生亦傳《詩》[17]，是爲《齊詩》。燕人韓嬰亦傳《詩》，是爲《韓詩》。終于後漢，三家並立。漢初又有趙人毛萇善《詩》，自云子夏所傳，作《詁訓傳》，是爲《毛詩》古學，而未得立。後漢有九江謝曼卿[18]，善《毛詩》，又爲之訓。東海衛敬仲[19]，受學於曼卿。先儒相承，謂之《毛詩》。《序》，子夏所創，毛公及敬仲又加潤益。鄭衆、賈逵、馬融，並作《毛詩傳》，鄭玄作《毛詩箋》。《齊詩》，魏代已亡；《魯詩》亡於西晉；《韓詩》雖存，無傳之者。唯《毛詩》鄭箋，至今獨立。又有《業詩》，奉朝請業遵所注，立義多異，世所不行。

[1] 故曰：見《詩・關雎序》。

[2] 面稱：當面稱頌。

[3] 目諫：以眼神傳遞勸諫之意。

[4] 諷刺：以婉言隱語譏刺他人。

[5] 被管絃：配上樂器，即指爲《詩》配曲，可以吟唱。

[6] 后稷：姬姓，名棄，因母初欲棄之，故以名之，周之祖先。及長，遂好耕種，被堯舉爲農師。封於邰，號后稷。《史記》卷四有傳。

[7] 公劉：后稷之曾孫，繼修后稷之業，務耕種，民賴其利。周道自此始。《史記》卷四有傳。克篤前烈，能堅守、發揚前人功業。

[8] 太王：即古公亶父，公劉九世孫。復修后稷、公劉之業，積德行義，得國人愛戴。《史記》卷四有傳。肇基，始創基業。

[9] 文王：名昌，即西伯文王，古公亶父之孫、公季之子。遵后稷、公劉之業，則古公、公季之法，士庶皆往歸之。《史記》卷四有傳。

[10] 武王：名發，文王子。滅商，建立周朝。《史記》卷四有傳。

[11] 成王：名誦，武王子。在叔父周公等的輔佐下，平定天下。《史記》卷四有傳。周公，名旦，武王弟。輔翼武王滅商，封於少昊之墟曲阜，是爲魯公。武王崩，成王年幼，攝行政當國。成王能聽政，即還政於成王，並多予勸誡。作《周官》等。《史記》卷三三有傳。

[12] 踵武：譬喻繼承前人的事業。武，足迹。

[13] 幽：即周幽王，名宫涅（shēng），宣王子。在位期間，昏庸暴虐，國人皆怨。申侯聯合繒、犬戎攻幽王，殺之，西周亡。《史記》卷四有傳。厲王，名胡。好利、暴虐、侈傲，堵塞言路。國人積怨爆發，厲王遭到攻擊，出奔彘。召公、周公二相行政，號曰“共和”。厲王死於彘，二相立其太子静爲宣王。《史記》卷四有傳。板蕩，《詩·大雅》有《板》、《蕩》二篇，譏刺周厲王無

道，敗壞國家。後即以板蕩喻政治變亂或社會動盪不安。

[14] 魯太師摯次而録之：此事《史記》、《漢志》、《經典釋文》皆無載，待考。

[15] 申公（生卒年不詳）：亦作申培公，魯人。少與楚元王劉交俱事齊人浮丘伯受《詩》。後歸魯，退居家教。以《詩經》爲訓故以教，是爲《魯詩》。武帝即位召之，年已八十餘，以爲太中大夫。《漢書》卷八八有傳。

[16] 浮丘伯：齊人，授《詩》。其他事迹不詳。

[17] 轅固生（生卒年不詳）：亦作轅固，齊人。因治《詩》，孝景帝時爲博士，所傳爲《齊詩》。後帝以固廉直，拜爲清河太傅。《漢書》卷八八有傳。

[18] 謝曼卿（生卒年不詳）：九江（今江西九江）人。《後漢書》卷七九下載，九江謝曼卿善《毛詩》，乃爲其訓。賈逵、衛宏俱從謝曼卿受《毛詩》。

[19] 衛敬仲（生卒年不詳）：即衛宏，東海（今山東郯城）人。從謝曼卿受《毛詩》，因作《毛詩序》，後從杜林更受《古文尚書》，爲作《訓旨》。《後漢書》卷七九下有傳。本志經、史部著録其二部著述。

禮

《周官禮》十二卷。馬融注。

亦作《周官》、《周禮》，記録周代制度，全書凡六篇，《天官冢宰》第一、《地官司徒》第二、《春官宗伯》第三、《夏官司馬》第四、《秋官司寇》第五、《冬官司空》第六。但《冬官》早佚，漢代以《考工記》補之。今本《周禮注疏》即作《冬官考工記》第六。對於《周官》的來源有二説，一即本志所言，漢時河間獻王得李氏上之《周官》，以千金求購所闕《冬官》，未果，即取《考工記》補之，奏上。王莽時劉歆始置博士，以行於世。而賈公彦《周禮正義序》則引《馬融傳》，稱《周官》與秦苛法相反，故始皇特疾惡，欲滅絶之，是以隱藏百年。武帝時方出於山岩屋壁，復入于祕府。關於《周官》的作者也有二説，古文學家認爲是周公所作，今文學家則認爲是劉歆所僞造。河南緱氏及杜子春受業於劉歆，因以教授，是後馬融作《周官傳》。此書《經典釋文叙録》著録馬融注《周官》十二卷，《舊唐志》著録《周官》十二卷，馬融傳，《新唐志》著録馬融《周官傳》十二卷”，《宋志》無載，亡佚。清黄奭、王謨、馬國翰有輯本。

《周官禮》十二卷。鄭玄注。

《後漢書·鄭玄傳》“又從東郡張恭祖受《周官》、《禮記》”。《後漢書·儒林傳》“馬融作《周官傳》授鄭玄，鄭玄作《周官注》”。兩《唐志》著録此書爲十三卷,《經典釋文叙録》、《宋志》著録此書爲十二卷。唐賈公彦爲此書作疏，即今傳《周禮注疏》四十二卷。鄭玄注《周禮》現存最早的本子爲宋刻本，通行本爲《十三經注疏》本、四庫本。

《周官禮》十二卷。王肅注。

《經典釋文》、兩《唐志》皆著録此書,《宋志》無載，亡佚。

《周官禮》十二卷。伊説注。

《舊唐志》著録《周官禮》十卷，伊説撰;《新唐志》著録伊説注《周官》十卷;《宋志》無載，亡佚。

《周官禮》十二卷。干寶注。梁又有《周官寧朔新書》八卷，晉燕王師王懋約撰，亡。

《經典釋文叙録》著録干寶注《周官》十三卷，兩《唐志》皆著録此書爲十二卷,《宋志》無載，亡佚。清王謨、黄奭、馬國翰有輯本。《舊唐志》著録《周官寧朔新書》八卷，司馬伷序，王懋約注;《新唐志》著録司馬伷《周官寧朔新書》八卷，王懋約注。《經義考》卷一二一以爲，此書當從兩《唐志》，爲司馬伷所撰。司馬伷（227—283）：伷同胄，字子將，宣帝子。早有才望，起家爲寧朔將軍。武帝即位，封東莞郡王，後改封琅邪王。平吴之役，功勳茂著，進拜大將軍、開府儀同三司。太康四年（283）卒，時年五十七。《晉書》卷三八有傳。王懋約：生平事迹不詳。其爲燕王師，燕王司馬機，文帝子。王懋約當與伊説同時。本志經部尚有一部王懋約著述。

《集注周官禮》二十卷。崔靈恩注。

《梁書》卷四八、《北史》卷七一記載，靈恩尤精三《禮》、三

《傳》，有《集注周禮》四十二卷等著述行世。《新唐志》著録崔靈恩《周官集注》二十卷，《宋志》無載，亡佚。

《禮音》三卷。劉昌宗撰。

劉昌宗：生平事迹不詳。《顔氏家訓・音辭》提及劉昌宗《周官音》。《經典釋文叙録》載，劉昌宗有《周禮音》、《儀禮音》各一卷，《禮記音》五卷。本志經部尚有劉昌宗二部著述。此書兩《唐志》已無載，久佚。

《周官禮異同評》十二卷。晉司空長史陳劭撰。

陳劭（生卒年不詳）：本傳作陳邵，字節良，東海襄賁（今山東郯城西北）人。以儒學徵爲陳留長史，累遷燕王師。所撰《周禮評》甚有條貫，行於世。《晉書》卷九一有傳。《經典釋文叙録》稱陳劭，下邳（今江蘇邳州）人，爲司空長史，然未提及《周官評》。《舊唐志》著録《周官論評》十二卷，陳邵駁，傅玄評；《新唐志》著録傅玄《周官論評》十二卷，陳邵駁。疑此書爲後人編輯而成。《宋志》無載，亡佚。清馬國翰有輯本。

《周官禮駁難》四卷。孫略撰。梁有《周官駁難》三卷，孫琦問，干寶駁，晉散騎常侍虞喜撰。

孫略（生卒年不詳）：《太平御覽・逸民》引《晉中興書目》稱，孫略字文度，吴人。辟命皆不就。《舊唐志》著録《周官駁難》五卷，孫略問，干寶答；《新唐志》著録干寶《答周官駁難》五卷，孫略問。從以上著録的不同，可以做這樣的推測，《周官禮駁難》四卷和《周官駁難》三卷是一書，孫琦是孫略之誤，此書爲虞喜編定，故署虞喜撰。虞喜：字仲寧，會稽餘姚（今浙江餘姚）人。專心經傳，釋《毛詩略》，注《孝經》。屢徵不就。咸康初，以散騎常侍徵之，又不就。年七十六卒。《晉書》卷九一有傳。本志經、子部尚有虞喜四部著述。

《周官禮義疏》四十卷。沈重撰。

《周書》卷四五、《北史》卷八二《沈重傳》皆提及沈重撰《周禮義》三十一卷、《周禮音》一卷。《日本國見在書目録》著録《周官禮義疏》四十卷，沈重撰；兩《唐志》著録《周禮義疏》四十卷。《宋志》無載，亡佚。清馬國翰有輯本。

《周官禮義疏》十九卷。

《周官禮義疏》十卷。

《周官禮義疏》九卷。

此三部書皆無撰者名。《日本國見在書目録》著録有這三部書，兩《唐志》無載，亡佚。

《周官分職》四卷。

不署撰者。兩《唐志》無載，亡佚。

《周官禮圖》十四卷。梁有《郊祀圖》二卷，亡。

不署撰者。《日本國見在書目録》著録《周禮圖》十五卷、《周禮圖》十卷。兩《唐志》無載，亡佚。《郊祀圖》：不署撰者。兩《唐志》無載，亡佚。

《儀禮》十七卷。鄭玄注。

初名《士禮》，書言古人進退揖讓之節、昏喪燕飲之道。漢興，高堂生傳《士禮》十七篇，是爲今文《士禮》；又有《禮古經》五十六篇，一説得於魯淹中，一説得於孔子壁中，用古文寫成。其中十七篇與高堂生所傳今文《儀禮》同，但文字亦多有差異。餘三十九篇爲《逸禮》，“絶無師説，祕在於館”，雖其篇名頗見於他書，然全秩已佚，難以確考。《四庫全書總目》卷二〇稱，高堂生傳《士禮》十七篇在漢代有三本，即戴德本、戴聖本、劉向《别録》本。後漢鄭玄尊劉向《别録》本，並參酌古文爲其作注十七卷。唐賈公彦爲鄭注《儀禮》作疏，其《儀禮疏序》提及黄慶、李孟悊爲《儀禮》作章疏，各有短長。然此二者未見著録。《儀禮》單經本流傳甚少，有明嘉靖六年陳鳳梧刻本。《儀禮》鄭玄注，有明嘉靖吴郡徐氏刻本。《儀禮疏》有清道光影宋本。現通行的是《十三經注疏》本《儀禮注疏》。1959 年在甘肅武威磨咀子漢墓發現《儀禮》簡四百六十九枚，可分爲甲、乙、丙三種寫本。這是一個鄭玄注、賈公彦疏以外的新版本。

《儀禮》十七卷。王肅注。梁有李軌、劉昌宗音各一卷，鄭玄音二卷，亡。

《經典釋文叙録》、賈公彦《儀禮注疏序》皆未提及此書，而兩《唐志》則有著録，疑此書唐初佚，以後復出，故兩《唐志》才有著録。《宋志》無載，亡佚。《經典釋文叙録》記載，李軌、劉昌宗《周禮音》、《儀禮音》各一卷，鄭玄三禮《音》各一卷。兩《唐志》無載，亡佚。

《儀禮義疏見》二卷。

《儀禮義疏》六卷。

以上二書皆不署撰者。兩《唐志》無載，亡佚。

《喪服經傳》一卷。馬融注。

《晉書·禮志》曰："《喪服》本文省略，必待注解事義乃彰；其傳説差詳，世稱子夏所作。"《經典釋文叙録》稱："唯鄭注《周禮》、《儀禮》、《禮記》並列學官，而《喪服》一篇又别行於世。"王應麟《漢藝文志考證》卷二曰："《喪服傳》子夏所爲，《白虎通》謂之《禮服傳》。”兩《唐志》皆著録馬融《喪服紀》一卷，《宋志》無載，亡佚。清王謨、臧庸、黄奭、馬國翰有輯本。

《喪服經傳》一卷。鄭玄注。

《經典釋文叙録》稱鄭玄有《喪服》一篇，又别行於世。兩《唐志》著録鄭玄注《喪服紀》一卷，《宋志》無載，久佚。

《喪服經傳》一卷。王肅注。

《經典釋文序録》稱，王肅注《喪服》。《新唐志》著録王肅注《喪服紀》一卷，《宋志》無載，亡佚。清臧庸有輯本。

《喪服經傳》一卷。晉給事中袁準注。

袁準（生卒年不詳）：字孝尼，陳郡扶樂（今河南開封祥符區）人。爲《易》、《周官》、《詩》傳，及論五經滯義，聖人之微言，以傳於世。泰始中爲給事中。事見《三國志》卷一一裴注所引《袁氏世紀》、《九州紀》。本志子、集部尚有三部袁準著述。《舊唐志》著録袁準注《喪服紀》一卷，《新唐志》著録袁準注《儀禮》一卷，《宋志》無載，亡佚。清馬國翰、嚴可均有輯本。

《集注喪服經傳》一卷。晉盧陵太守孔倫撰。

《經典釋文叙録》稱，孔倫（生卒年不詳）：字敬序，會稽（今浙江紹興）人，集衆家注《喪服》。《新唐志》著録孔倫注《儀禮》一卷，《舊唐志》未著録此書，但著録一不署名之《喪服紀》，然没有證據能確指爲孔倫所作。《宋志》無載，亡佚。清馬國翰有輯本。

《喪服經傳》一卷。陳銓注。

陳銓：《經典釋文叙録》亦稱不詳其爲何人。《舊唐志》著録陳銓注《喪服紀》一卷，《新唐志》著録陳銓注《儀禮》一卷，《宋志》無載，亡佚。清馬國翰有輯本。

《集注喪服經傳》一卷。宋太中大夫裴松之撰。

裴松之（372—451）：字世期，河東聞喜（今山西聞喜）人。晉義熙中，至尚書祠部郎，後除零陵内史，徵爲國子博士。宋元嘉年間，文帝使注《三國志》。十四年（437）致仕，拜中散大夫，尋領國子博士，進太中大夫。二十八年（451）卒。《宋書》卷六四、《南史》卷三三有傳。本志史、集部尚有裴松之三部著述。此書兩《唐志》已無載，久佚。清馬國翰有輯本。

《略注喪服經傳》一卷。雷次宗注。

《宋書·雷次宗傳》記載，宋文帝使雷次宗爲皇太子及諸王講《喪服》經。《經典釋文叙録》言雷次宗注《喪服》。此書兩《唐志》已無載，久佚。清王謨、黄奭、馬國翰有輯本。

《集注喪服經傳》二卷。宋丞相諮議參軍蔡超注。梁又有《喪服經傳》一卷，宋徵士劉道拔注，亡。

蔡超（生卒年不詳）：字希遠，濟陽考城（今河南蘭考）人。少有才學，初爲兖州主簿。孝武帝即位，除尚書郎，仍爲丞相諮議參軍，又爲南郡内史，封汝南縣侯。後南郡王劉義宣起兵反，被朱修之所殺，蔡超亦伏誅。事見《宋書》卷六八、《經典釋文叙録》。《舊唐志》著録蔡超宗注《喪服紀》二卷，《新唐志》著録蔡超宗注《儀禮》二卷。蔡超宗即蔡超，“宗”爲衍文。《宋志》無載，亡佚。劉道拔：《經典釋文叙録》記載，其爲彭城（今江蘇徐州）人，宋海豐令，注《喪服》。兩《唐志》無載，亡佚。

《集解喪服經傳》二卷。齊東平太守田僧紹解。

田僧紹（生卒年不詳）：《經典釋文叙録》記載，田儁之字僧紹，馮翊（陝西大荔）人，齊東平太守，注《喪服》。《舊唐志》著録田僧紹注《喪服紀》二卷，《新唐志》著録田僧紹注《儀禮》二卷，《宋志》無載，亡佚。

《喪服義疏》二卷。梁步兵校尉、五經博士賀瑒撰。梁又有《喪服經傳義疏》五卷，齊散騎郎司馬憲撰；《喪服經傳義疏》二卷，齊給事中樓幼瑜撰；《喪服經傳義疏》一卷，劉瓛撰；《喪服經傳義疏》一卷，齊徵士沈麟士撰。

賀瑒（452—510）：字德璉，會稽山陰（今浙江紹興）人。祖道力善三《禮》，瑒少傳家業，累官太常丞、五經博士、步兵校尉。於《禮》尤精，著《禮》、《易》、《老》、《莊》講疏等。天監九年（510）卒，時年五十九。《梁書》卷四八、《南史》卷六二有傳。本志經、史部尚有五部賀瑒之作。此書兩《唐志》已無載，久佚。司馬憲（生卒年不詳）：字景思，河内温（今河南温縣西南）人。待詔東觀爲學士，至殿中郎。與伏曼容、陸澄共撰《喪服義》。事見《梁書》卷四八、《南史》卷七二。所撰書兩《唐志》已無載，亡佚。樓幼瑜（生卒年不詳）：或作婁幼瑜，字季玉，東陽（今浙江東陽）人。專儒學，不應徵辟，著《禮捃拾》三十卷。官至給事中。事見《南齊書》卷五四、《南史》卷七六。本志經、集部尚有樓幼瑜二部著述。所撰書兩《唐志》無載，亡佚。沈麟士（419—503）：或作沈驎士，字雲禎，吴興武康（今浙江德清）人。及長，博通經史，隱居餘不吴差山，講經授徒，從學者數十百人。徵辟多不就，注《易》、《禮記》、《喪服》、《尚書》等。天監二年（503）卒，時年八十五（或作八十六）。《南齊書》卷五四、《南史》卷七六有傳。所撰《喪服經傳義疏》，兩《唐志》已無載，亡佚。

《喪服經傳義疏》一卷。梁尚書左丞何佟之撰，亡。

對於此條，或曰當在上條的注中，或曰最後之“亡”字爲衍文。何佟之（449—503）：字士威，廬江灊（今安徽霍山東北）人。少好三《禮》，手不釋卷。仕齊，初爲國子助教，爲諸生講《喪服》。梁武帝登基，以爲尚書左丞。天監二年（503）卒官。《梁書》卷四八、《南史》卷七一有傳。本志經部尚有何佟之二部著述。此書兩《唐志》已無載，久佚。

《喪服傳》一卷。梁通直郎裴子野撰。

裴子野（469—530）：字幾原，河東聞喜（今山西聞喜）人。少好學，善屬文。仕齊入梁，歷鴻臚卿，領步兵校尉，兼中書通事舍人。中大通二年（530）卒官，年六十二，謚貞子。集注《喪服》，撰《百官九品》、《方國使圖》等，並行於世。《梁書》卷三〇、《南史》卷三三有傳。本志史、子、集部尚有四部裴子野之作（其中《衆僧傳》在史、子二部均有著録）。此書兩《唐志》已無載，久佚。

《喪服文句義疏》十卷。梁國子助教皇侃撰。

皇侃（488—545）：吴郡（今江蘇蘇州）人。師事賀瑒，盡通其業，尤明三《禮》、《孝經》、《論語》。梁武帝時，拜員外散騎侍郎，兼助教如故。大同十一年（545）卒於夏首。《經典釋文叙録》載，梁國子助教皇侃撰《禮記義疏》，又傳《喪服義疏》。《梁書》卷四八、《南史》卷七一有傳。本志經部尚有五部皇侃之作。兩《唐志》著録皇侃《喪服文句》十卷，《宋志》無載，亡佚。

《喪服義》十卷。陳國子祭酒謝嶠撰。

謝嶠（生卒年不詳）：會稽山陰（今浙江紹興）人，篤學，爲世通儒。事見《陳書》卷一六。此書兩《唐志》已無載，久佚。

《喪服義鈔》三卷。梁有《喪服經傳隱義》一卷，亡。

此二書皆不署撰者，兩《唐志》皆無載，亡佚。

《喪服要記》一卷。王肅注。

兩《唐志》皆著録此書，《宋志》無載，亡佚。清王謨、黄奭、馬國翰、王仁俊有輯本。

《喪服要記》一卷。蜀丞相蔣琬撰。梁有《喪服變除圖》五卷，吴齊王傅射慈撰，亡。

蔣琬（？—246）：字公琰，零陵湘鄉（今湖南湘鄉）人。以州書佐隨劉備入蜀。諸葛亮卒，爲尚書令，領益州刺史，遷大將軍，封安陽亭侯。延熙二年（239）卒，謚曰恭。《三國志》卷四四有傳。此書兩《唐志》已無載，久佚。射慈（生卒年不詳）：又作謝慈，字孝宗，彭城（今江蘇徐州）人。齊王（孫奮）傅，因諫奮，被殺。撰《喪服圖》及《變除》行於世。事見《三國志·孫奮傳》裴注。馬國翰以爲《七録》合《喪服圖》及《變除》乃爲五卷。《舊唐志》著録射慈《喪服天子諸侯圖》二卷，《新唐志》著録射慈《喪服天子諸侯圖》一卷，然皆非梁時舊本。清馬國翰、嚴可均有輯本。

《喪服要集》二卷。晉征南將軍杜預撰。又有《喪服要記》二卷，晉侍中劉逵撰，亡。

杜預（222—284）：字元凱，京兆杜陵（今陝西西安南）人。晉文帝妹婿，起家拜尚書郎。太康初爲鎮南大將軍，平孫皓，以功進爵，封當陽縣侯。其後徵爲司隸校尉，加位特進。撰《春秋左傳集解》、《春秋長曆》等，成一家之學。六十三歲卒，謚曰成。《晉書》卷三四有傳。本志經、史、集部尚有杜預七部著述。兩《唐志》著録杜預《喪服要集議》三卷，《宋志》無載，亡佚。清馬國翰有輯本。劉逵（生卒年不詳）：嚴可均《全晉文》卷一〇五稱，劉逵字淵林，濟南人。元康中爲尚書郎，後遷侍中。有《喪服要記》二卷。本志集部尚有劉逵一部著述。此書兩《唐志》無載，亡佚。

《喪服儀》一卷。晉太保衛瓘撰。梁有《喪服要記》六卷，晉司空賀循撰；《喪服要問》六卷，劉德明撰；《喪服》三十一卷，宋員外郎散騎庾蔚之撰；《喪服要問》二卷，張耀撰；《喪服難問》六卷，崔凱撰；《喪服雜記》二十卷，伊氏撰；《喪服釋疑》二十卷，劉智撰。亡。

衛瓘（220—291）：字伯玉，河東安邑（今山西運城附近）人。於魏爲尚書郎，平蜀封菑陽侯。晉太康累遷侍中、尚書令。告老遜位，進太保。惠帝即位，録尚書事，輔朝政。因與賈后有隙，被害。後追封蘭陵郡公，謚曰成。《晉書》卷三六有傳。本志經部尚有衛瓘著述一部。此書兩《唐志》已無載，久佚。賀循（260—319）：字彦先，會稽山陰（今浙江紹興）人。其先慶普，後因避漢安帝諱，改爲賀氏。元帝建武初，拜太常行太子太傅。因病改授左光禄大夫，開府儀同三司。傳《禮》，世謂慶氏學。太興二年（319）卒，贈司空，謚曰穆。《晉書》卷六八有傳。本志經、史、集部尚有賀循三部著述。兩《唐志》皆著録賀循撰《喪服要記》謝微注五卷，而且又著録賀循撰《喪服譜》一卷。《宋志》無載，亡佚。清馬國翰、嚴可均有輯本。劉德明：此人始末不詳。本志集部尚有一部劉德明之作。此書兩《唐志》無載，亡佚。庾蔚之（生卒年不詳）：《宋書·雷次宗傳》言，潁川庾蔚之以儒學監總諸生。嚴可均《全宋文》卷五二稱庾蔚之孝建中爲太常丞，歷員外郎、散騎常侍。有《喪服》三十一卷、《喪服要記注》十卷等。其書兩《唐志》無載，亡佚。張耀：生平事迹不詳。其書兩《唐志》無載，亡佚。崔凱：生平事迹不詳。嚴可均《全宋文》卷五六稱崔凱一作崔元凱，有《喪服難問》六卷。此書久佚。清馬國翰有輯本。伊氏：不詳何人。其書久佚。劉智（生卒年不詳）：字子房，平原高唐（今山東高唐）人。讀誦不輟，以儒行稱。官至祕書監，加散騎常侍，遷侍中、尚書、太常。太康末卒，謚曰成。《晉書》卷四一有傳。本志子部尚有劉智一部著述。此書久佚。清王謨、馬國翰、嚴可均有輯本。

《漢荆州刺史劉表新定禮》一卷。

此書兩《唐志》無載，《通志·藝文略》著録《新定喪禮》一卷，劉表撰。《宋志》無載，亡佚。清馬國翰有輯本。

《喪服要略》一卷。晉太學博士環濟撰。

環濟：嚴可均《全晉文》卷一二八"環濟，大興中太學博士，有《喪服要略》一卷、《帝王要略》十二卷"。本志史部尚有二部環濟之作。此書兩《唐志》已無載，久佚。

《喪服要略》二卷。

不署撰者。此書兩《唐志》無載，亡佚。

《喪服制要》一卷。徐氏撰。

徐氏：不詳何人。此書大抵言喪服制度之要點。兩《唐志》無載，亡佚。

《喪服譜》一卷。鄭玄注。

兩《唐志》皆不著録此書，而著録鄭玄撰《喪服變除》一卷，疑二者即爲一書，此二書皆亡佚。清洪頤煊、黄奭、馬國翰、丁晏、袁鈞、孔廣林有《喪服變除》輯本。

《喪服譜》一卷。晉開府儀同三司蔡謨撰。

蔡謨（281—356）：字道明，陳留考城（今河南蘭考）人。避亂南渡，康帝時爲揚州刺史，録尚書事，遷侍中、司徒。穆帝臨軒，被徵，不至。被免爲庶人，閉門不出，終日教授子弟。永和十二年卒，贈侍中、司空，謚曰文穆。蔡謨博學，於禮儀宗廟制度多所議定。《晉書》卷七七有傳。本志經、集部尚有蔡謨三部著述。兩《唐志》皆著録此書，《宋志》無載，亡佚。清馬國翰有輯本。

《喪服譜》一卷。賀循撰。

此書兩《唐志》皆有著録，《宋志》無載，亡佚。清馬國翰、王仁俊有輯本。

《喪服變除》一卷。晉散騎常侍葛洪撰。

葛洪（284—364）：字稚川，號抱朴子，丹陽句容（今江蘇句容）人。少好學，以儒學知名，並好神仙導養之法。干寶薦葛洪才堪國史，選爲散騎常侍，領大著作，固辭不就。撰有《抱朴子》、碑誄詩賦百卷等著述，八十一歲卒。《晉書》卷七二有傳。本志經、史、子、集部尚有葛洪十六部著述。此書兩《唐志》已無載，久佚。清馬國翰有輯本。

《凶禮》一卷。晉廣陵相孔衍撰。

孔衍（268—320）：字舒元，魯國（今山東境内）人，孔子二十二代孫。西晉末避難江東。中興初，補中書舍人。因經學深博，又明舊典、朝儀規制，多所取正。後王敦專權，出爲廣陵郡。大興三年（320）卒，時年五十三。《晉書》卷九一有傳。本志經、史、子部尚有孔衍六部著述。此書兩《唐志》已無載，久佚，清馬國翰有輯本。

《喪服要記》十卷。賀循撰。梁有《喪服要記》，宋員外常侍庾蔚之注；又《喪服世要》一卷，庾蔚之撰；《喪服集議》十卷，宋撫軍司馬費沈撰。

《舊唐志》著録《喪服要記》十卷，賀循撰，庾蔚之注；《新唐志》著録庾蔚之又注《喪服要記》五卷；《宋志》無載，亡佚。清馬國翰、嚴可均有輯本。《喪服世要》，既稱“世要”，估計是講述喪服於世俗行用之要。此書兩《唐志》已無載，久佚。費沈：《宋書》卷六載，元嘉三十年以“撫軍司馬費沈爲梁、南秦二州刺史”。《宋書》卷九七載，大明四年“遣前朱提太守費沈、龍驤將軍武期率衆南伐，並通朱崖道，並無功，輒殺（陳）檀而反，沈下獄死”。《喪服集議》兩《唐志》無載，久佚。

《喪服古今集記》三卷。齊太尉王儉撰。

此書兩《唐志》皆有著録，《宋志》無載，亡佚。清馬國翰有輯本。

《喪服世行要記》十卷。齊光禄大夫王逡撰。

王逡（？—495）：又作王逡（qūn）之，字宣約，琅邪臨沂（今山東臨沂）人。少禮學博聞。仕宋，官至著作郎兼尚書左丞。王儉撰《古今喪服集記》，逡難儉十一條，更撰《世行》五卷。轉國子博士，歷太中光禄大夫，加侍中。建武二年（495）卒。《南齊書》卷五二、《南史》卷二四有傳。本志史部尚有三部王逡之作。《舊唐志》有《喪服五代行要記》十卷，王逡志；《新唐志》有王逡之注《喪服五代行要記》十卷，即此書。《宋志》無載，亡佚。清馬國翰有輯本。

《喪服答要難》一卷。袁祈撰。

袁祈：生平事迹不詳。《舊唐志》著録《喪服要難》一卷，趙成問，仇祈答；《新唐志》著録《喪服要難》一卷，趙成問，袁祈答。《宋志》無載，亡佚。

《喪服記》十卷。王氏撰。

王氏：缺名，不詳何人。此書兩《唐志》無載，亡佚。

《喪服五要》一卷。嚴氏撰。

嚴氏：缺名，不詳何人。此書兩《唐志》無載，亡佚。

《駁喪服經傳》一卷。卜氏撰。

卜氏：不詳何人。此書兩《唐志》無載，亡佚。

《喪服疑問》一卷。樊氏撰。

《廿二史考異》卷三四曰："《周書・樊深傳》，《喪服問疑》，蓋即此書。"錢大昕以爲樊氏即北周之樊深。兩《唐志》不載此書，久佚。

《喪服圖》一卷。王儉撰。

此書兩《唐志》無載，亡佚。

《喪服圖》一卷。賀游撰。

賀游：生平事迹不詳。兩《唐志》皆著録崔游撰《喪服圖》一卷，疑賀游爲崔游之誤。崔游，字子相，上黨（今山西東南）人。少好儒術，魏末察孝廉，除相府舍人。晉武帝時，就家拜郎中。撰《喪服圖》行於世。年九十三卒。《晉書》卷九一有傳。此書兩《唐志》已無載，久佚。

《喪服圖》一卷。崔逸撰。梁有《喪服祥禫雜議》二十九卷，

《喪服雜議故事》二十一卷，又《戴氏喪服五家要記圖譜》五卷，《喪服君臣圖儀》一卷，亡。

崔逸（生卒年不詳）：原名景儁，此名乃孝文帝所賜。博陵安平（今河北安平）人。好古博涉，以經明行修，徵爲中書博士，參定朝儀。官至通直散騎常侍、廷尉少卿。《魏書》卷五六、《北史》卷三二有傳。然因本志署名既無朝代又無官爵，難以確定是否即此崔逸。其書兩《唐志》無載，亡佚。《戴氏喪服五家要記圖譜》：《隋書經籍志考證》卷四以爲，“五家”當指漢后倉及所授弟子聞人通、戴德、戴聖、慶普。因兩《唐志》皆著録戴德《喪服變除》一卷，以爲此爲“五家”之一，是此書之佚存者。《宋志》無載，亡佚。

《五服圖》一卷。

此書講述古代喪服制度中的五服，即斬衰、齊衰、大功、小功和緦麻。兩《唐志》無載，亡佚。

《五服圖儀》一卷。

不署撰者。兩《唐志》無載，亡佚。

《喪服禮圖》一卷。

不署撰者。兩《唐志》無載，亡佚。

《五服略例》一卷。

不署撰者。兩《唐志》無載，亡佚。

《喪服要問》一卷。

不署撰者。兩《唐志》無載，亡佚。

《喪服問答目》十三卷。皇侃撰。

此書兩《唐志》無載，亡佚。

《喪服假寧制》三卷。

不署撰者。此書講述有關守喪給假的制度。此書兩《唐志》無載，亡佚。

《喪禮五服》七卷。大將軍袁憲撰。

袁憲（529—598）：字德章，陳郡陽夏（今河南太康）人。聰敏好學，梁太康年間爲太子舍人。入北齊，爲中書侍郎，兼散騎常侍。入隋，授使持節、昌州諸軍事、開府儀同三司、昌州刺史。開皇十八年（598）卒，贈大將軍、安城郡公，謚曰簡。《陳書》卷二四、《南史》卷二六有傳。此書兩《唐志》已無載，久佚。

《論喪服決》一卷。

不署撰者。此書兩《唐志》無載，亡佚。

《喪禮鈔》三卷。王隆伯撰。

王隆伯：《宋書》卷七九載“前鄀令王隆伯”，此人當爲宋人，其他事迹不詳。是書兩《唐志》已無載，久佚。

《大戴禮記》十三卷。漢信都王太傅戴德撰。梁有《謚法》三卷，後漢安南太守劉熙注，亡。

戴德（生卒年不詳）：《漢書·儒林傳》載，后倉說《禮》數萬言，號曰《后氏曲臺記》，授梁戴德延君、戴聖次君。德號大戴，爲信都太傅；聖號小戴，由是《禮》有大戴、小戴之學。戴德授瑯邪徐良，爲博士、州牧、郡守，家世傳業。大戴有徐氏之學。本志經部尚有戴德著述一部。《漢志》著録《記》百三十一篇，並注此乃“七十子後學者所記也”。漢初，河間獻王將百三十一篇《記》獻上。至劉向考校經籍，檢得一百三十篇，按順序編録。而又得《明堂陰陽記》三十三篇、《王氏史記》二十一篇、《樂記》二十三篇，合計二百十四篇。戴德删其煩重，爲八十五篇，謂之《大戴記》。而戴聖又删大戴之書，爲四十九篇，謂之《小戴記》。然有的學者認爲,《漢書・儒林傳》和《漢志》二戴編撰《大戴記》、《小戴記》的明確記載，西漢禮家師承相傳《士禮》時，會同時傳習有關禮制的資料，也就是所謂的《記》。《記》的性質决定了它不出於一時，不成於一手。它隨著時間的推移，不斷有所删益變化。到了東漢，形成和保留了八十五篇本和四十九篇本，前者冠以大戴之名，後者冠以小戴之名。二者是當時已成規模、普遍流行的由儒家後學撰寫的傳習《儀禮》所用之《記》。兩《唐志》、《宋志》皆著録《大戴禮記》十三卷,《郡齋讀書志》和《直齋書録解題》稱《大戴禮記》實存四十篇。《四庫全書總目》卷二一言,《大戴禮記》十三卷，原書八十五篇，今缺四十六篇，存三十九篇。其中《諸侯遷廟》、《投壺》、《公冠》等皆古經遺文，還保存了十篇《曾子》文。此書八卷有注，五卷則無。宋王應麟以爲此注是北周盧辯所爲。清代有多人研究《大戴禮記》，其中孔廣森《大戴禮記補注》、王聘珍《大戴解詁》是傑出成果。此書現存最早的本子是元至正十四年（1354）嘉興路儒學刻本，通行本爲四庫本和四部叢刊本。劉熙：字成國，北海（山東境内）人，久居交州。事見《三國志》卷五三、四二及《全後漢文》卷一八六。本志經、子部尚有劉熙三部著述,《謚法》三卷與此著録重複。《舊唐志》經部“經緯類”、《新唐志》經部“經解類”著録《謚法》三卷，荀顗演，劉熙注。沈約曰：“劉熙注《謚法》，唯有七十六名，所闕甚多，或有異名殊號，近世所不用耶。”見《玉海》卷五四。此書《宋志》無載，亡佚。

《夏小正》一卷。戴德撰。

《禮記・禮運》"孔子曰，我欲觀夏道，是故之杞，而不足徵也，吾得《夏時》焉"。鄭玄注曰："得夏四時之書，其存者有《小正》一卷。"《四庫全書總目》卷二一稱，《夏小正》本《大戴記》之一篇，《隋志》始於《大戴記》外别出《夏小正》一卷。宋傅崧卿、《四庫全書總目》、畢沅對此多有考論。參見《夏小正戴氏傳序》、《夏小正考注序》。因此書後别出《大戴記》，故兩《唐志》、《宋志》皆不著録。《直齋書録解題》"時令類"著録《夏小正傳》四卷，漢戴德傳，給事中山陰傅崧卿注，並稱傅崧卿"倣《左氏經傳》，列正文其間，而附以傳，且爲之注"。據張之洞《書目答問》著録，此書有孫星衍校岱南閣别刻巾箱本《夏小正傳》二卷。現存最早的本子是附傅崧卿注的明嘉靖二十五年袁褧刻本，通行本有《四庫》本、《叢書集成》本。

《禮記》十卷。漢北中郎將盧植注。

盧植（？—192）：字子幹，涿郡涿（今河北涿州）人。少與鄭玄從馬融學，能通古今，好研精，而不守章句學。學成，教授生徒。建寧中徵爲博士，熹平四年（175）拜爲九江太守。中平元年（184），黄巾起義爆發，被任命爲北中郎將，連戰破黄巾。董卓當政，被免官，隱於上谷。初平三年（192）卒。撰有《尚書章句》、《三禮解詁》。《後漢書》卷六四、《三國志》卷二二有傳。《經典釋文叙録》有盧植注《禮記》二十卷；《舊唐志》著録《禮記》二十卷，盧植注；《新唐志》著録盧植注《小戴禮記》二十卷。唐元行冲稱盧植分合二十九篇，而爲説解，代不傳習。見《舊唐書》卷一〇二。此書《宋史》無載，亡佚。清臧庸、王謨、黄奭、馬國翰有輯本。

《禮記》二十卷。漢九江太守戴聖撰，鄭玄注。

戴聖（生卒年不詳）：字次君，梁國甾縣（今河南民權）人。與戴德從后倉學《禮》，世稱小戴。以博士論石渠閣，官至九江太守。授梁橋仁、楊榮，故小戴有橋、楊之學。事見《漢書》卷八八。據本志本類敘言，戴德刪孔子弟子後學所記二百十四篇爲八十五篇，謂之《大戴記》，而戴聖又刪大戴之書爲四十六篇，謂之《小戴記》。後漢馬融傳小戴之學，又定《月令》、《明堂位》、《樂記》，合四十九篇。鄭玄受業於馬融，又爲之注，即是此書。《經典釋文敘録》"後漢馬融、盧植考諸家同異，附戴聖篇章，去其繁重及所敘略而行於世，即今之《禮記》是也。鄭玄亦依盧、馬之本而注焉"。唐孔穎達以此書爲底本作《禮記正義》七十卷。此書現存最早的本子有宋刻本，通行本多包括《正義》，有《十三經注疏》本、《四庫》本、《四部備要》本。

《禮記》三十卷。王肅注。梁有《禮記》十二卷，業遵注，亡。

《經典釋文敘録》、兩《唐志》皆著録王肅注《禮記》三十卷；《日本國見在書目録》著録《禮記》二十卷，魏將軍王肅注；《宋志》無載，亡佚。清馬國翰有輯本。朱彝尊言"朱子曰王肅議《禮》必反鄭"。見《經義考》卷一四〇。業遵注《禮記》：《經典釋文敘録》、兩《唐志》皆有著録。唐元行冲言，司馬伷增革《禮記》，超過百篇，業遵删修，僅全十二。見《舊唐書》卷一〇二。業遵所傳爲另一本。

《禮記寧朔新書》八卷。王懋約注。梁有二十卷。

《舊唐志》著録《禮記寧朔新書》二十卷，司馬伷序，王懋約注；《新唐志》著録司馬伷《禮記寧朔新書》二十卷，王懋約注。司馬伷《禮記》亦爲另一本。《宋志》無載，亡佚。

《月令章句》十二卷。漢左中郎將蔡邕撰。

蔡邕（133—192）：字伯喈，陳留圉（今河南杞縣南）人。少博學，師事太傅胡廣，好辭章、數術、天文，妙操音律。曾召拜郎中，校書東觀。上奏求定六經文字，靈帝許之。蔡邕自書丹於碑，使工鐫刻於太學門外。董卓當政受重用，初平元年拜左中郎將，封高陽鄉侯。董卓被誅，王允治蔡邕罪，死獄中。其所補諸列傳，因戰亂而不存，所著詩賦文章凡百餘篇，傳於世。《後漢書》卷六〇下有傳。本志經、集部尚有蔡邕著述六部。此書所言月令，即天時制人事，天子發號施令，祀神受職，每月異體。兩《唐志》著録戴顒撰《月令章句》十二卷，而無蔡邕《月令章句》十二卷。《隋書經籍志考證》卷四以爲《舊唐志》誤，而《新唐志》失於刊正，沿其訛誤，此實蔡邕《月令章句》。《宋志》子部"農家類"著録蔡邕《月令章句》一卷，後亡佚。清臧庸、王謨、蔡雲、黄奭、陸堯春、馬國翰、王仁俊、曹元忠、陶濬宣、葉德輝輯本。

《禮記音義隱》一卷。謝氏撰。

謝氏：《經義考》卷一四〇以爲此人即撰《喪服變除圖》五卷之射（或作謝）慈。《舊唐志》著録《禮記音》二卷，謝慈撰，《新唐志》著録射慈《小戴禮記音》二卷，《宋志》無載，亡佚。

《禮記音》二卷。宋中散大夫徐爰撰。梁有鄭玄、王肅、射慈、射貞、孫毓、繆炳《音》各一卷，蔡謨、東晉安北諮議參軍曹耽、國子助教尹毅、李軌、員外郎范宣《音》各二卷，徐邈《音》三卷，劉昌宗《音》五卷，亡。

《經典釋文敘録》著録徐爰《禮記音》三卷，兩《唐志》著録《禮記音》二卷，《宋志》無載，亡佚。《經典釋文敘録》有鄭玄三禮《音》各一卷、王肅三禮《音》各一卷。射慈或作謝慈，《經典釋文叙録》載射慈《禮記音》一卷,《舊唐志》著録謝慈《禮記音》二卷,《新唐志》著録射慈《小戴禮記音》二卷。清諸多學者認爲《禮記音義隱》即爲謝慈所作，並與署謝慈（射慈）所撰《禮記音》爲一書，故王謨、馬國翰、黄奭、劉寶楠所輯皆稱《禮記音義隱》。射貞：不詳何人。《經典釋文叙録》載謝楨《禮記音》一卷，清盧文弨《經典釋文考證》稱,《隋志》梁有射貞《禮記音》一卷，蓋即謝楨也。孫毓《禮記音》:《經典釋文叙録》有載，兩《唐志》無載，亡佚。繆炳：生平事迹不詳。《經典釋文叙録》著録其撰《禮記音》，兩《唐志》無載，亡佚。蔡謨《禮記音》:《經典釋文叙録》有載，兩《唐志》無載，亡佚。曹耽：字愛道，譙國（今安徽亳州附近）人。東晉永和中爲太學博士，遷尚書郎，後爲安北諮議參軍。參見《經典釋文叙録》、《全晉文》卷一三三。《舊唐志》著録《禮記音》二卷，鄭玄注，曹耽解;《新唐志》著録鄭玄注《禮記音》三卷，曹耽解。《宋志》無載，亡佚。尹毅（生卒年不詳）：天水（今甘肅天水）人。東晉國子助教，有《禮記音》一卷。見《經典釋文叙録》。兩《唐志》著録此書皆爲二卷。《宋志》無載，亡佚。李軌《禮記音》:《經典釋文叙録》、兩《唐志》皆著録二卷。《宋志》無載，亡佚。范宣《禮記音》：兩《唐志》無載，久佚。清馬國翰有輯本。徐邈《禮記音》:《經典釋文叙録》、兩《唐志》皆有著録,《宋志》無載，亡佚。清馬國翰有輯本。劉昌宗《禮記音》:《經典釋文叙録》有著録，兩《唐志》無載，久佚。清馬國翰有輯本。

《禮記音義隱》七卷。

未署撰者。兩《唐志》無載，亡佚。

《禮記》三十卷。魏祕書監孫炎注。

孫炎（生卒年不詳）：字叔然，受學鄭玄之門，人稱東州大儒。徵爲祕書監，不就。作《易》、《毛詩》、《禮記》、《國語》、《爾雅》諸注，又注書十餘篇。見《三國志》卷一三。朱彝尊據唐張説駁魏徵《類禮》言，認爲孫炎所注《禮記》不用《小戴禮記》原本。參見《經義考》卷一四〇。《經典釋文序録》著録此書二十九卷，兩《唐志》著録三十卷，《宋志》無載，亡佚。清馬國翰有輯本。

《禮略》二卷。

不署撰者。侯康《補後漢書藝文志》卷一稱："《隋志》又《禮略》二卷，不著名氏，以《景鸞傳》考之，則鸞撰也。"景鸞：字漢伯，梓潼（今四川梓潼）人。少隨師學經，涉七州之地。州郡辟命，不就。撰《禮内外紀》，號曰《禮略》，及作《月令章句》等，凡著述五十餘萬言。《後漢書》卷七九下有傳。此書兩《唐志》無載，久佚。

《禮記要鈔》十卷。緱氏撰。梁有《禮義》四卷，魏侍中鄭小同撰；《摭遺别記》一卷，樓幼瑜撰。亡。

緱氏：據本志篇叙言，《周官》至王莽時，劉歆始置博士，以行於世。河南緱氏及杜子春受業於歆，因以教授。此人失名。此書兩《唐志》皆有著録，《宋志》無載，亡佚。鄭小同（194？—258？）：鄭玄孫，少有令質，學綜六經，行著鄉里。高貴鄉公時爲侍中，拜訪司馬昭，因被懷疑閲其密疏，而被其毒死。見《後漢書》卷三五注、《三國志》卷四裴注。兩《唐志》著録的《禮記義記》鄭小同撰，不知是否即此書。《摭遺别記》：《南齊書》卷五四載，樓幼瑜著《禮捃遺》三十卷，此書名《摭遺别記》可能是三十卷之餘。

《禮記新義疏》二十卷。賀瑒撰。梁有《義疏》三卷，宋豫章郡丞雷肅之撰，亡。

《禮記新義疏》：兩《唐志》已無載，久佚。清馬國翰有輯本。雷肅之：雷次宗之子，傳父業，明三《禮》、《毛詩》，官至豫章郡丞。《宋書》卷九三有傳。其書兩《唐志》無載，亡佚。

《禮記講疏》九十九卷。皇侃撰。

《禮記義疏》四十八卷。皇侃撰。

《經典釋文叙録》載皇侃《禮記義疏》五十卷，兩《唐志》著録《禮記講疏》一百卷、《禮記義疏》五十卷。孔穎達《禮記正義序》稱："皇氏雖章句詳正，微稍繁廣，又既遵鄭氏，乃時乖義。此是木落不歸其本，狐死不首其丘。"《宋志》無載，亡佚。馬國翰言《禮記正義》多引皇侃説。見其所輯《禮記皇氏義疏》四卷。

《禮記義疏》四十卷。沈重撰。

《周書》卷四五本傳載，沈重有《禮記義》三十卷。兩《唐志》皆著録《禮記義疏》五十卷，《宋志》無載，亡佚。清馬國翰有輯本。

《禮記義》十卷。何氏撰。

兩《唐志》著録《禮記義》十卷，何佟之撰。姚振宗以爲此書即何佟之所撰。見《隋書經籍志考證》卷四。《宋志》無載，亡佚。

《禮記義疏》三十八卷。

不署撰者。此書兩《唐志》無載，亡佚。

《禮記疏》十一卷。

不署撰者。此書兩《唐志》無載，亡佚。

《禮記大義》十卷。梁武帝撰。

《梁書》卷四〇《劉之遴傳》載："是時《周易》、《尚書》、《禮記》、《毛詩》並有高祖義疏。"兩《唐志》皆著録此書，《宋志》無載，亡佚。

《禮記文外大義》二卷。祕書學士褚暉撰。

褚暉（生卒年不詳）：又作褚輝，字高明，吴郡（今江蘇蘇州）人。以三《禮》學稱於江南。煬帝時拜爲太學博士，撰《禮疏》一百卷。《隋書》卷七五、《北史》卷八二有傳。此書兩《唐志》已無載，亡佚。

《禮大義》十卷。

不署撰者。《梁書》卷四《簡文帝紀》載，簡文帝撰《禮大義》二十卷。疑此書爲其佚存者。兩《唐志》已無載，亡佚。

《禮記義證》十卷。劉芳撰。

《北史》卷四二本傳載，劉芳有《禮記義證》十卷。兩《唐志》皆著録此書，《宋志》無載，亡佚。清馬國翰有輯本。

《禮大義章》七卷。

不署撰者。此書兩《唐志》無載，亡佚。

《喪禮雜議》三卷。

不署撰者。此書或雜論《禮記》中言喪禮者。兩《唐志》無載，亡佚。

《禮記中庸傳》二卷。宋散騎常侍戴顒撰。

戴顒（378—441）：字仲若，譙郡銍（今安徽宿州西南）人，戴逵子，父兄並隱遁有高名。宋武帝命其爲太尉行參軍，不就。宋文帝徵散騎常侍，不就。居山林中，著《逍遥論》，注《禮記中庸》。元嘉十八年（441）卒。《宋書》卷九三、《南史》卷七五有傳。"《中庸》者，以其記中和之爲用也。庸，用也。孔子之孫子思作之，以昭明聖祖之德也。"見鄭玄《三禮目録》。此書兩《唐志》均有著録，《宋志》無載，亡佚。

《中庸講疏》一卷。梁武帝撰。

《南史》卷六二載，朱异與左丞賀琛遞日述《禮記中庸義》。兩《唐志》不載此書，久佚。

《私記制旨中庸義》五卷。

不署撰者。兩《唐志》無載，亡佚。

《禮記略解》十卷。庾氏撰。

兩《唐志》著録《禮記略解》十卷，庾蔚之撰。由此可推測庾氏即庾蔚之。此書《宋志》無載，亡佚。清馬國翰有輯本。

《禮記評》十一卷。劉儁撰。

劉儁：生平事迹不詳。兩《唐志》皆著録此書，《宋志》無載，亡佚。

《石渠禮論》四卷。戴聖撰。梁有《群儒疑義》十二卷，戴聖撰。

《漢書》卷八《宣帝紀》載，甘露三年（前51）三月，詔諸儒講五經同異。卷八八《儒林傳》載，（戴）聖號小戴，以博士論石渠。《漢志》六藝“禮類”著録《議奏》三十八篇，有注曰“石渠”。因參與議論的禮家尚有他人，故不能肯定此書即《漢志》所載《議奏》。此書兩《唐志》已無載，亡佚。清王謨、馬國翰、洪頤煊、宋翔鳳、丁杰、黄奭、丁晏輯本。《群儒疑義》：《舊唐志》著録《禮義》二十卷，戴聖等撰。《新唐志》著録鄭玄注《小戴聖禮記》二十卷，又《禮議》二十卷。疑與此書爲一書，其間卷數記載有異。

《禮論》三百卷。宋御史中丞何承天撰。

何承天（370—447）：東海郯（今山東郯城西南）人。聰明博學，儒史百家莫不該覽。宋武帝以其爲太尉行參軍、南臺治書侍御史。文帝時官至御史中丞，元嘉二十四年（447）免官，卒於家。先是，《禮論》有八百卷，何承天删減併合，以類相從，凡爲三百卷。《宋書》卷六四、《南史》卷三三有傳。本志經、史、子、集部尚有何承天十部著述。兩《唐志》著録此書爲三百七卷，《宋志》無載，亡佚。清馬國翰有輯本。

《禮論條牒》十卷。宋太尉參軍任預撰。

任預：生平事迹不詳。據《高僧傳·釋慧嚴傳》載，任預與何承天均善曆事，别撰《益州記》。本志經部尚有任預兩部著述。“牒者，葉也。短簡編牒，如葉在枝。截蒲即其事也，議政未定，故短牒咨謀。”見《文心雕龍·書記》。《日本國見在書目録》著録此書僅二卷，存第四、七卷。兩《唐志》著録此書十卷，《宋志》無載，亡佚。清馬國翰有輯本。

《禮論帖》三卷。任預撰。梁四卷。

兩《唐志》著録此書三卷，《宋志》無載，亡佚。

《禮論鈔》二十卷。庾蔚之撰。

兩《唐志》著録此書二十卷,《宋志》無載，亡佚。

《禮論要鈔》十卷。王儉撰。梁三卷。

《南史》卷二二《王儉傳》載，何承天《禮論》三百卷，儉抄爲八帙，又別抄條目爲十三卷，朝儀舊典，晉、宋以來施行故事，撰次諳憶，無遺漏者。此條曰此書十卷、梁三卷，疑是十三卷之誤。兩《唐志》有《禮論要鈔》十三卷，不署撰者，似即此書。《宋志》無載，亡佚。

《禮論要鈔》一百卷。賀瑒撰。

此書兩《唐志》皆有著録,《宋志》無載，亡佚。

《禮論鈔》六十九卷。

不署撰者。兩《唐志》有《禮論鈔》六十六卷，任預撰，疑即此書。《宋志》無載，亡佚。

《禮論要鈔》十卷。梁有宋御史中丞荀萬秋《鈔略》二卷；尚書儀曹郎丘季彬《論》五十八卷、《議》一百三十卷、《統》六卷。亡。

此書不署撰者。宋御史中丞，“宋”原作“齊”，據荀萬秋本傳改。荀萬秋（生卒年不詳）：字元寶，潁川潁陰（今河南許昌附近）人。因才學自顯。宋武帝初，爲晉陵太守。前廢帝末，爲御史中丞，卒官。《宋書》卷六〇、《南史》卷三三有傳。此書兩《唐志》有著録，作《禮雜鈔略》二卷,《宋志》無載，亡佚。丘季彬：生平事迹不詳。其作待考。《論》、《議》、《統》，兩《唐志》皆無載，亡佚。

《禮論答問》八卷。宋中散大夫徐廣撰。

《禮論答問》十三卷。徐廣撰。

《禮答問》二卷。徐廣撰，殘缺。梁十一卷。

《晉書》卷八二、《宋書》卷五五、《南史》卷三三徐廣本傳皆載《答禮問》行於世。兩《唐志》著録徐廣《禮論問答》九卷，《宋志》無載，亡佚。清馬國翰有輯本，並認爲此書《隋志》與《唐志》傳本不同，標題互異，實爲一書。

《禮答問》六卷。庾蔚之撰。

兩《唐志》無載，亡佚。

《禮答問》三卷。王儉撰。梁有晉益陽令吴商《禮難》十二卷、《雜議》十二卷，又《禮議雜記故事》十三卷、《喪雜事》二十卷；宋光禄大夫傅隆《議》二卷、《祭法》五卷。亡。

後又著録王儉《禮義答問》八卷，《舊唐志》著録王儉《禮儀問答》、《禮儀答問》各十卷；《新唐志》著録王儉《禮儀答問》十卷，又《禮雜答問》十卷。《宋志》無載，亡佚。清馬國翰有輯本。吴商：仕魏，入晉爲國子博士。惠帝初，遷助教，出爲益陽令。見《全晉文》卷四四。《舊唐志》著録《雜禮義》十一卷，吴商等撰；《禮義雜記故事》十一卷，未署撰者。《新唐志》著録吴商《雜禮義》十一卷，《禮儀雜記故事》十一卷無署名。《宋志》無載，亡佚。傅隆（369—451）：字伯祚，北地靈州（今寧夏靈武）人。博學多通，特精三《禮》。元嘉中累遷御史中丞、義興太守、左民尚書，轉太常。文帝將新撰《禮論》交傅隆使下意，以五十二事呈上。致仕，拜光禄大夫，二十八年（451）卒。《宋書》卷五五、《南史》卷一五有傳。兩《唐志》皆著録傅隆《禮議》一卷,《宋志》無載，亡佚。

《禮答問》十二卷。

不署撰者。兩《唐志》無載，亡佚。

《禮雜問》十卷。范寧撰。

范寧：疑即范甯。兩《唐志》皆著録范寧《禮問》九卷、《禮論答問》九卷,《宋志》無載，亡佚。清馬國翰有輯本，並稱“此記其與當代名流問答禮制之語也”。

《禮答問》十卷。何佟之撰。梁二十卷。

兩《唐志》皆著録此書,《宋志》無載，亡佚。

《禮雜問》十卷。

不署撰者。此書兩《唐志》無載，亡佚。

《禮雜答問》八卷。

不署撰者。此書兩《唐志》無載，亡佚。

《禮雜答問》六卷。

不署撰者。此書兩《唐志》無載，亡佚。

《禮雜問答鈔》一卷。何佟之撰。

此書及前未署名三種書，皆似何佟之《禮答問》之別本。

《問禮俗》十卷。董勛撰。

董勛：魏收在回答魏帝問題時，提及晉議郎董勛《答問禮俗》的内容。見《北史》卷五六。其他事迹不詳。此書兩《唐志》皆有著録，《宋志》無載，亡佚。清王謨、馬國翰、黄奭有輯本。

《問禮俗》九卷。董子弘撰。

此書可能是董勛《問禮俗》的别本，子弘似董勛的字。

《答問雜儀》二卷。任預撰。

此書兩《唐志》無載，亡佚。

《禮義答問》八卷。王儉撰。

見前《禮答問》三卷王儉撰條。

《禮疑義》五十二卷。梁護軍周捨撰。

周捨（469—524）：字昇逸，汝南安城（今河南汝南東）人。博學多通，尤精義理，起家太學博士。梁武帝即位，時天下草創，禮儀損益，多出自周捨。官歷中護將軍、散騎常侍、太子詹事。普通五年（524）卒，謚曰簡子。《梁書》卷二五、《南史》卷三四有傳。本志史、子、集部尚有周捨三部著述。兩《唐志》著録《禮疑義》五十卷，《宋志》無載，亡佚。清馬國翰有輯本。

《制旨革牲大義》三卷。梁武帝撰。

此書内容當涉宗廟祭祀的改革。《梁書》卷二《武帝本紀》載，天監十六年（517）四月，初去宗廟牲。冬十月，去宗廟薦脩，始用蔬果。此書兩《唐志》無載，亡佚。

《禮樂義》十卷。

不署撰者。此書兩《唐志》無載，亡佚。

《禮祕義》三卷。

不署撰者。此書兩《唐志》無載，亡佚。

《三禮目録》一卷。鄭玄撰。梁有陶弘景注一卷，亡。

此書兩《唐志》均有著録，《宋志》無載，此一卷單傳本今不存。清王謨、臧庸、黄奭、袁鈞、孔廣林有輯本。現存唐人所作《禮記正義》引此書，各冠當篇之首，於題下係以“鄭目録云”四字。二者有何關聯，待考。

《三禮義宗》三十卷。崔靈恩撰。

《梁書》卷四八本傳載，《三禮義宗》四十七卷，《南史》卷七一本傳載，《三禮義宗》三十卷，兩《唐志》、《宋志》亦著録《三禮義宗》三十卷。《崇文總目》稱此書“合《周禮》、《儀禮》二戴之學，敷述貫串，該悉其義，合一百五十六篇”。《郡齋讀書志》言“此書在唐一百五十篇，今存者一百二十七篇”。《直齋書録解題》言此書“凡一百四十九條”。《玉海》卷三九稱《三禮義宗》“始於明天地以下歲祭，終於《周禮》、《儀禮》、《禮記》興廢義”。此書亡於宋元之際。清王謨、黄奭、馬國翰有輯本。

《三禮宗略》二十卷。元延明撰。

此書兩《唐志》皆有著録，《宋志》無載，亡佚。

《三禮大義》十三卷。

不署撰者。《日本國見在書目録》有《三禮大義》三十卷，梁武帝撰。疑此書即爲梁武帝所撰，而十三則爲三十倒文矣。兩《唐志》無載，亡佚。

《三禮大義》四卷。

不署撰者。此書兩《唐志》無載，亡佚。

《三禮雜大義》三卷。梁有《司馬法》三卷，《李氏訓記》三卷；又《郊丘議》三卷，魏太尉蔣濟撰；《祭法》五卷，又《明堂議》三卷，王肅撰；《雜祭法》六卷，晉司空中郎盧諶撰；《祭典》三卷，晉安北將軍范汪撰；《七廟議》一卷，又《後養議》五卷，干寶撰；《雜鄉射等議》三卷，晉太尉庾亮撰；《逆降義》三卷，宋特進顔延之撰；《逆降義》一卷，田僧紹撰；《分明士制》三卷，何承天撰；《釋疑》二卷，郭鴻撰；《答問》四卷，徐廣撰；《答問》五十卷，何胤撰；又《答問》十卷。亡。

不署撰者。兩《唐志》無載，亡佚。《司馬法》三卷：本志子部"兵家類"著録《司馬兵法》三卷，齊將司馬穰苴撰，並未亡。《李氏訓記》：李氏，佚名，不詳何人。其書兩《唐志》無載，亡佚。蔣濟（188—249）：字子通，楚國平阿（今安徽懷遠西南）人。魏文帝時爲尚書，明帝賜爵關内侯，齊王時遷太尉，卒，謚曰景侯。曾與高堂隆議郊祀事。《三國志》卷一四有傳。本志子部尚有蔣濟一部著述。其書兩《唐志》無載，亡佚。《祭法》、《明堂議》：《三國志》卷一三王肅本傳言："其所論駁朝廷典制、郊祀、宗廟、喪紀、輕重，凡百餘篇。"此二書可能即是其中一部分。兩《唐志》無載，亡佚。盧諶（284—350）：字子諒，范陽涿州（今河北涿州）人。好老莊，善屬文。洛陽淪陷，北上。司空劉琨命其爲從事中郎。流離世故二十年，爲石季龍中書侍郎、國子祭酒、中書監。永和六年（350）在襄國（今河北邢臺）遇害。撰《祭法》、注《莊子》及文集並傳於世。《晉書》卷四四有傳。本志集部尚有盧諶一部著述。《新唐志》史部儀注類有盧諶《雜祭注（當作法）》六卷，《宋志》無載，亡佚。清馬國翰有輯本。范汪（308—372）：字玄平，南陽順陽（今河南淅川東）人。

博學多通，善談名理。爲庾亮佐史多年，徵拜中書侍郎。簡文帝作相，除安北將軍、徐兗二州刺史、假節。受命率文武出梁，因失期，免爲庶人。卒於家，時年六十五。贈散騎常侍，謚曰穆。《晉書》卷七五有傳。本志史、子、集部尚有范汪六部著述。《新唐志》史部“儀注類”著録范汪《雜府州郡儀》，又《祭典》三卷，《宋志》無載，亡佚。清馬國翰有輯本。《七廟議》、《後養議》：兩《唐志》史部“儀注類”皆著録干寶撰《雜議》五卷、蔡謨《七廟議》三卷。《後養議》無載，亡佚。清馬國翰有輯本，並稱《後養議》論列爲人後者，養親喪祭之禮。此《七廟議》一卷，可能是蔡謨所作《七廟議》之佚存。兩《唐志》無載，亡佚。庾亮（289—340）：字元規，潁川鄢陵（今河南鄢陵西北）人，明穆皇后兄。善談論，好老莊。元帝時累遷給事中、黃門侍郎、散騎常侍。明帝即位，以爲中書監，又歷征西將軍、開府儀同三司、假節等職。咸康六年（340）卒，追贈太尉，謚曰文康。《晉書》卷七二有傳。本志經、集部尚有庾亮二部著述。其書兩《唐志》無載，亡佚。顏延之（384—456）：字延年，琅邪臨沂（今山東臨沂北）人。好讀書，無所不覽。元嘉中爲祕書監，光禄勳，太常。孝武帝登基，以其爲金紫光禄大夫。孝建三年（456）卒，贈散騎常侍、特進，謚曰憲子。《宋書》卷七三、《南史》卷三四有傳。本志經、子、集部尚有四部顏延之之作四部。《舊唐志》有顏延之《禮論降議》三卷，《新唐志》有顏延之《禮逆降議》三卷。書名逆降義者，蓋明禮制升降之義。此書《宋志》無載，亡佚，清馬國翰有輯本。郭鴻：生平事迹不詳。兩《唐志》無載，亡佚。《答問》四卷：兩《唐志》無載，亡佚。《答問》五十卷：《梁書》卷五一《何胤傳》載其撰《禮記隱義》二十卷、《禮答問》五十五卷。兩《唐志》無載，亡佚。《答問》十卷：不署撰者。兩《唐志》無載，亡佚。

《三禮圖》九卷。鄭玄及後漢侍中阮諶等撰。

阮諶（生卒年不詳）：字士信，徵辟無所就，造《三禮圖》傳於世。見《三國志》卷一六注。北宋《三禮圖》有梁正題曰："陳留阮士信受《禮》學於潁川綦母君，取其説爲圖三卷，多不按《禮》文而引漢事，與鄭君之文違錯。"《日本國見在書目録》著録《周禮圖》十卷，鄭玄、阮諶等撰。兩《唐志》無載此書，載夏侯伏朗《三禮圖》十二卷，《新唐志》又有張鎰《三禮圖》九卷。今傳宋聶崇義《三禮圖集注》稱宋代《三禮圖》有六本，一鄭玄、二阮諶、三梁正、四夏侯伏朗、五張鎰、六隋開皇敕撰。《四庫全書總目》卷二二稱，聶崇義《集注》全無來歷，抄撮諸家而成，然不盡出於杜撰，並指出鄭玄未曾作《三禮圖》。而宋竇儼序聶氏《三禮圖集注》則明確地説："崇義博采舊圖，凡得六本，其一本是鄭圖。"鄭玄是否有《三禮圖》，流傳狀況如何？待考。清馬國翰、王謨、孫彤、黄奭有輯本，皆稱此書爲阮諶等撰。

《周室王城明堂宗廟圖》一卷。阮諶撰。梁又有《冠服圖》一卷，《五宗圖》一卷，《月令圖》一卷，亡。

"阮諶"原作"祁諶"，據上條及《隋書》卷六八所載改。《隋書》卷六八稱："自古明堂圖惟有二本：一是宗周，劉熙、阮諶、劉昌宗等作，三圖略同。一是後漢建武三十年作，《禮圖》有本，不詳撰人。"此書内容與上條《三禮圖》九卷有關聯，而《日本國見在書目録》著録《三禮圖》爲十卷，此書似當包括其中。

右一百三十六部，一千六百二十二卷。通計亡書，二百一十一部，二千一百八十六卷。

一百三十六部：實際是一百三十七部。二百一十一部：實際是二百一十三部。

自大道既隱，天下爲家，先王制其夫婦、父子、君臣、上下、親疏之節。至于三代，損益不同。周衰，諸侯僭忒[1]，惡其害己，多被焚削。自孔子時，已不能具，至秦而頓滅。漢初，有高堂生傳十七篇[2]，又有古經出於淹中[3]，而河間獻王好古愛學[4]，收集餘燼，得而獻之，合五十六篇，並威儀之事[5]。而又得《司馬穰苴兵法》一百五十五篇[6]，及《明堂陰陽》之記[7]，並無敢傳之者。唯古經十七篇，與高堂生所傳不殊，而字多異。自高堂生至宣帝時后蒼[8]，最明其業，乃爲《曲臺記》。蒼授梁人戴德，及德從兄子聖、沛人慶普[9]，於是有大戴、小戴、慶氏，三家並立。後漢唯曹充傳慶氏[10]，以授其子褒[11]。然三家雖存並微，相傳不絕。漢末，鄭玄傳小戴之學，後以古經校之，取其於義長者作注，爲鄭氏學。其《喪服》一篇[12]，子夏先傳之，諸儒多爲注解，今又别行。而漢時有李氏得《周官》。《周官》蓋周公所制官政之法，上於河間獻王，獨闕《冬官》一篇。獻王購以千金不得，遂取《考工記》以補其處，合成六篇奏之。至王莽時，劉歆始置博士，以行於世。河南緱氏及杜子春受業於歆[13]，因以教授。是後馬融作《周官傳》，以授鄭玄，玄作《周官注》。漢初，河間獻王又得仲尼弟子及後學者所記一百三十一篇獻之，時亦無傳之者。至劉向考校經籍，檢得一百三十篇，向因第而叙之。而又得《明堂陰陽記》三十三篇、《孔子三廟記》七篇、《王氏史記》二十一篇、《樂記》二十三篇，凡五種，合二百十四篇。戴德删其煩重，合而記之，爲八十五篇，謂之《大戴記》。而戴聖又删大戴之書，爲四十六篇，謂之《小戴記》。漢末馬融，遂傳小戴之學。融又定《月令》一篇、《明堂位》一篇、《樂記》一篇，合四十九篇[14]，而鄭玄受業於融，又爲之注。今《周官》六篇、古經十七篇、《小戴記》四十九篇，凡三種。唯《鄭注》

立於國學，其餘並多散亡，又無師説。

[1] 僭忒（jiàn tuī）：逾越常規，心懷疑貳。忒，差失。

[2] 高堂生（生卒年不詳）：字伯，魯人。“諸學者多言《禮》，而魯高堂生最本。《禮》固自孔子時而其經不具，及至秦焚書，書散亡益多，於今獨有《士禮》，高堂生能言之。”《史記索隱》引謝承語“秦氏季代有魯人高堂伯”。云生者，自漢以來，儒者皆號生。見《史記》卷一二一、《漢書》卷八八。傳十七篇，指今文《儀禮》。

[3] 古經：《漢志》著録《禮古經》五十六卷，《經》十七篇。

[4] 河間獻王（？—前129）：劉德，漢景帝子。景帝前二年（前155）立爲河間獻王。修學好古，廣搜典籍，多得古文先秦書，《周官》、《尚書》、《禮》、《孟子》、《老子》等。修禮樂，被服儒術，山東諸儒多從而游。《漢書》卷五三有傳。

[5] 威儀：“威儀三千乃謂冠、婚、吉、凶，蓋《儀禮》是也。”見《漢志》卷三〇顔師古注。

[6]《司馬穰苴兵法》：《漢志》將此書列於《六藝略》“禮類”。據《史記·司馬穰苴傳》載：“齊威王使大夫追論古者《司馬兵法》，而附穰苴於其中，因號曰《司馬穰苴兵法》。”

[7]《明堂陰陽》：《漢志》言此書“多天子諸侯卿大夫之制”。

[8] 宣帝（前91—前41）：劉詢，漢武帝曾孫。因祖父戾太子據遭巫蠱事自殺，父母遇害，幼時長於民間，了解百姓疾苦。即位後，勵精圖治，政績顯著。在位二十五年。《漢書》卷八有傳。后蒼（生卒年不詳）：字近君，東海郯（今山東郯城西南）人。從孟卿學《禮》，又事夏侯始昌，通《詩》、《禮》，説《禮》數萬言，號曰《后氏曲臺記》。《漢書》卷八八有傳。

[9] 慶普（生卒年不詳）：字孝公，沛（今江蘇沛縣東）人。從后蒼學《禮》，後自成一家，號慶氏學。官至東平太傅。見《漢

書》卷八八。

[10] 曹充（生卒年不詳）：原作“曹元”，據《後漢書》卷三五改。魯國薛（山東滕州東南）人，持《慶氏禮》。建武中爲博士，從帝巡狩泰山，定封禪禮。明帝即位，拜侍中。《後漢書》卷三五有傳。

[11] 曹褒（？—102）：字叔通，曹充子。成年即承父業，博雅疏通，尤好禮事。初舉孝廉，後徵拜博士。和帝永元四年（92），遷射聲校尉，歷將作大匠、河内太守、侍中諸職。十四年卒官（102）。傳《禮記》四十九篇，教授諸生千餘人，慶氏學遂行於世。《後漢書》卷三五有傳。

[12]《喪服》：今《儀禮》亦有《喪服》，自子夏以後諸儒多注解此篇，别行。

[13] 河南緱氏及杜子春：《經典釋文叙録》脱“及”字，緱氏亦爲地名，故以爲杜子春爲緱氏人。然本志有《禮記要鈔》十卷，緱氏撰，可知緱氏與杜子春同爲河南人，皆從劉歆受業《周禮》。

[14] 合四十九篇：《四庫全書總目》卷二一稱，《月令》、《明堂位》、《樂記》非馬融所增，四十九篇實爲戴聖原書，《隋志》誤。

樂

《樂社大義》十卷。梁武帝撰。

《隋書·音樂志》稱梁武帝“既素善鍾律，詳悉舊事，遂自制定禮樂”。兩《唐志》皆著録《樂社大義》十卷，《宋志》無載，亡佚。清馬國翰有輯本，並稱此書名樂社者，緣自《周禮·大司馬》“先凱樂於社”。

《樂論》三卷。梁武帝撰。梁有《樂義》十一卷，武帝集朝臣撰，亡。

此書兩《唐志》皆有著録，《宋志》無載，亡佚。《樂義》：梁武帝思弘古樂，天監元年下詔訪百僚，稱“卿等學術通明，可陳其所見”。是時對樂者七十八家。此書可能是諸家議論之集粹。

《樂論》一卷。衛尉少卿蕭吉撰。

蕭吉（525？—606）：字文休，南蘭陵（今江蘇常州）人，梁武帝兄蕭懿之孫。博學多通，尤精陰陽算術。江陵陷，遂歸於周。及隋受禪，以本官考定古今陰陽書。煬帝即位，拜太府少卿，加位開府。不久，卒官。著《金海》、《宅經》、《樂譜》、《太一立成》等，並行於世。《隋書》卷七八、《北史》卷八九有傳。本志子部尚有蕭吉三部著述。此書兩《唐志》已無載，久佚。

《古今樂録》十二卷。陳沙門智匠撰。

智匠：生平事迹不詳。此書兩《唐志》、《宋志》皆著録十三卷，《中興館書目輯考》卷一"《古今樂録》十三卷，陳光大二年僧智匠撰，起漢訖陳"。此書宋時猶存，郭茂倩編《樂府詩集》多有所據，今亡佚。清王謨、黄奭、馬國翰有輯本。

《樂書》七卷。後魏丞相士曹行參軍信都芳撰。

信都芳（生卒年不詳）：字玉琳，河間（今河北河間周邊）人。少明算術，兼有巧思，以術數干齊高祖，爲館客，授參軍。著有《樂書》、《遁甲經》、《四術周髀宗》，又撰《靈憲曆》，書未成卒。《魏書》卷九一、《北齊書》卷四九、《北史》卷八九有傳。本志子部尚有信都芳二部著述。《舊唐志》著録《樂書》九卷，信都芳注，《新唐志》著録信都芳删注《樂書》九卷，《宋志》無載，亡佚。清馬國翰有輯本。

《樂雜書》三卷。

不署撰者。此書兩《唐志》無載，亡佚。

《樂元》一卷。魏僧撰。

此書與上《樂雜書》，兩《唐志》皆無載，而著録有桓譚《樂元起》二卷、《琴操》二卷，共四卷，與此二書卷數相合。姚振宗推測二者書名不同，實爲一書。桓譚兩漢間人，著有《新論》。魏僧其名不傳，可能是傳録桓譚書的人。

《管絃記》十卷。凌秀撰。

《舊唐志》著録《管絃記》十二卷，留進録、凌秀注。《新唐志》著録留進《管絃記》十二卷、凌秀《管絃志》十卷。《宋志》無載，亡佚。留進、凌秀，生平事迹皆不詳。

《樂要》一卷。何妥撰。

《北史·何妥傳》稱其撰《樂要》一卷。兩《唐志》已無載，久佚。

《樂部》一卷。

不署撰者。兩《唐志》無載，亡佚。清馬國翰有輯本，並稱此書記龜兹、天竺、唐國、疏勒、安國、高麗等樂甚詳。

《春官樂部》五卷。梁有《宋元嘉正聲伎録》一卷，張解撰，亡。

不署撰者。兩《唐志》無載，亡佚。《宋元嘉正聲伎録》：姚振宗依據郭茂倩《樂府詩集》數引張永《元嘉聲伎録》，以爲此書當爲張永所解，《隋志》有脱誤。

《樂府聲調》六卷。岐州刺史、沛國公鄭譯撰。

鄭譯（540—591）：字正義，滎陽開封（今河南開封）人。頗有學識，兼知鍾律，善騎射。周宣帝時，委以朝政，遷内史上大夫，進封沛國公。隋文帝受禪，詔其參撰律令，又詔參議樂事。譯以周代七聲廢缺，自大隋受命，禮樂宜新。更修七始之義，名曰《樂府聲調》，凡八篇。不久遷岐州刺史，歲餘復奉詔定樂於太常。開皇十一年（591）卒，謚曰達。《周書》卷三五、《隋書》卷三八、《北史》卷三五有傳。《舊唐志》著録《樂府聲調》六卷，《新唐志》著録鄭譯《樂府歌辭》八卷，又《樂府聲調》六卷。《宋志》無載，亡佚。

《樂府聲調》三卷。鄭譯撰。

此書或是拜岐州刺史以後，定樂太常時所作，或是六卷本的别本。

《樂經》四卷。

不署撰者。《四庫全書總目》卷三八言，沈約稱《樂經》亡於秦，考諸古籍，惟《禮記·經解》有樂教之文，然他書均不云《樂經》。漢王充《論衡》在《超奇》、《對作》二篇中皆提及兩漢間之"陽成子長作《樂經》"。《漢書·王莽傳》"元始四年立《樂經》，益博士員，經各五人"。兩《唐志》不載此書，久佚。清王謨、馬國翰有輯本。

《琴操》三卷。晉廣陵相孔衍撰。

此書《舊唐志》著録二卷，《新唐志》著録二卷，《宋志》著録《琴操引》三卷。此書宋代猶存，今亡佚。清王謨有輯本。

《琴操鈔》二卷。

《琴操鈔》一卷。

此二書皆不署撰者。兩《唐志》已無載，久佚。

《琴譜》四卷。戴氏撰。

《宋書》卷九三載，戴顒父善琴書，顒並傳之，凡諸音律，皆能揮手。而與兄勃皆受琴於父。父死，各造新弄，勃五部，顒十五部。姚振宗據此以爲此戴氏當即戴氏父子。兩《唐志》無載，亡佚。

《琴經》一卷。

不署撰者。《日本國見在書目録》有《琴經》一卷，蔡伯喈撰。似即此書。兩《唐志》無載，亡佚。

《琴説》一卷。

不署撰者。兩《唐志》已無載，久佚。

《琴曆頭簿》一卷。

不署撰者。兩《唐志》著録《琴集曆頭拍簿》一卷,《宋志》無載,亡佚。清馬國翰以爲《太平御覽》所引《琴曆》即此書,有此書輯本。

《新雜漆調絃譜》一卷。

不署撰者。姚振宗據《隋書·音樂志》記載,以爲此書記述隋時太樂署典守樂器之程式。兩《唐志》無載,亡佚。

《樂譜》四卷。

不署撰者。《隋書·藝術傳》有載:"(萬)寶常奉詔,遂造諸樂器,其聲率下鄭譯調二律。並撰《樂譜》六十四卷,具論八音旋相爲宫之法,改絃移柱之變。"姚振宗據此以爲此書乃萬寶常所作之佚存。此書兩《唐志》無載,亡佚。

《樂譜集》二十卷。蕭吉撰。

《隋書》、《北史》的《藝術傳》皆記載蕭吉撰《樂譜》二十卷。兩《唐志》皆著録《樂譜集解》二十卷,蕭吉撰。《宋志》無載,亡佚。

《樂略》四卷。

不署撰者。兩《唐志》著録元殷撰《樂略》四卷、《聲律指歸》一卷,疑此書爲元殷撰。元殷,生平事迹不詳。此書《宋志》無載,亡佚。

《樂律義》四卷。沈重撰。

此書兩《唐志》無載,亡佚。

《鍾律義》一卷。

《北史》卷八二沈重本傳載："保定末，（沈重）至於京師，詔令討論五經，並校定鍾律。"兩《唐志》著録沈重撰《鍾律》五卷，此卷數與《樂律義》、《鍾律義》兩書卷數相合，疑"《鍾律義》一卷"下脱"沈重撰"。此書《宋志》無載，亡佚。清馬國翰有輯本。

《樂簿》十卷。

《齊朝曲簿》一卷。

《大隋總曲簿》一卷。

此三書皆無撰者名。從其書名推測，當是不同朝代的曲譜。兩《唐志》無載，亡佚。

《推七音》二卷。并尺法。

不署撰者。據《隋書·音樂志》記載，隋文帝下詔求知音之士，集尚書，參定音樂。鄭譯議論稱律有七音，音立一調，故成七調十二律，合八十四調，旋轉相交，盡皆相合。並作書十二篇，以明其指。《推七音》當與參定音樂有關，此書很可能即爲鄭譯所作。兩《唐志》有《推七音》一卷，亦無撰者名。《宋志》無載，亡佚。尺法：參見《隋書·律曆志》上《律管圍容黍篇》。

《樂論事》一卷。

《樂事》一卷。

以上二書皆不署撰者。《隋書·蘇威傳》稱，蘇威子夔，少有盛名於天下，尤以鍾律自命。後議樂事，與何妥各爲一議，著《樂志》十五篇，以見其志。姚振宗據此，疑此二書爲蘇夔所作。兩《唐志》著録《論樂事》二卷，與此二書卷數相合，擬爲此二書之和。《宋志》無載，亡佚。

《正聲伎雜等曲簿》一卷。

不署撰者。此書似《宋元嘉正聲伎録》之別本，或其佚存者。兩《唐志》無載，亡佚。

《太常寺曲名》一卷。

《太常寺曲簿》十一卷。

《魏書·音樂志》有載，太樂令崔九龍言於太常卿祖瑩："今古雜曲隨調舉之，將五百曲。恐諸曲名，後致亡失，今輒條記，存之於樂府。"此二書可能就是在此基礎上形成的。兩《唐志》無載，亡佚。

《歌曲名》五卷。

不署撰者。《舊唐志》著録《外國伎曲》三卷、《外國伎曲名》一卷，《新唐志》著録《外國伎曲》三卷、又一卷。兩《唐志》所著録的二書，似即此《歌曲名》。《宋志》無載，亡佚。

《歷代樂名》一卷。

不署撰者。兩《唐志》著録《歷代曲名》一卷，似即此書。《宋志》無載，亡佚。

《鍾磬志》二卷。公孫崇撰。

公孫崇：北魏給事中，曾與中書監高閭共考音律，上言樂事。任太樂令時"更調金石，燮理音準，其書二卷並表，悉付尚書"。又用十餘年繼續高閭草創古樂的事業。疑此書爲任太樂令時所爲。見《魏書》卷一〇九。兩《唐志》著録此書，《宋志》無載，亡佚。

《樂懸》一卷。何晏等撰議。

此書當是集有關人士對於樂懸的議論。"樂懸謂鍾磬之屬懸於筍簴（放置鍾磬的架子）者。"見《周禮·春官·小胥》注。何晏：字平叔，南陽（今河南南陽）人。母尹氏爲曹操夫人，故被曹操收養。少以才秀知名，好老莊。作《道德論》及文賦著述數十篇。正始間，曲合曹爽，爲散騎侍郎，遷侍中尚書。後司馬懿誅曹爽，何晏亦伏誅。《三國志》卷九有傳。本志經、史、子、集部尚有何晏六部著述。此書兩《唐志》無載，久佚。

《樂懸圖》一卷。

不署撰者。此書兩《唐志》已無載，久佚。

《鍾律緯辯宗見》一卷。

不署撰者。此書似與下梁武帝撰《鍾律緯》有關係。兩《唐志》已無載，久佚。

《當管七聲》二卷。魏僧撰。

此魏僧與前撰《樂元》者，當爲一人。此書兩《唐志》無載，久佚。

《黄鍾律》一卷。梁有《鍾律緯》六卷，梁武帝撰，亡。

《隋書·律曆志上》記載，牛弘、鄭譯、何妥等人"參考古律度，各依時代，制其黄鍾之管，俱徑三分，長九寸。度有損益，故聲有高下；圓徑長短，與度而差，故容黍不同"。此書擬是衆人議論的記述。此書兩《唐志》已無載，久佚。《鍾律緯》：《隋書·律曆志上》記載，武帝作《鍾律緯》，論前代得失。此書兩《唐志》無載，《宋志》著録梁武帝《鍾律緯》一卷，今亡佚。清嚴可均有輯文、馬國翰有輯本。

右四十二部，一百四十二卷。通計亡書，合四十六部，二百六十三卷。

四十二部：實際有四十四部。四十六部：實際四十七部。

樂者，先王所以致神祇[1]，和邦國，諧萬姓，安賓客，悦遠人，所從來久矣。周人存六代之樂[2]，曰《雲門》、《咸池》、《大韶》、《大夏》、《大護》、《大武》[3]。其後衰微崩壞，及秦而頓滅。漢初，制氏雖紀其鏗鏘鼓儛[4]，而不能通其義。其後竇公、河間獻王、常山王、張禹[5]，咸獻樂書。魏、晉已後，雖加損益，去正轉遠，事在《聲樂志》[6]。今録其見書，以補樂章之闕。

[1] 神祇（qí）：天地之神。天曰神，地曰祇。

[2] 六代：指黄帝、堯、舜、禹、商、周。

[3]《雲門》：相傳黄帝時所製樂，“舞《雲門》以祭天神”。《咸池》，相傳堯時之樂，“舞《咸池》以祭地祇”。《大韶》，又作《大磬》，相傳舜時之樂，“舞《大磬》以祀四望”。《大夏》，相傳夏禹時之樂，“舞《大夏》以祭山川”。《大護》，又作《大濩》，相傳商湯之樂，“舞《大護》以享先妣”。《大武》，周武王之樂，“舞《大武》以享先祖”。參見《周禮·春官·大司樂》。

[4] 制氏：魯人，善樂事。參見《漢書·禮樂志》服虔注。紀，識也。儛，同舞。

[5] 竇公：《漢志》記載：“魏文侯最爲好古，孝文時得其樂人竇公獻其書，乃《周官·大宗伯》之《大司樂》章也。”據桓譚《新論》，魏文侯時人竇公見孝文帝時一百八十歲，然而魏文侯卒年，距孝文帝元年已有二百一十四年，若竇公確實是魏文侯時人，不可能見到漢文帝。本志將竇公置於制氏之後，竇公就應該是漢人，這與《漢志》原意不符。《漢志》記載，可以理解爲孝文帝得

到魏文侯的樂人竇公獻的樂書。常山王禹，原作“常山王”，“張”爲衍文，據《漢志》、《隋書・音樂志》删。王禹，常山（今河北境内）人。漢成帝時爲謁者，數言樂事之義，獻二十四卷《記》。《漢志》著録《王禹記》二十四篇。

[6]《聲樂志》：今傳《隋書》作《音樂志》。

春　秋

《春秋經》十一卷。吴衛將軍士燮注。

《春秋》，孔子作。《史記》載："因史記作《春秋》，上至隱公，下訖哀公十四年，十二公。據魯，親周，故殷，運之三代。"《漢志》著録《春秋古經》十二篇，《經》十一卷，是古文經所藏之書，漢文帝除挾書律後始行於世，自爲一帙。《左氏傳》三十卷雖依此經作，亦自爲一帙。晉杜預作《春秋左傳集解》乃分經之年而居傳之首，於是《春秋古經》不復單行矣。公羊、穀梁二家之經相同，是今文經，核今文《春秋經》與古文《春秋經》亦基本相同。《文獻通考》卷九引眉山李氏《古經後序》曰："《古經》十二篇、十一卷者，本《公羊》、《穀梁》二家所傳，吴士燮始爲之注，《隋氏》載焉。……蓋《公羊》得立學官最先，《穀梁》次之，《左氏》最後。故士燮但注二家，不及《左氏》。"士燮（137—226）：字威彦，蒼梧廣信（今廣西蒼梧）人。少游學京師，事潁川劉子奇，治《左氏春秋》。舉孝廉，除巫令，遷交趾太守。建安末，孫權遷其爲衛將軍，拜龍編侯。耽玩《春秋》，爲之注解。吴黄武五年（226）卒。《三國志》卷四九有傳。此書《經典釋文叙録》、兩《唐志》皆有著録，《宋志》無載，亡佚。

《春秋左氏長經》二十卷。漢侍中賈逵章句。

《後漢書》卷三六載，漢章帝"善（賈）逵説，使發出《左氏傳》大義長於二傳者"，賈逵即挑出《左氏》三十事尤著名者，以抵《公羊》、《穀梁》。《漢志》有左丘明《左氏傳》，左丘明因《春秋》口授弟子，恐弟子各安其意，故論本事而爲《春秋》作傳，然《左氏傳》紀事至悼公四年，較《春秋》本經多十七年事。對於《左傳》的作者，歷來有争論，宋葉夢得、鄭樵認爲應是六國時人。《左傳》的來源有三説，劉歆謂漢時藏於祕府，許慎謂由張蒼所獻，王充謂是魯恭王在孔子舊宅發現的。《經典釋文叙録》追溯了《左傳》的傳習源流，漢有鐸椒、張蒼、劉歆，後漢經賈逵、鄭衆、馬融傳習，《左傳》大興。此書不僅注《左氏傳》，亦注《春秋經》。見《南齊書·陸澄傳》及《春秋左傳正義·襄公三十一年》疏。《舊唐志》著録此書爲《春秋左氏長經章句》三十卷，《新唐志》著録《春秋左氏長經章句》二十卷，《宋志》無載，亡佚。清馬國翰有輯本。

《春秋左氏解詁》三十卷。賈逵撰。

《後漢書》卷三六載，賈逵"尤明《左氏傳》、《國語》，爲之解詁五十一篇"。其間《左氏》三十篇，《經典釋文叙録》、兩《唐志》有著録，《宋志》無載，亡佚。清王謨、馬國翰、黄奭有輯本。

《春秋左氏傳解誼》三十一卷。漢九江太守服虔注。

服虔（生卒年不詳）：初名重，又名祇，後改爲虔，字子慎，河南滎陽（今河南滎陽附近）人。在太學受業，有雅才，作《春秋左氏傳解》。靈帝中平末，拜九江太守。著詩賦、碑、誄凡十餘篇。《後漢書》卷七九下有傳。本志經、史尚有服虔七部著述。本志篇叙稱："晉時服虔、杜預注俱立國學，後唯傳服義。至隋，杜氏盛行，服義浸微。"《經典釋文叙録》曰："江左中興，立《左氏傳》杜氏、服氏博士。"此書《經典釋文叙録》、兩《唐志》皆著録三十卷，《宋志》無載，亡佚。清馬國翰、袁鈞、王謨、黄奭有輯本。

《春秋左氏傳》三十卷。王肅注。

《三國志》卷一三載，王肅父王朗有《春秋左氏傳》十二卷，此書應與其有些許承襲關係。《經典釋文叙録》、兩《唐志》皆著録此書爲三十卷。《宋志》無載，亡佚。清馬國翰有輯本。

《春秋左氏傳》三十卷。董遇章句。

《三國志》卷一三注曰，董遇又善《左氏傳》，更爲作朱墨别異。此書《經典釋文叙録》著録董遇《章句》三十卷，兩《唐志》著録董遇《春秋經傳章句》三十卷，《宋志》無載，亡佚。清馬國翰有輯本。

《春秋左氏傳義注》十八卷。孫毓注。

此書《經典釋文叙録》著録孫毓《注》二十八卷，兩《唐志》皆著録《春秋左氏傳義注》三十卷，《宋志》無載，亡佚。清馬國翰有輯本。

《春秋左氏傳》十二卷。魏司徒王朗撰。

王朗（？—228）：字景興，東海郯（今山東郯城西南）人，王肅之父。漢獻帝在長安時，拜會稽太守，與孫權戰，敗績。魏國初建，遷少府、奉常、大理。文帝時，爲司空，進封樂平侯。明帝即位，封蘭陵侯，轉爲司徒。太和二年（228）卒，謚曰成侯。著《易》、《春秋》、《孝經》、《周官傳》，皆傳於世。《三國志》卷一三有傳。兩《唐志》皆著録此書爲《春秋傳》十卷，《宋志》無載，亡佚。

《春秋左氏經傳集解》三十卷。杜預撰。

杜預作此書的宗旨在《春秋序》中："預今所以爲異，專修丘明之傳以釋經。經之條貫必出於傳。傳之義例總歸諸凡。推變例以正褒貶，簡二傳而去異端，蓋丘明之志也。”而《四庫全書總目》卷二六則曰《左傳》“今世所傳唯杜注、孔疏爲最古，杜注多强經以就傳……是篤信專門之過，不能不謂之一失”。此書《經典釋文叙録》、兩《唐志》皆有著録。唐孔穎達爲《春秋左氏經傳集解》作疏，即《春秋左傳正義》。《春秋左傳集解》流傳至今，現存最早的本子爲宋刻本，通行的本子有《十三經注疏》本、《四庫》本、《四部叢刊》本。

《春秋杜氏》、《服氏注春秋左傳》十卷。殘缺。

此似前所著録之杜預《春秋左氏經傳集解》及服虔《春秋左氏傳解誼》的殘卷合併本。

《春秋左氏傳音》三卷。魏中散大夫嵇康撰。梁有服虔、杜預《音》三卷，魏高貴鄉公《春秋左氏傳音》三卷，曹躭《音》、尚書左人郎荀訥等《音》四卷，亡。

嵇康（223—262）：字叔夜，譙國銍（今安徽宿州西南）人。其祖先姓奚，會稽上虞人，因避怨而遷。少有奇才，長好老莊。與魏宗室婚，拜中散大夫。因得罪鍾會，被誣入獄而誅。作《廣陵散》、《太師箴》等。《三國志》卷二一、《晉書》卷四九有傳。本志史、子部尚有嵇康二部著述。《經典釋文叙録》著録此書，兩《唐志》無載，亡佚。清馬國翰有輯本。服虔杜預《音》：《經典釋文叙録》著録服虔《音》一卷，兩《唐志》著録服虔《春秋左氏音隱》一卷。《宋志》無載，亡佚。杜預《音》，《經典釋文叙録》、兩《唐志》皆著録爲三卷。《宋志》無載，亡佚。高貴鄉公（241—260）：曹髦，字彦士，魏文帝孫，東海定王霖子。正始五年（244），封郯縣高貴鄉公。齊王曹芳廢，即帝位，公元255—260年在位，後被弑。《三國志》卷四有傳。其書兩《唐志》無載，亡佚。曹躭荀訥《音》：《經典釋文叙録》僅著録荀訥《音》四卷，兩《唐志》著録《春秋左氏音》四卷，曹躭、荀訥撰。《宋志》無載，亡佚。荀訥：字世言，新蔡（今河南新蔡）人。東晉左民郎。見《經典釋文叙録》。

《春秋左氏傳音》三卷。李軌撰。

《經典釋文叙録》、《新唐志》著録李軌撰，《舊唐志》著録李弘範撰，李軌字弘範。《宋志》無載，亡佚。

《春秋左氏傳音》三卷。徐邈撰。

《經典釋文叙録》有著録。兩《唐志》亦有著録，然撰者誤作孫邈。《宋志》無載，亡佚。清馬國翰有輯本。

《春秋釋訓》一卷。賈逵撰。

《春秋左氏經傳朱墨列》一卷。賈逵撰。

以上賈逵所撰二書，兩《唐志》、《宋志》皆無載，亡佚。

《春秋釋例》十卷。漢公車徵士穎容撰。梁有《春秋左氏傳條例》九卷，漢大司農鄭衆撰。

穎容（生卒年不詳）：字子嚴，陳國長平（今河南西華附近）人。博學多通，善《左氏》。州辟、公車徵，皆不就。著《春秋左氏條例》五萬餘言。建安中，卒。《後漢書》卷七九下有傳。杜預《春秋左傳集解序》曰："……末有穎子嚴者，雖淺近，亦復名家，故特舉劉、賈、許、穎之違以見異同。"《經典釋文叙録》載穎容《春秋條例》，《舊唐志》著録《春秋左氏傳例》七卷，失撰者，《新唐志》著録穎容《釋例》七卷，三者同爲一書。《宋志》無載，亡佚。清馬國翰有輯本。鄭衆：見本志經部"周易類"。本志經部尚有鄭衆一部著述。此書《經典釋文序录録》作《左傳條例章句》，《舊唐志》作《春秋左氏傳條例章句》，《新唐志》作《牒例章句》。

《宋志》無載，亡佚。

《春秋左氏膏肓釋痾》十卷。服虔撰。梁有《春秋漢議駁》二卷，服虔撰，亡。

此書針對何休《春秋左氏膏肓》而作。痾（kē）：病。膏肓（huāng），喻《左氏》之疾不可爲。兩《唐志》皆著録此書，然作五卷，《宋志》無載，亡佚。清馬國翰有輯文，附《春秋左氏傳解誼》輯本後。《春秋漢議駁》：《後漢書》卷七九下載，服虔"又以《左傳》駁何休之所駁漢事六十條"，疑即此書。《舊唐志》著録作《何氏春秋漢記》十一卷，《新唐志》著録作《駁何氏春秋漢議》十一卷。《宋志》無載，亡佚。

《駁何氏漢議》二卷。鄭玄撰。

此書《日本國見在書目録》有著録，作九卷，鄭玄撰。《舊唐志》著録《何氏春秋漢議》十一卷，何休撰，鄭玄駁，糜信注。《新唐志》著録何休《春秋漢議》十卷，糜信注，鄭玄駁。《宋志》無載，亡佚。

《春秋成長説》九卷。服虔撰。梁有《春秋左氏達義》一卷，漢司徒掾王玢撰，亡。

《周禮·春官·占夢》"以日、月、星辰占六夢知吉凶"下疏引服虔《左傳説》，最後曰"成長以爲誤也"。姚振宗認爲成長是人名，著有《春秋説》，服虔集而論之，故署服虔撰。《春秋左氏達義》：兩《唐志》皆有著録，作《春秋達長義》。《宋志》無載，亡佚。王玢，生平事迹不詳。

《春秋塞難》三卷。服虔撰。梁有《春秋雜議難》五卷，漢少府孔融撰；《春秋左氏釋駁》一卷，王朗撰。亡。

此書兩《唐志》皆有著録，《宋志》無載，亡佚。孔融（153—208）：字文舉，魯國（今山東曲阜）人，孔子二十世孫。幼有異才，好學，多涉博覽。獻帝都許，徵爲將作大匠，遷少府，忤曹操免官。歲餘復拜太中大夫，然終下獄棄市，時年五十六。所著詩賦、論議、表檄等二十五篇。《後漢書》卷七〇、《三國志》卷一二有傳。兩《唐志》著録《春秋雜議難》五卷，無撰者名，疑即此書。《宋志》無載，亡佚。《春秋左氏釋駁》：兩《唐志》無載，亡佚。

《春秋説要》十卷。魏樂平太守麋信撰。

麋信（生卒年不詳）：字南山，東海（今山東郯城）人。魏樂平太守。見《經典釋文叙録》。本志經部尚有麋信一部著述。兩《唐志》著録此書爲《春秋左氏傳説要》十卷，《宋志》無載，亡佚。

《春秋釋例》十五卷。杜預撰。梁有《春秋釋例引序》一卷，齊正員郎杜乾光撰，亡。

《春秋左傳集解序》曰："又别集諸例及地名、譜第、歷數相與爲部，凡四十部十五卷，皆顯其異同從而釋之，名曰《釋例》。"《晉書》卷三四《杜預傳》載，又參考衆家譜第謂之《釋例》。兩《唐志》、《宋志》、《崇文總目》皆有著録。《四庫全書總目》卷二六曰："自明以來，是書久佚，唯《永樂大典》中尚存三十篇，並有唐劉蕡原序。其六篇有釋例而無經傳，餘亦多有脱文。謹隨篇掇拾，取孔穎達《正義》及諸書所引《釋例》之文補之，校其訛謬，釐爲四十七篇，仍分十五卷，以還其舊。"可知今傳本乃從《永樂大典》中輯出，有《四庫》本、武英殿聚珍本、《岱南閣叢書》本。杜乾光：生平事迹不詳。其書兩《唐志》無載，亡佚。

《春秋左氏傳評》二卷。杜預撰。

此書兩《唐志》均作《左氏杜預評》二卷。《宋志》無載，亡佚。

《春秋條例》十一卷。晉太尉劉寔撰。梁有《春秋公羊達義》三卷，劉寔撰，亡。

劉寔（220—310）：字子真，平原高唐（今山東禹城西南）人。好學，博通古今。泰始初進爵爲伯，元康初進爵爲侯，九年（299）拜司空，遷太保，轉太傅。懷帝即位，授太尉。年九十一卒，謚曰元。精於三《傳》，辯證《公羊》，又撰《春秋條例》十卷。《晉書》卷四一有傳。本志集部尚有一部劉寔著述。此書《舊唐志》著録《春秋左氏條例》十卷，《新唐志》著録《條例》十卷、《左氏牒例》二十卷。《宋志》無載，亡佚。《春秋公羊達義》：兩《唐志》皆著録《春秋公羊違義》三卷，劉寔撰，劉晏注。《宋志》無載，亡佚。

《春秋經例》十二卷。晉方範撰。梁有《春秋釋滯》十卷，晉尚書左丞殷興撰；《春秋釋難》三卷，晉護軍范堅撰。亡。

方範：生平事迹不詳。《舊唐志》著録《春秋左氏經例》十卷，《新唐志》著録《經例》六卷，《宋志》無載，亡佚。殷興：一作殷基，雲陽（今江蘇丹陽）人。仕吴，爲無難督。入晉，遷尚書左丞。有《春秋釋滯》十卷、《通語》十卷。見《全晉文》卷八一。本志子部尚有其著述一部。兩《唐志》皆著録此書，《宋志》無載，亡佚。范堅（生卒年不詳）：字子常，南陽順陽（今河南淅川）人。博學善屬文。永嘉中，避亂江東，拜佐著作郎、撫軍參軍，累遷尚書左丞、護軍長史，卒官。《晉書》卷七五有傳。其書兩《唐志》無載，亡佚。

《春秋左氏傳條例》二十五卷。

《春秋義例》十卷。

以上二書皆不署撰者，兩《唐志》均無載，亡佚。

《春秋左傳例苑》十九卷。梁有《春秋經傳説例疑隱》一卷，吴略撰；《春秋左氏分野》一卷；《春秋十二公名》一卷，鄭玄撰。亡。

不署撰者。兩《唐志》著録《春秋左氏傳例苑》十八卷，梁簡文帝撰。《梁書》卷四、《南史》卷八俱不載簡文帝撰此書。惟《南齊書》卷四〇載，晉安王蕭子懋，字雲昌。永明八年（490）爲鎮南將軍，撰《春秋例苑》三十卷奏之。此應與本志、兩《唐志》所著録爲一書。《宋志》無載，亡佚。《春秋經傳説例疑隱》：兩《唐志》著録吴略撰《春秋經傳詭例疑隱》一卷，《宋志》無載，亡佚。吴略，生平事迹不詳。《春秋左氏分野》：不署撰者。兩《唐志》無載，亡佚。《春秋十二公名》：兩《唐志》無載，亡佚。

《春秋左氏經傳通解》四卷。王述之撰。

王述之：生平事迹不詳，本志本類尚著録王述之撰《春秋旨通》十卷。兩《唐志》著録《春秋旨通》，撰者則爲王延之，却未著録此書。王延之在《宋書》卷六六、《南齊書》卷三二、《南史》卷二四皆有傳，然均未提及其有著述。此書兩《唐志》無載，亡佚。

《春秋左氏傳賈、服異同略》五卷。孫毓撰。

此書當爲孫毓所集賈逵、服虔有關《春秋左氏傳》之異同。兩《唐志》皆有著録，《宋志》無載，亡佚。

《春秋左氏函傳義》十五卷。干寶撰。

《晉書》卷八二載，干寶爲《春秋左氏義外傳》，並未言有此書。兩《唐志》著録此書作《春秋義函傳》十六卷，《宋志》無載，亡佚。清馬國翰有輯本。

《春秋左氏區别》三十卷。宋尚書功論郎何始真撰。

何始真（生卒年不詳）：《宋書》卷五七載"以何始真爲諮議參軍"，卷八八載"太宗先遣尚書功論郎何如（始）真選青州文武"，其他事迹不詳。此書《舊唐志》作《春秋左氏區分》，《新唐志》作《春秋左氏區别》，皆爲十二卷，《宋志》無載，亡佚。

《春秋文苑》六卷。

不署撰者。兩《唐志》著録此書爲沈宏撰。沈宏：吴興武康（今浙江德清）人。天監初爲五經博士，著有《春秋經解》六卷、《春秋文苑》六卷、《春秋嘉語》六卷、《春秋五辯》二卷。見《全梁文》卷五九。此書《宋志》無載，亡佚。

《春秋叢林》十二卷。

不署撰者。兩《唐志》著録此書爲李謐撰。李謐（484—515）：字永和，趙郡（今河北趙縣附近）人。少好學，博通諸經，周覽百家。鳩集諸經，廣校同異，比三《傳》事例，名《春秋叢林》，十有二卷。延昌四年（515）卒。《魏書》卷九〇有傳。此書《宋志》無載，亡佚。

《春秋義林》一卷。

不署撰者。兩《唐志》無載，亡佚。

《春秋大夫辭》三卷。

不署撰者。兩《唐志》有《春秋辭苑》五卷，亦不署撰者，不知是否與此書爲一書。《宋志》無載，亡佚。

《春秋嘉語》六卷。

不署撰者。兩《唐志》著録沈宏撰《春秋嘉語》六卷，《宋志》無載，亡佚。

《春秋左氏諸大夫世譜》十三卷。

不署撰者。兩《唐志》著録顧啓期撰《春秋大夫譜》十一卷。《文獻通考・經籍考》卷九著録《春秋世譜》一卷，引《崇文總目》"不著撰人名氏。凡七卷。起黄帝至周，見於春秋諸國，世系傳久，稍失其次矣"。馬端臨"疑此乃啓期所撰"。顧啓期：孫吴時人，其他事迹不詳。本志史部尚有顧啓期一部著述。此書宋代尚有存留，今佚。

《春秋五辯》二卷。梁五經博士沈宏撰。

此書兩《唐志》無載，亡佚。

《春秋辯證》六卷。

不署撰者。兩《唐志》有《春秋辯證明經論》六卷，不知是否與此書爲一書，此書《宋志》無載，亡佚。

《春秋旨通》十卷。王述之撰。

兩《唐志》著録此書，然撰者爲王延之，《宋志》無載，亡佚。

《春秋經傳解》六卷。崔靈恩撰。

《春秋申先儒傳論》十卷。崔靈恩撰。

《春秋左氏傳立義》十卷。崔靈恩撰。

以上三書皆崔靈恩所撰。《南史》卷七一《崔靈恩傳》載其“先習《左傳》服氏解，不爲江東所行，乃改説杜義。每文句常申服以難杜，遂著《左氏條義》以明之”。兩《唐志》著録其《春秋立義》十卷，《春秋申先儒傳例》十卷。此三書《宋志》皆無載，亡佚。

劉寔等《集解春秋序》一卷。

兩《唐志》無載，亡佚。

《春秋序論》二卷。干寶撰。

兩《唐志》皆著録此書爲一卷，《宋志》無載，亡佚。

《春秋序》一卷。賀道養注。

賀道養（生卒年不詳）：會稽山陰（今浙江紹興）人。太學博士、征南將軍。有《賀子述言》十卷、集十卷。見《南史》卷六二、《宋書》卷六六、《全宋文》卷四三。本志子、集部尚有賀道養二部著述。此書兩《唐志》無載，亡佚。

《春秋序》一卷。崔靈恩撰。

此書兩《唐志》無載，亡佚。

《春秋序》一卷。田元休注。

田元休：生平事迹不詳。此書兩《唐志》無載，亡佚。

《春秋左傳杜預序集解》一卷。劉炫注。

兩《唐志》無載，亡佚。

《春秋左氏經傳義略》二十五卷。陳國子博士沈文阿撰。

沈文阿（503—563）：字國衛，吴興武康（今浙江德清）人。少習父業，治三《禮》、三《傳》。累遷兼國子助教、五經博士，後遷通直散騎常侍、兼國子博士，領羽林監。天嘉四年（563）卒，詔贈廷尉卿。所撰《儀禮》八十餘卷、《經典大義》十八卷，並行於世。《梁書》卷四八、《陳書》卷三三、《南史》卷七一有傳。本志經部尚有沈文阿一部著述。兩《唐志》著録沈文阿《春秋義略》二十七卷，《宋志》無載，亡佚。清馬國翰有輯本。

《王元規續沈文阿春秋左氏傳義略》十卷。

王元規（516—589）：字正範，太原晉陽（今山西太原）人。從沈文阿受業，通《春秋左氏》、《孝經》、《論語》等。梁爲員外散騎侍郎。陳天嘉年間領國子助教，後遷國子祭酒。禎明三年（589）入隋，年七十四卒。著《春秋發題辭》及《義記》十一卷，《續經典大義》十四卷等。《陳書》卷三三、《南史》卷七一有傳。《經典釋文叙録》載，梁東宫學士沈文阿撰《春秋義疏》闕下帙，陳東宫學士王元規續成之，元規又撰《春秋音》。此書兩《唐志》無載，亡佚。清馬國翰有輯本。

《春秋義略》三十卷。陳右軍將軍張冲撰。

張冲（？—500）：字叔玄，吴郡（江蘇蘇州周邊）人。仕陳爲左中郎將，非其好也。撰《春秋義略》，異於杜氏七十餘事。官至漢王侍讀。《隋書》卷七五、《北史》卷八二有傳。本志經部尚有張冲一部著述。此書兩《唐志》皆著録《春秋左氏義略》三十卷，《宋志》無載，亡佚。

《春秋左氏義略》八卷。

不署撰者。兩《唐志》無載，亡佚。

《春秋五十凡義疏》二卷。

不署撰者。兩《唐志》無載，亡佚。

《春秋左氏傳述義》四十卷。東京太學博士劉炫撰。

《隋書》卷七五載，劉炫著《春秋攻昧》十卷、《春秋述議》四十卷。《日本國見在書目録》著録劉炫《春秋述義》三十卷，兩《唐志》著録劉炫《春秋攻昧》十二卷、《春秋規過》三卷、《春秋述議》三十七卷，《宋志》著録劉炫《春秋述議略》一卷，又《春秋義囊》二卷。《崇文總目》著録《春秋述議》一卷，並稱此書本四十篇。唐孔穎達《正義》蓋據以爲説而增損之，今三十九篇亡。此書宋以後亡。清黄奭、王謨、馬國翰有輯本。

《春秋序義疏》一卷。梁有《春秋發題》一卷，梁簡文帝撰《春秋左氏圖》十卷，漢太子太傅嚴彭祖撰《古今春秋盟會地圖》一卷，亡。

不署撰者。兩《唐志》無載，亡佚。《春秋發題》：《日本國見在書目録》有《春秋發題》二卷，亦不署撰者。兩《唐志》無載，亡佚。《春秋左氏圖》：《梁書》卷四、《南史》卷八其本紀皆不載此圖。《通志・藝文略》著録《左氏圖》十卷，梁簡文帝撰。《宋志》無載，亡佚。嚴彭祖（生卒年不詳）：字公子，東海下邳（今江蘇邳州）人。與顔安樂從眭孟學《公羊春秋》。諸生徒中，唯嚴彭祖、顔安樂爲明，質問疑義，各持己見。眭孟死，二人各自專門教授，由是《公羊春秋》有嚴、顔之學。彭祖爲漢宣帝博士，至河南、東郡太守。以高第入爲左馮翊，遷太子太傅。《漢書》卷八八有傳。本志經部尚有嚴彭祖一部著述。兩《唐志》著録嚴彭祖撰《春秋圖》七卷，《通志・藝文略》著録嚴彭祖《春秋圖》七卷、《春秋盟會地圖》一卷。《宋志》無載，亡佚。清王謨、黄奭各輯《春秋盟會圖》一卷。

《春秋公羊傳》十二卷。嚴彭祖撰。

《春秋公羊傳》是公羊家傳習《春秋》之作。《漢志》著録公羊子《公羊傳》十一卷，徐彦《公羊疏》曰："《公羊》者，子夏口授公羊高，高五世相授，至漢景帝時，公羊壽共弟子胡毋生乃著竹帛，胡毋生題親師，故曰《公羊》。"《日本國見在書目録》有《春秋公羊傳》十二卷，嚴彭祖注。《舊唐志》著録《春秋公羊傳》五卷，公羊高傳，嚴彭祖述。《新唐志》著録《春秋公羊傳》五卷，嚴彭祖述。《宋志》無載，亡佚。清馬國翰有輯本。

《春秋公羊解詁》十一卷。漢諫議大夫何休注。

何休（129—182）：字邵公，任城樊（今山東兖州）人。雅有心思，精研六經，世儒無及者。作《春秋公羊解詁》，以《春秋》駁漢事六百餘條，妙得《公羊》本意。又注訓《孝經》、《論語》，作《公羊墨守》、《左氏膏肓》、《穀梁廢疾》。黨禁解，辟司徒，拜議郎，再遷諫議大夫。光和五年（182）卒。《後漢書》卷七九下有傳。本志經部尚有何休六部著述。《郡齋讀書志》卷三稱《公羊》傳至何休，爲經傳集詁，其書遂大傳。鄭玄曰《公羊》善於讖，休之注引讖最多。《直齋書録解題》卷三亦稱何休書多引讖緯。唐徐彦爲此書作疏二十八卷。《四庫全書總目》卷二六曰："何休《解詁》但釋傳而不釋經，與杜（預）異例，知漢末猶自别行。……今本以傳附經，或徐彦作疏時所合併歟。"此書《日本見在書目録》著録《春秋公羊集詁》十二卷，《經典釋文叙録》著録何休注《公羊》十二卷，《舊唐志》著録《春秋公羊經傳》十三卷，何休注，《新唐志》著録何休《公羊解詁》十三卷，《宋志》著録何休《公羊傳》十二卷。何休單注本最早爲十二卷宋刻本，通行本爲《十三經注疏》本、四庫本等。

《春秋公羊經傳》十三卷。晉散騎常侍王愆期注。梁有《春秋公羊傳》十二卷，晉河南太守高龍注；《春秋公羊傳》十四卷，孔衍集解；《春秋公羊音》，李軌、晉徵士江淳撰，各一卷。

王愆期（生卒年不詳）：字門子，河東猗氏（今山西臨猗）人。流寓江南，咸和中爲右司馬，加督護，後爲散騎常侍、辰陽伯。緣父本意，更注《公羊》，又集《列女後傳》。見《晉書》卷五一、卷六六，《經典釋文叙録》。本志經、集部尚有王愆期二部著述。此書《經典釋文叙録》與兩《唐志》皆有著録，《宋志》無載，亡佚。高龍（生卒年不詳）：字文，范陽（今北京周邊）人。東晉河南太守。見《經典釋文叙録》。此書《經典釋文叙録》著録高龍《公羊注》十二卷，《舊唐志》作《春秋公羊傳記》十二卷，高襲注，《新唐志》作高襲《傳記》十二卷。《宋志》無載，亡佚。《春秋公羊傳》十四卷：《經典釋文叙録》著録孔衍《公羊集解》十四卷，兩《唐志》著録《公羊集解》，然孔衍作孔氏，《宋志》無載，亡佚。《春秋公羊音》：《經典釋文叙録》亦著録李軌、江淳各一卷，兩《唐志》無載，亡佚。江淳（305—353）：一作江惇，字思悛，陳留圉（今河南杞縣南）人，江統子。性好學，儒玄並綜。徵拜博士、著作郎皆不就。見《晉書》卷五六。本志集部尚有江淳一部著述。

《春秋繁露》十七卷。漢膠西相董仲舒撰。

董仲舒（前179—前104）：廣川（今河北景縣）人。傳《公羊春秋》，孝景帝時爲博士。武帝時爲江都相。居家著災異之記，下獄當死，詔赦之。後爲膠西王相，恐久任獲罪，病免歸家至卒。其所著，皆明經術之意，及上疏條陳，凡百二十三篇。而説《春秋》得失，《聞舉》、《玉杯》、《蕃露》、《清明》、《竹林》之屬，十餘萬言，皆傳於後世。《史記》卷一二一、《漢書》卷五六有傳。本志經部尚有董仲舒一部著述。此書《漢志》未著録，兩《唐志》、《宋志》有著録。《崇文總目》稱《春秋繁露》十七卷八十二篇，義因宏博，非出近世。然其間篇第亡舛，無以是正。《四庫全書總目》卷三〇曰，其立名之義不可解，其書發揮《春秋》之旨多主公羊，而往往及陰陽五行。據董仲舒本傳，《蕃露》、《玉杯》、《竹林》皆所著書名，而今本《玉杯》、《竹林》乃在此書中。觀其文雖未必全出自仲舒，然中多根極理要之言，非後人所能依託也。此書流傳多舛，錯訛、脱漏，已非原貌。《四庫全書總目》著録是書乃以《永樂大典》所存宋樓鑰本詳爲勘訂，號爲《永樂大典》本，是此書較好的通行本。此書現存最早的本子是宋嘉定四年刻本。通行本有《四庫》本、《四部叢刊》本、《四部備要》本等。

《春秋决事》十卷。董仲舒撰。

《漢書》卷五六載，董仲舒在家，朝廷如有大議，使使者及廷尉張湯就其家而問之，其對皆有明法。《漢志·六藝略》著録《董仲舒治獄》十六篇，《日本國見在書目録》有《春秋斷獄事》十卷，不署撰者。兩《唐志》子部"法家"著録《春秋决獄》十卷，董仲舒撰。《崇文總目》著録董仲舒《春秋决事比》十卷，丁氏平，黄氏正。《宋志》子部"法家"著録董仲舒《春秋决事》十卷，丁氏平，黄氏正。後亡佚。清王謨、洪頤煊、馬國翰、黄奭有輯本。

《春秋决疑論》一卷。

不署撰者，兩《唐志》無載，亡佚。

《春秋左氏膏肓》十卷。何休撰。

《後漢書》卷三五載，何休好公羊學，遂著《公羊墨守》、《左氏膏肓》、《穀梁廢疾》。鄭玄乃發《墨守》，鍼《膏肓》，起《廢疾》。兩《唐志》著録《左氏膏肓》十卷，何休撰，鄭玄箴。《郡齋讀書志》卷三著録此書爲九卷，並稱休答賈逵事，因記《左氏》之短，鄭康成嘗著《箴膏肓》，後人附之逐章之下。《直齋書録解題》卷三著録《左氏膏肓》十卷，稱此書並存二家之言，意亦後人所録，已非全書。後佚。清王謨有輯本。

《春秋穀梁廢疾》三卷。何休撰。

兩《唐志》著録何休《春秋穀梁廢疾》三卷，鄭玄釋，張靖箋。《宋志》無載，亡佚。

《春秋漢議》十三卷。何休撰。

《後漢書》卷七九下載，何休又以《春秋》駁漢事六百餘條，妙得《公羊》本意。《舊唐志》著録《何氏春秋漢議》十一卷，何休撰，鄭玄駁，糜信注。《新唐志》著録何休《春秋漢議》十卷，糜信注，鄭玄駁。《宋志》無載，亡佚。

《駁何氏漢議》二卷。鄭玄撰。梁有《漢議駁》二卷，服虔撰，亡。

此二書前已著録，屬重複著録。

《駁何氏漢議叙》一卷。

不署撰者。兩《唐志》無載，亡佚。

《春秋公羊墨守》十四卷。何休撰。

此書名意在"《公羊》義理深遠，不可駁難，如墨翟之守城也"。見《後漢書》卷三五注。《舊唐志》著録《春秋公羊墨守》二卷，何休撰，鄭玄發。《新唐志》著録何休《墨守》一卷，鄭玄發。《宋志》無載，亡佚。《四庫全書總目》卷二六著録《箴膏肓》、《起廢疾》、《發墨守》各一卷，署鄭玄撰。此三書《隋志》皆無載，兩《唐志》則在何休名下，分别署鄭釋、鄭箴、鄭發，可以認爲何撰與鄭撰合併流傳，故《四庫全書》所收此三書其間應有何撰三書的内容。

《春秋公羊例序》五卷。刁氏撰。

刁氏：生平事迹不詳。此書兩《唐志》無載，亡佚。

《春秋公羊謚例》一卷。何休撰。梁有《春秋公羊傳條例》一卷，何休撰；《春秋公羊傳問答》五卷，荀爽問，魏安平太守徐欽答；《春秋公羊論》二卷，晉車騎將軍庾翼問，王愆期答。亡。

《春秋公羊傳注疏》卷一稱故何休作《文謚例》云《春秋》五始、三科、九旨、七等、六輔、二類之義，以矯枉撥亂。所言書名與《隋志》不同。此書兩《唐志》無載，亡佚。何休《春秋公羊解詁序》曰："往者略依胡毋生《條例》，多得其正。"《春秋公羊傳條例》：兩《唐志》著録何休《公羊條傳》一卷，《宋志》無載，亡佚。《後漢書》卷六二載，荀爽"又作《公羊問》及《辯讖》，並它所論叙，題爲《新書》。凡百餘篇，今多所亡缺"。徐欽：生平事迹不詳。《三國志》卷二二《徐宣傳》載，有子欽，承其嗣。不知是否即此徐欽。兩《唐志》皆著録此書，《宋志》無載，亡佚。庾翼（305—345）：字稚康，潁川鄢陵（今河南鄢陵）人。少有經綸大略，累遷南蠻校尉、領南郡太守，賜爵都亭侯。後授都督江荆司雍梁益六州諸軍事、安西將軍、荆州刺史鎮武昌。永和元年（345）卒，贈車騎將軍，謚曰肅。《晉書》卷七三有傳。本志經、集部尚有庾翼二部著述。兩《唐志》著録此書，《宋志》無載，亡佚。

《春秋公羊解序》一卷。鮮于公撰。

鮮于公：生平事迹不詳。此書兩《唐志》無載，亡佚。

《春秋公羊疏》十二卷。

不署撰者。此書兩《唐志》無載，《崇文總目》始載，《郡齋讀書志》卷三、《直齋書録解題》卷三亦有載，皆作三十卷，並提及世傳此爲唐徐彦所作，然又不能確定徐彦爲何時人士。《宋志》著録《公羊疏》三十卷，無撰者，又著録徐彦《公羊疏》三十卷。阮元《〈春秋公羊傳注疏〉序》稱，王鳴盛以爲《疏》是北朝徐遵明作，“不爲無見也，蓋其文章似六朝人，不似唐人所爲者”。此言可姑備一説。

《春秋穀梁傳》十三卷。吴僕射唐固注。梁有《春秋穀梁傳》十五卷，漢諫議大夫尹更始撰，亡。

《春秋穀梁傳》乃穀梁家傳習《春秋》之作。《漢志》著録“《穀梁傳》十一卷，穀梁子，魯人”。顔師古注曰：“名喜。”《春秋穀梁傳序疏》曰：“穀梁子名俶，字元始，魯人，一名赤。受經於子夏，爲經作傳，故曰《穀梁傳》。傳孫卿，孫卿傳魯人申公，申公傳博士江翁。……漢宣帝好《穀梁》，擢（蔡）千秋爲郎，由是《穀梁》之傳大行於世。”又稱“《穀梁》善於經”。《春秋公羊傳注疏》曰：“《穀梁》者，亦是著竹帛者題親師，故曰《穀梁》也。”然何人著於竹帛，則不可考矣。漢有尹更始《穀梁章句》，吴唐固、魏麋信、晉張靖、徐邈等有《春秋穀梁傳》注，晉范甯又有《春秋穀梁傳集解》，唐楊士勳以《集解》爲底本，作《春秋穀梁傳注疏》。唐固（？—225）：字子正，丹陽（今江蘇境内）人。孫權爲吴王時，拜議郎。黄武四年（225），爲尚書僕射，卒，時年七十餘。著《國語》、《公羊傳》、《穀梁傳》注。見《三國志》卷五三。本志經部尚有唐固一部著述。《經典釋文叙録》、兩《唐志》著録此書皆爲十二卷，《宋志》無載，亡佚。尹更始（生卒年不詳）：字翁君，汝南郡邵陵（今河南漯河）人。從蔡千秋習《穀梁》又受《左氏傳》，取其變合者以爲章句。歷任議郎、諫議大夫、長樂户府。見《漢書》卷八八。《經典釋文叙録》著録《穀梁章句》十五卷，《舊唐志》著録《春秋穀梁章句》十五卷，穀梁假解，尹更始注。《新唐志》著録《春秋穀梁傳》十五卷，尹更始注。《宋志》無載，亡佚。清馬國翰有輯本。又，《漢志》著録《穀梁章句》三十三篇，不署撰者，疑即此書。

《春秋穀梁傳》十二卷。魏樂平太守麋信注。

《南齊書》卷三九載，國學置鄭、王《易》，杜、服《春秋》，何氏《公羊》，麋氏《穀梁》。《經典釋文叙録》、兩《唐志》皆著録麋信注《春秋穀梁傳》十二卷，《宋志》無載，亡佚。清王謨、馬國翰、黄奭有輯本。又有羅振玉《鳴沙石室佚書初編》本《春秋穀梁傳解釋》殘一卷。

《穀梁傳》十卷。晉堂邑太守張靖注。梁有《春秋穀梁傳》十三卷，晉給事郎徐乾注；《春秋穀梁傳》十卷，胡訥集解。亡。

張靖（生卒年不詳）：泰始末太常博士。見《全晉文》卷七八。本志經部尚有張靖一部著述。兩《唐志》著録張靖集解《穀梁傳》十一卷，《宋志》無載，亡佚。徐乾：字文祚，東莞（今山東臨沂北）人。太元中博士，安帝時進給事中。見《經典釋文叙録》、《全晉文》卷一三八。本志集部尚有徐乾一部著述。此書兩《唐志》有著録，《宋志》無載，亡佚。清馬國翰有輯本。胡訥（生卒年不詳）：永和末太學博士。見《全晉文》卷一三三。本志經部尚有二部胡訥著述。此書《經典釋文序録》有載，兩《唐志》無載，亡佚。

《春秋穀梁傳》十六卷。程闡撰。

程闡：生平事迹不詳。兩《唐志》著録《春秋穀梁經傳》十六卷，程闡集注。《宋志》無載，亡佚。

《春秋穀梁傳》十四卷。孔衍撰。

《經典釋文序録》載孔衍集解《穀梁》十四卷，兩《唐志》著録《春秋穀梁傳》十三卷，孔衍訓注。《宋志》無載，亡佚。

《春秋穀梁傳》十二卷。徐邈撰。

《晉書》卷七五載，范甯爲《穀梁集解》爲世所重，既而徐邈復爲之注，世亦稱之。今存范甯《春秋穀梁傳集解》多引徐邈注，可推測徐邈成書在范甯之前。《經典釋文敘録》、兩《唐志》皆著録此書，《宋志》無載，亡佚。

《春秋穀梁傳》十四卷。段肅注。疑漢人。

段肅：《經典釋文敘録》稱不詳何人，《隋志》疑爲漢代人。姚振宗引惠棟《九經古義》稱《後漢書》卷四〇下載班固奏記，言及"弘農功曹史殷肅達學洽聞，才能絶倫，誦《詩三百》，奉使專對"。李賢注曰"《固集》殷作段"。認爲此書之注者即爲漢弘農功曹史段肅。《經典釋文敘録》著録此書爲十二卷，《舊唐志》著録《春秋穀梁傳》十三卷，段氏注。《新唐志》著録《春秋穀梁傳》段肅注十三卷。《宋志》無載，亡佚。清王仁俊有輯本。

《春秋穀梁傳》五卷。孔君揩訓，殘缺。梁十四卷。

此處著録已殘，兩《唐志》無載，《通志・藝文略》據《隋志》著録，作孔君指訓，依然缺名。孔君：不詳何人。已亡佚。

《春秋穀梁傳》十二卷。范甯集解。梁有《穀梁音》一卷，亡。

范甯見釋《穀梁傳》者皆膚淺末學，不經師匠。辭理典據，既無可觀，又引《左氏》、《公羊》以解此傳，文義違反，斯害也已。於是乃商略名例，敷陳疑滯，博示諸儒同異之説，以作《集解》。見《春秋穀梁傳集解序》。《四庫全書總目》卷二六稱《漢志》著録《公羊》、《穀梁》二家經十一卷，傳亦各十一卷，則經傳初亦别編。范甯《集解》乃併經注之，即甯之所合。唐楊世勳爲此書作疏。今存。現存最早的本子爲宋刻元修本，另有《古逸叢書》本、影宋紹興本，通行本有《十三經注疏》本、《四庫》本等。

《春秋穀梁傳》四卷。殘缺，張、程、孫、劉四家集解。

張、程、孫、劉四家：從本志著録可以推測，張爲張靖，程爲程闡，劉爲劉兆，然孫則難以推測。此書兩《唐志》無載，亡佚。

糜信《理何氏漢議》二卷。魏人撰。

《舊唐志》著録《何氏春秋漢議》十一卷，何休撰，鄭玄駁，糜信注。《新唐志》著録此書爲十卷，亦稱糜信注。本志有何休《春秋漢議》十三卷和鄭玄《駁何氏漢議》二卷。疑此書爲魏人所編糜注别本。兩《唐志》無載，亡佚。

《春秋穀梁傳義》十卷。徐邈撰。

《舊唐志》著録此書爲十一卷，《新唐志》著録十卷，《宋志》無載，亡佚。

《春秋議》十卷。何休撰。

《日本國見在書目録》載，《春秋漢議》十卷，何休撰。本志前已著録何休《春秋漢議》十三卷，疑此十卷本爲其别本。兩《唐志》無載，亡佚。

徐邈《答春秋穀梁義》三卷。

《舊唐志》有《穀梁傳義》三卷，蕭邕注。《新唐志》有蕭邕《問傳義》三卷。疑即此書，蕭邕問，徐邈答。兩《唐志》無載，亡佚。蕭邕：不詳何人。

薄叔玄《問穀梁義》二卷。梁四卷。

馬國翰以爲此書當署范甯撰，薄叔玄對范甯《穀梁傳集解》有所駁問，范甯隨問逐條答之。兩《唐志》無載，亡佚。清王謨、馬國翰有輯本。

《春秋穀梁傳例》一卷。范寧撰。

范寧：疑即范甯，在《穀梁傳集解序》中提及商略名例，楊士勛《疏》曰，"商略名例者，即范氏别爲略例百餘條是也"。此書兩《唐志》無載，亡佚。清王謨有輯本。

《春秋公羊穀梁傳》十二卷。晉博士劉兆撰。

劉兆（生卒年不詳）：字延世，濟南東平（今山東東平）人。博學洽聞，從受業者數千人。五辟公府，三徵博士，皆不就。作《春秋調人》七萬餘言，皆論其收尾，使大義無乖，時有不合，舉其長短以通之。又爲《春秋左氏》解，名曰《全綜》，《公羊》、《穀梁》解詁皆納經傳中，朱書以别之。卒年六十六。《晉書》卷九一有傳。《舊唐志》著録劉兆《春秋公羊穀梁左氏集解》十一卷，《新唐志》著録劉兆《三家集解》十一卷，《宋志》無載，亡佚。清王謨、馬國翰有輯本。

《春秋穀梁廢疾》三卷。何休撰，鄭玄釋，張靖箋。

《舊唐志》著録此書何休作，鄭玄釋，張靖箴；《新唐志》著録此書何休作《穀梁廢疾》，鄭玄釋，張靖箋。《宋志》無載，亡佚。

《春秋公羊穀梁二傳評》三卷。

不署撰者。兩《唐志》著録此書爲江熙撰。《宋志》無載，亡佚。

《春秋三家經本訓詁》十二卷。賈逵撰。宋有《三家經》二卷，亡。

三家經當指《漢志》所著録之《春秋古經》十二篇，《經》十一卷。前者爲古文經，後者爲今文經，分公羊、穀梁二家。兩《唐志》著録此書，《宋志》無載，亡佚。宋有《三家經》：姚振宗認爲當是沿襲王儉《七志》而言。

《春秋三傳論》十卷。魏大長秋韓益撰。

韓益（生卒年不詳）：或作韓蓋，建安末年博士。見《全三國文》卷三六。此書兩《唐志》皆有著録，《宋志》無載，亡佚。

《春秋經合三傳》十卷。潘叔度撰。

《北齊書》卷四四述及河北諸儒能通《春秋》者，"又有衛覬、陳達、潘叔度，雖不傳徐氏之門，亦爲通解"。兩《唐志》著録此書爲《春秋合三傳通論》十卷，潘叔度注。《宋志》無載，亡佚。

《春秋成奪》十卷。潘叔度撰。

此書兩《唐志》皆有著録，作《春秋成集》十卷，《宋志》無載，亡佚。

《春秋三傳評》十卷。胡訥撰。梁有《春秋集三師難》三卷、《春秋集三傳經解》十卷，胡訥撰。今亡。

兩《唐志》只著録《春秋三傳評》十一卷、《春秋三傳經解》十卷，《春秋集三師難》無載。此三書《宋志》皆無載，亡佚。

《春秋土地名》三卷。晉裴秀客京相璠等撰。

《水經注》卷十六《穀水》注，提及京相璠與裴司空季彦修《晉輿地圖》、作《春秋土地名》。京相璠：生平事迹不詳。《舊唐志》著録《春秋土地名》三卷，不署撰者。《新唐志》著録京相璠《春秋土地名》三卷。《宋志》無載，亡佚。清王謨、洪頤炫、馬國翰、黄奭有輯本。

《春秋外傳國語》二十卷。賈逵注。

《漢志·六藝略》著録《國語》二十一篇，左丘明著。《漢書》卷六二《司馬遷傳贊》“及孔子因魯史記而作《春秋》，而左丘明論輯其本事以爲之傳，又纂異同爲《國語》”。《史通·六家》稱左丘明“又稽其逸文纂其别説，分周、魯、齊、晉、鄭、楚、吴、越八國事，起自周穆王，終於魯悼公，别爲《春秋外傳國語》，合爲二十一篇”。此書内分《周語》二卷、《魯語》二卷、《齊語》一卷、《晉語》九卷，《鄭語》、《楚語》、《吴語》各一卷，《越語》二卷。晉太康二年（281）于汲郡魏襄王墓出土《國語》三篇，記楚、晉事。《國語》今存，多有韋昭注，單行本很少，現存最早的本子爲明刻本。《後漢書》卷三六載，賈逵尤明《左氏傳》、《國語》，爲之《解詁》五十一篇。兩《唐志》著録左丘明《春秋外傳國語》二十卷，未著録賈逵注《國語》，從其著録諸家注《國語》以及所載卷數，可以認爲兩《唐志》所録即賈逵所注《國語》，而漏載注者。此書《宋志》無載，亡佚。清王謨、馬國翰、黄奭、蔣曰豫、王仁俊有輯本。

《春秋外傳國語》二十一卷。虞翻注。

《三國志》卷五七載，虞翻又爲《老子》、《國語訓注》，皆傳於世。此書兩《唐志》皆有著録，《宋志》無載，亡佚。清馬國翰、黄奭、王仁俊有輯本。

《春秋外傳章句》一卷。王肅撰。梁二十二卷。

此著録一卷，非全本。兩《唐志》皆著録王肅《春秋外傳國語章句》二十二卷。《宋志》無載，亡佚。清黄奭有輯本。

《春秋外傳國語》二十二卷。韋昭注。

韋昭《國語注序》言及其作注："因賈君之精實，采虞、唐之信善，亦以所覺增潤補綴。參之以五經，檢之以《内傳》；以《世本》考其流，以《爾雅》齊其訓。去非要存事實，凡所發正三百七事。"宋宋庠《國語補音序》稱："先儒自鄭衆、賈逵、王肅、虞翻、唐固、韋昭之徒，並治其章句，申之以注釋，今惟韋氏所解傳於世。韋氏以鄭、賈、虞、唐爲主而增損之，故其注備而有體，可謂一家之名學。"《四庫全書總目》卷五一據黄震《黄氏日鈔》稱韋注簡潔，而先儒舊訓亦往往散見其中。兩《唐志》、《宋志》皆著録此書爲二十一卷，今存。現存最早的本子爲宋刻元明遞修本，通行本爲《四庫》本、《四部叢刊》本等。

《春秋外傳國語》二十卷。晉五經博士孔晁注。

《舊唐志》著録《春秋外傳國語》又二十一卷，不署撰者；《新唐志》著録孔晁《國語解》二十一卷。《宋志》無載，亡佚。清馬國翰、黄奭有輯本。

《春秋外傳國語》二十一卷。唐固注。梁有《春秋古今盟會地圖》一卷，亡。

兩《唐志》皆著録此書，《宋志》無載，亡佚。清王謨、馬國翰、黄奭有輯本。《春秋古今盟會地圖》：前《春秋序義疏》條下著録嚴彭祖撰《古今春秋盟會地圖》，此《春秋古今盟會地圖》不載撰者，丁國鈞《補晉書藝文志》以爲此書爲杜預所作。

右九十七部，九百八十三卷。通計亡書，合一百三十部，一千一百九十二卷。

九十七部：實爲一百零四部。一百三十部：實爲一百四十部。

《春秋》者，魯史策書之名[1]。昔成周微弱，典章淪廢，魯以周公之故，遺制尚存。仲尼因其舊史，裁而正之[2]。或婉而成章[3]，以存大順[4]；或直書其事，以示首惡。故有求名而亡[5]，欲蓋而彰，亂臣賊子，於是大懼。其所褒貶，不可具書，皆口授弟子，弟子退而異説。左丘明恐失其真，乃爲之傳。遭秦滅學，口説尚存。漢初，有公羊、穀梁、鄒氏、夾氏[6]，四家並行。王莽之亂，鄒氏無師，夾氏亡。初齊人胡母子都[7]，傳《公羊春秋》，授東海嬴公[8]。嬴公授東海孟卿[9]，孟卿授魯人眭孟[10]，眭孟授東海嚴彭祖、魯人顔安樂[11]。故後漢《公羊》有嚴氏、顔氏之學，與穀梁三家並立。漢末，何休又作《公羊解説》[12]。而《左氏》，漢初出於張蒼之家[13]，本無傳者[14]。至文帝時[15]，梁太傅賈誼爲訓詁[16]，授趙人貫公[17]。其後劉歆典校經籍[18]，考而正之，欲立於學，諸儒莫應。至建武中[19]，尚書令韓歆請立而未行[20]。時陳元最明《左傳》[21]，又上書訟之。於是乃以魏郡李封爲《左氏》博士[22]。後群儒蔽固者[23]，數廷争之。及封卒，遂罷。然諸儒傳《左氏》者甚衆。永平中[24]，能爲《左氏》者，擢高第爲講郎[25]。其後賈逵、服虔並爲訓解。至魏，遂行於世。晉時，杜預又爲《經傳集解》。《穀梁》范甯注，《公羊》何休注，《左氏》服虔、杜預注，俱立國學。然《公羊》、《穀梁》，但試讀文[26]，而不能通其義。後學三傳通講，而《左氏》唯傳服義。至隋，杜氏盛行，服義及《公羊》《穀梁》浸微，今殆無師説。

[1] 策書：古代記録史事的簡策。

[2] 裁而正之：裁斷而訂正。

[3] 婉而成章：出自《左傳・成公十四年》，其注曰“婉，曲也。謂屈曲其辭有所辟諱，以示大順而成篇章”。

[4] 大順：謂順乎倫常天道。參見《禮記・禮運》。

[5] 求名而亡：《左傳・昭公三十一年》有“或求名而不得，或欲蓋而名章，懲不義也”。謂想追求美名却得不到。

[6] 鄒氏：生平事迹不詳。《漢志》著録《鄒氏傳》十一卷。《漢書》卷七二載，王吉能治《騶氏春秋》。夾氏：生平事迹不詳。《漢志》著録《夾氏傳》十一卷，並注“有録無書”。即西京祕府無其書。

[7] 胡母子都（生卒年不詳）：即胡母生，齊（今山東境内）人。治《公羊春秋》，爲漢景帝博士。年老歸齊，齊言《春秋》者宗事之。《漢書》卷八八有傳。

[8] 東海嬴公（生卒年不詳）：東海（今山東郯城周邊）人。《漢書》卷八八、《經典釋文叙録》皆作東平（今山東東平周邊）。嬴公從胡母生受業，受學不失師法。授孟卿、眭孟。爲昭帝諫大夫。見《漢書》卷八八。

[9] 東海孟卿（生卒年不詳）：從嬴公學，善爲《禮》、《春秋》，授后蒼、疏廣。世所傳《后氏禮》、《疏氏春秋》，皆出孟卿。見《漢書》卷八八《孟喜傳》。

[10] 眭孟（？—前78）：名弘，孟爲字，魯國蕃（今山東滕州）人。從嬴公受《春秋》，以明經爲議郎，至符節令。後因説災異，被誅。《漢書》卷七五有傳。

[11] 顔安樂（生卒年不詳）：字公孫，魯國薛（今山東棗莊）人。家貧，爲學精力，官至齊郡太守丞，後爲仇家所殺。授泠豐、任公，由是顔家有泠、任之學。《漢書》卷八八有傳。

[12]《公羊解説》：即《公羊解詁》十一卷。

[13] 張蒼（前256—前152）：陽武（今河南原陽）人。好書律曆，秦時爲御史，主柱下方書。後隨漢王劉邦征戰，封北平侯。

蕭何爲相國，令其以列侯居相府，領主郡國上計者。高祖十四年爲御史大夫。《史記》卷九六、《漢書》卷四二有傳。

[14] 本無傳者：《經典釋文叙録》載，左丘明作《左傳》傳曾申，曾申傳衛人吴起，吴起傳子吴期，吴期傳楚人鐸椒，鐸椒傳趙人虞卿，虞卿傳荀况，荀况傳張蒼。

[15] 文帝（前 202—前 157）：劉恒，漢高祖子。在位二十三年，其間主張清静無爲，與民休息，經濟得到恢復發展，政治穩定。《史記》卷一〇、《漢書》卷四有傳。

[16] 賈誼（前 200—前 168）：洛陽（今河南洛陽）人。因年少即通諸家書，文帝召以爲博士，又遷太中大夫。上書言當改正朔、易服色、定官名、興禮樂，爲諸臣所忌，出爲梁懷王太傅。梁王墜馬身亡，一年餘，賈誼抑鬱而死，時年三十三。有《新書》傳世。《史記》卷八四、《漢書》四八有傳。

[17] 貫公：趙（今河北境内）人，河間獻王博士，從賈誼受《左傳》。而《經典釋文叙録》則謂其從賈誼孫賈嘉習《左傳》。

[18] 劉歆（？—23）：字子駿，劉向少子。通《詩》、《書》，能屬文。成帝河平中，受詔與父劉向領校祕書。哀帝即位，爲侍中太中大夫，遷騎都尉、奉車光禄大夫，復領五經，卒父前業。集六藝群書，種別爲《七略》。王莽持政，遷中壘校尉、羲和、京兆尹，封紅休侯。建平元年（前 6）改名秀，字穎叔。及王莽篡位，劉歆爲國師。地皇四年（23），與王涉、董忠欲劫王莽降漢，事泄，自殺。《漢書》卷三六有傳，參見《漢書》卷九九。本志經、史、子部著録劉歆四部著述。

[19] 建武：東漢光武帝劉秀的年號，公元 25—56 年。

[20] 韓歆（？—39）：字翁君，南陽（今河南、湖北部分地區）人。因從帝攻伐有功，封扶陽侯，官尚書令、大司徒。建武十五年（39）免官，自殺。見《後漢書》卷二六《侯霸傳》附。

[21] 陳元（生卒年不詳）：字長孫，蒼梧廣信（今廣東封開）

人。從父習《左傳》。建武中，上書言立《左傳》於國學。帝卒，立《左傳》學，太常選博士四人，陳元第一，因多忿争，故選其次者李封。《後漢書》卷三六有傳。

[22] 李封（生卒年不詳）：魏郡（今河南安陽、河北邯鄲一帶）人，任司隸從事。《左傳》立於學，以名列第二入選，爲《左傳》博士。

[23] 蔽固：迂拙固執。

[24] 永平：東漢明帝劉莊的年號，公元 58—75 年。

[25] 講郎：講授經籍的官員。

[26] 但試讀文：只是考校、閱讀其文。

孝　經

《古文孝經》一卷。孔安國傳。梁末亡逸，今疑非古本。

《孝經》是孔子爲弟子曾參説孝道，因明天子庶人五等之孝，事親之法。見《經典釋文叙録》。對於《孝經》的作者有多種説法：班固以爲孔子；《史記・仲尼弟子列傳》以爲曾子；《郡齋讀書志》卷三以爲孔子弟子；王應麟因馮椅説，以爲子思；毛奇齡《孝經問》以爲七十子之徒；朱熹《孝經刊誤後序》引王應辰語，以爲後人附會而成；姚際恒《古今僞書考》以爲漢儒僞作。其間作者爲七十子之徒較接近事實。此書出於孔氏壁中，《漢志》著録《孝經古孔氏》一篇。二十二章。顔師古注曰："劉向云古文字也。《庶人章》分爲二也，《曾子敢問章》爲三，又多一章，凡二十二章。"《經典釋文叙録》稱《古文孝經》"别有《閨門》一章"。古、今文《孝經》内容基本相同。《經典釋文叙録》與本志明確記述孔安國爲《古文孝經》作傳，本志叙又言，孔安國傳亡於梁亂，隋祕書監王劭訪得《孔傳》，送給劉炫，而劉炫所傳《孔傳》，被指是其自作，非孔原本。《舊唐志》著録《古文孝經》一卷。孔子説，曾子受，孔安國傳。《新唐志》著録《古文孝經》孔安國傳一卷。宋《崇文總目》著録《古文孝經》一卷，並稱"今孔注不存"。《直齋書録解題》、《宋志》亦著録《古文孝經》，然未提孔傳。《四庫全書總目》卷三二著録《古文孝經孔氏傳》一卷，附宋本《古文孝經》一卷。舊題漢孔安國傳，日本信陽太宰純音。四庫館臣從其傳淺陋冗漫，不類漢儒釋經之體，並不類唐宋元以前人語，認爲是作者搜諸書所引孔傳，影附爲之。阮元《孝經注疏校勘記序》曰："孔注今不傳，今出於日本國者，誕妄不可據。"

《孝經》一卷。鄭氏注。梁有馬融、鄭衆注《孝經》二卷，亡。

《日本國見在書目録》、兩《唐志》著録此書爲《孝經》一卷，鄭玄注。然先儒多疑此注非鄭玄所作。《經典釋文叙録》曰："鄭注相承爲鄭玄，案《鄭志》及《中經簿》無，唯中朝穆帝集解《孝經》云，以鄭玄爲主。檢《孝經注》與康成注五經不同，未詳是非。"唐劉知幾舉出十二條，以證《孝經》非鄭玄注。見《唐會要》卷七七。然嚴可均却認爲鄭氏即指鄭玄。見《鐵橋漫稿·孝經鄭氏注叙》。姚振宗亦同意其看法。《崇文總目》言此書亡於五代，咸平中，日本僧以此書來獻，藏於祕府。《直齋書録解題》亦言此書亡，乾道中，熊克從袁樞處得之，刻於京口。《四庫全書總目》卷三二言，唐開元七年（719），詔令群儒質定今、古文《孝經》。劉知幾主《古文孝經》，司馬貞主《今文孝經》。殆時閲三年，乃有御注太學刻石。御注既行，孔、鄭兩家遂併廢。此書今亡。清王謨、袁鈞、孔廣林、陳鱣、嚴可均，日本岡田挺之有輯本，皆稱鄭玄注。今傳《孝經正義》乃唐玄宗御注，宋邢昺疏。御注《孝經》，現存最早的本子是元相臺岳氏荆谿家塾刻本；《孝經注疏》九卷，現存最早的本子爲元泰定三年（1325）刻本。通行本爲《十三經注疏》本。《經典釋文叙録》載後漢馬融亦作《古文孝經傳》，而世不傳。兩《唐志》無載，亡佚。清王仁俊有輯本。《經典釋文叙録》載鄭衆注《孝經》，兩《唐志》無載，亡佚。

《孝經》一卷。王肅解。梁有魏散騎常侍蘇林、吏部尚書何晏、光禄大夫劉邵、孫氏等注《孝經》各一卷，亡。

此書兩《唐志》有著録，《宋志》無載，亡佚。清馬國翰有輯本。蘇林（生卒年不詳）：字孝友，陳留外黄（今河南民權西北）人。博學，多通古今字指。建安中爲五官將文學。魏黄初中，爲博士給事中，封安成亭侯。年八十餘卒。見《三國志》卷二一注引《魏略》、顏師古《漢書叙例》。本志史部尚有一部蘇林著述。此書兩《唐志》皆有著録，《宋志》無載，亡佚。《經典釋文叙録》載何晏注《孝經》，兩《唐志》無著録，亡佚。劉邵（生卒年不詳）：又作劉劭，字孔才，廣平邯鄲（今河北邯鄲）人。建安中爲計吏，黄初中爲尚書郎、散騎侍郎，後爲陳留太守，賜爵關内侯。卒，追贈光禄勳。曾參與編《皇覽》，著《律格論》、《樂論》、《法論》、《人物志》等。《三國志》卷二一有傳。本志史、子部尚有劉邵二部著述。兩《唐志》著録《古文孝經》一卷，劉邵注。《宋志》無載，亡佚。孫氏：此處與《經典釋文叙録》皆缺名，而兩《唐志》著録《孝經》一卷，孫熙注。《宋志》無載，亡佚。孫熙：生平事迹不詳。

《孝經解贊》一卷。韋昭解。

《經典釋文叙録》載韋昭注《孝經》，兩《唐志》著録《孝經》一卷，韋昭注，未載《孝經解贊》，此書亡佚。清馬國翰有輯本。

《孝經默注》一卷。徐整注。

此書兩《唐志》皆有著録，《宋志》無載，亡佚。

《集解孝經》一卷。謝萬集。

《日本國見在書目録》載，《孝經》一卷，謝萬集解。兩《唐志》著録《孝經》一卷，謝萬注。《宋志》無載，亡佚。清馬國翰有輯本。

《集議孝經》一卷。宋中書郎荀昶撰。

“宋”原作“晉”，據《宋書》卷六〇改。“撰”下原有“亡”字，按本志著録原則，當爲衍字，刪。荀昶（生卒年不詳）：昶（chǎng），字茂祖，潁川潁陰（今河南許昌）人。元嘉初，以文義至中書郎，見《宋書》卷六〇。本志經、子部尚有荀昶二部著述。《經典釋文敘録》載宋中書郎荀昶注《孝經》，《日本國見在書目録》著録《孝經集議》二卷，荀茂祖撰。兩《唐志》著録《講孝經集解》一卷，荀勖撰。“勖”乃“昶”之誤。《宋志》無載，亡佚。

《集議孝經》一卷。晉東陽太守袁彦伯集。梁有《孝經皇義》一卷，宋均撰；又有晉給事中楊泓、處士虞槃佐、孫氏、東陽太守殷仲文、晉陵太守殷叔道、丹陽尹車胤、孔光各注《孝經》一卷；荀昶注《孝經》二卷；宋何承天、費沈，齊光禄大夫王玄載、國子博士明僧紹，梁五經博士嚴植之、尚書功論郎曹思文、羽林監江係之、江遜等注《孝經》各一卷；釋慧始注《孝經》一卷；陶弘景《集注孝經》一卷；諸葛循《孝經序》一卷。亡。

袁彦伯（328—376）：原作袁敬仲，《經典釋文敘録》載袁宏字彦伯，陳郡（今河南淮陽周邊）人，東晉東陽太守，注《孝經》。此記載與《晉書》卷九二《袁宏傳》相符，據改。袁宏有逸才，文章絶美。自吏部郎出爲東陽郡，太元初卒，時年四十九。撰《後漢書》及《竹林名士傳》。本志史部尚有袁宏二部著述。此書兩《唐志》無載，亡佚。宋均：下著録稱其爲魏博士，應爲曹魏時人，《唐會要》卷七七言乃鄭玄弟子。本志經部尚有宋均八部著述。此書已亡。楊泓：《經典釋文敘録》載其注《孝經》，天水（今甘肅天水）人，其他事迹不詳。其書兩《唐志》無載，亡佚。虞盤佐（生卒年不詳）：《經典釋文敘録》載，虞槃佐字弘猶，高平（今山東鄒城西南）人，東晉處士，注《孝經》。兩《唐志》著録虞盤佐注《孝經》一卷，《宋志》無載，亡佚。孫氏：不詳何人，若即前所著録之孫氏，此書當屬重複著録。殷仲文（？—407）：陳郡人，少有才藻。桓玄篡位，以姻親投其麾下。後投義軍，爲鎮軍長史，轉尚書又任東陽太守。義熙三年（407）被指謀反，伏誅。《晉書》卷九九有傳。本志子部尚有殷仲文一部著述。《經典釋文叙録》、兩《唐志》皆著録此書，《宋志》無載，亡佚。清馬國翰有輯本。殷叔道：生平事迹不詳。《晉書》卷一〇載："誅東陽太守殷仲文、南蠻校尉殷叔文、晉陵太守殷道叔、永嘉太守駱球。"疑殷道叔即殷叔道。兩《唐志》著録殷叔道注《孝經》一卷，《宋志》無載，亡佚。車胤（333？—401）：字武子，南平郡江安縣（今湖北荆州）人。恭勤不倦，博學多通。寧康中，爲中書侍郎、關内侯。孝武帝講《孝經》，車胤和王混摘句，時論榮之。累遷侍中、國子博士、太常，進爵臨湘侯。隆安中，加輔國將軍、丹陽尹，又遷吏部尚書。《晉書》卷八三有傳。此書《經典釋文叙録》有載，兩《唐志》無著録，亡佚。孔光：《經典釋文叙録》載其字文泰，東莞（今山東沂水北）人，注《孝經》。兩《唐志》著録孔光注《孝經》一卷，《宋志》無載，亡佚。荀昶注《孝經》二卷：此二卷應包括前著録的《集議孝經》一卷。何承天注《孝經》：《宋書》卷六四載，元嘉十九年（442），皇太子講《孝經》，何承天與顔延之同爲執經。《經典釋文叙録》載何承天注《孝經》，兩《唐志》無載，亡佚。王玄載（413—488）：字彦休，下邳（今江蘇邳州）人。仕宋，至益州刺史、後軍將軍，封鄂縣子。入齊，爲左民尚書、光禄大夫、兖州刺史。永明六年（488）卒，謚烈子。《南齊書》卷二七、《南史》卷一六有傳。本志子部尚有其一部著述。《經典釋文叙録》載王玄載注《孝經》，兩《唐志》無載，亡佚。明僧紹（？—483）：字承烈，平原鬲（今山東平原西北）人。明經有儒術。宋昇明中，蕭道成辟其爲記室參軍，不至。永明元年（483），齊武帝敕召，稱疾不見。詔徵國子博士，不就。《南齊書》卷五四、《南史》五〇有傳。《經典釋文叙録》載其注《孝經》，兩《唐志》無載，亡佚。嚴植之（457—508）：字孝源，建平秭歸（今湖北秭歸）人。少善《莊》、《老》，能玄言，精解《喪服》、《孝經》、《論語》。及長，又治《周易》、《左氏傳》等。仕齊，爲廣漢王國右常侍。入梁，爲五經博士，開館教授。後遷撫軍記室參軍，猶兼博士。天監七年（508）卒。《南齊書》卷四八、《南史》卷七一有傳。本志史部尚有其一部著述。兩《唐志》無載，亡佚。清馬國翰有輯本。曹思文：齊永泰時領國子助教，梁時爲尚書論功郎。見《全梁文》卷五四。所注《孝經》亡。江係之：生平事迹不詳。所注《孝經》亡。江遜：生平事迹不詳。姚振宗稱《梁書》卷四九《何遜傳》載濟陽江避博學有思理，更注《論語》、《孝經》。疑江遜爲江避之訛。其書亡。釋慧始：生平事迹不詳。其書亡。《集注孝經》：《南史》卷七六載陶弘景著有《孝經》、《論語》集注。此書亡。諸葛循：生平事迹不詳。所注《孝經》亡。

《孝經》一卷。釋慧琳注。梁有晉穆帝時《晉孝經》一卷，武帝時送總明館《孝經講》、《議》各一卷，宋大明中《東宫講》，齊永明三年《東宫講》，齊永明中《諸王講》及《賀瑒講》、議《孝經義疏》各一卷，齊臨沂令李玉之爲始興王講《孝經義疏》二卷。亡。

釋慧琳（生卒年不詳）：秦郡秦縣（今江蘇南京）人，姓劉氏。少出家，兼外内之學。元嘉中，遂參權要，朝廷大事皆與議焉。注《孝經》及《莊子・逍遥篇》等，傳於世。《宋書》卷九七有傳。《經典釋文叙録》載慧琳注《孝經》，兩《唐志》無載，亡佚。晉穆帝（343—361）：名聃，字彭子，康帝子。《晉書》卷八載，穆帝於永和十二年（356）二月、昇平元年（357）三月講《孝經》。《經典釋文叙録》亦載，穆帝集解《孝經》以鄭玄爲主。晉孝武帝（362—396）：名曜，字昌明，簡文帝子。《晉書》卷九、

《世説新語·言語》記載武帝寧康三年（373）九月講《孝經》。總明館設置於宋明帝泰始六年（470）至齊武帝永明三年（485），此書是送到總明館的晉孝武帝《孝經講》、《議》。兩《唐志》無載，亡佚。東宫：此指宋前廢帝劉子業（449—465），孝武帝長子。大明二年（458），出居東宫。四年（460），講《孝經》於崇正殿。此書當爲其所用之書。《宋書》卷七、《南史》卷二、《魏書》卷九七有傳。《舊唐志》著録《大明中皇太子講孝經義疏》一卷，何約之執經。《新唐志》著録何約之《大明中皇太子講孝經義疏》一卷。《宋志》無載，亡佚。東宫：此指齊文惠太子蕭長懋（458—493），字雲喬，齊武帝長子。永明三年（485），於崇正殿講《孝經》，少傅王儉摘句，令太子僕射周顒撰爲《義疏》，即爲此書。《南齊書》卷二一、《南史》卷四四有傳。其書亡佚。《諸王講》：諸王講不知何王所講，兩《唐志》無載，亡佚。清馬國翰有輯本。《賀瑒講》、議《孝經義疏》：兩《唐志》無載，亡佚。李玉之：追贈給事中。其他事迹不詳。見《南齊書》卷五一。其書兩《唐志》無載，亡佚。始興王（471—491）：即始興簡王蕭鑑，字宣徹，太祖第十子。好學屬文。《南齊書》卷三五、《南史》卷四三有傳。

《孝經義疏》十八卷。梁武帝撰。梁有皇太子講《孝經義》三卷，天監八年皇太子講《孝經義》一卷，梁簡文《孝經義疏》五卷，蕭子顯《孝經義疏》一卷，亡。

《梁書》卷三八載："其年帝自講《孝經》，使（朱）异執讀。"《梁書》卷三載，蕭子顯上表置制旨《孝經》助教一人、生十人，專通高祖所釋《孝經義》。兩《唐志》著録梁武帝撰《孝經疏》十八卷，《宋志》無載，亡佚。清馬國翰有輯本。皇太子：指昭明太子蕭統（501—531），字德施，高祖長子。《梁書》卷八、《南史》卷五三有傳。本傳載三歲受《孝經》，《孝經義》三卷當保傅所進講章。又載天監八年（509）於壽安殿講《孝經》，盡通大義。《孝經義》一卷，爲其所講大義。《孝經義疏》五卷：《梁書》卷四、《南史》卷八皆未載簡文帝有此書，《陳書》卷三三有“簡文在東宫，出士林館發《孝經》題”。説明簡文帝對《孝經》很重視。蕭子顯（489—537）：字景陽，蘭陵（江蘇常州）人。好學工屬文。累遷太子中舍人、建康令。中大通三年（529）領國子博士，五年（531）選吏部尚書。大同三年（537），出爲仁威將軍、吴興太守，卒，年四十九。帝手詔曰“恃才傲物，宜諡曰驕”。著有《後漢書》、《齊書》、《普通北伐記》等。《梁書》卷三五、《南史》卷四二有傳。本志史部尚有其著述二部。此書兩《唐志》無載，亡佚。

《孝經敬愛義》一卷。梁吏部尚書蕭子顯撰。

兩《唐志》無載，亡佚。

《孝經私記》四卷。無名先生撰。

無名先生：不知何許人，生平無考。此書兩《唐志》無載，亡佚。

《孝經義》一卷。

不署撰者。兩《唐志》無載，亡佚。

《孝經義疏》一卷。趙景韶撰。

趙景韶：生平事迹不詳。此書兩《唐志》無載，亡佚。

《孝經義疏》三卷。皇侃撰。

《南史》卷七一載，皇侃尤明三《禮》、《孝經》、《論語》。《經典釋文叙録》載皇侃撰《孝經義疏》，兩《唐志》著録皇侃撰《孝經義疏》三卷，《宋志》無載，亡佚。清馬國翰有輯本。

《孝經私記》二卷。周弘正撰。

《陳書》卷二四載，周弘正侍東宫，講《孝經》、《論語》，著有《孝經疏》兩卷，行於世。《日本國見在書目録》有《孝經私記》二卷，周弘正撰。兩《唐志》無載，亡佚。

《古文孝經述義》五卷。劉炫撰。

《北史》卷八二載，劉炫著《孝經述義》五卷。《日本國見在書目録》有《孝經述義》五卷，劉炫撰，又有《孝經去惑》一卷。兩《唐志》著録劉炫《孝經述義》五卷，《宋志》無載，亡佚。清王謨、馬國翰有輯本。

《孝經講疏》六卷。徐孝克撰。

徐孝克（527—599）：東海郯（今山東郯城）人。遍通五經，博覽史籍。梁時起家太學博士，陳時除國子博士，遷通直散騎常侍，兼國子祭酒，至侍中。皇太子入學釋奠，孝克發《孝經》題。入隋，授國子博士，侍東宫講《禮傳》，開皇十九年（599）卒。《陳書》卷二六、《南史》卷六二有傳。本志經部尚有徐孝克一部著述。此書兩《唐志》無載，亡佚。

《孝經義》一卷。梁揚州文學從事太史叔明撰。梁有《孝經玄》、《孝經圖》各一卷，《孝經孔子圖》二卷，亡。

太史叔明（474—546）：吴興烏程（今浙江湖州）人。善《老》、《莊》，兼治《孝經》、《禮記》。隨邵陵王蕭綸鎮江州，所至輒講授，江外人士皆傳其學。大同十三年（546）卒。《梁書》卷四八、《南史》卷七一有傳。本志經部尚有其一部著述。兩《唐志》著録《孝經發題》四卷，太史叔明撰，《宋志》無載，亡佚。《孝經玄》：不署撰者。此書似以玄義解《孝經》，《日本國見在書目録》著録此書，兩《唐志》無載，亡佚。《孝經圖》：不署撰者。

兩《唐志》有《孝經瑞應圖》，不知是否即此書。《宋志》無載，亡佚。《孝經孔子圖》：不署撰者。本志"讖緯類"著録《孝經内事星宿講堂七十二子圖》一卷、《口授圖》一卷，不知是否與此書有關。

《國語孝經》一卷。

此書應是侯伏侯可悉陵譯成鮮卑語的《孝經》，兩《唐志》無載，亡佚。

右十八部，合六十三卷。通計亡書，合五十九部，一百一十四卷。

十八部：實際有二〇部。五十九部：實際有六十二部。

夫孝者，天之經，地之義，人之行。自天子達於庶人，雖尊卑有差，及乎行孝，其義一也。先王因之以治國家，化天下，故能不嚴而順，不肅而成。斯實生靈之至德，王者之要道。孔子既敘六經，題目不同，指意差别，恐斯道離散，故作《孝經》，以總會之，明其枝流雖分，本萌於孝者也。遭秦焚書，爲河間人顔芝所藏[1]。漢初，芝子貞出之，凡十八章，而長孫氏[2]、博士江翁[3]、少府后蒼、諫議大夫翼奉[4]、安昌侯張禹[5]，皆名其學。又有《古文孝經》，與《古文尚書》同出，而長孫有《閨門》一章[6]，其餘經文，大較相似，篇簡缺解，又有衍出三章，并前合爲二十二章，孔安國爲之傳。至劉向典校經籍，以顔本比古文，除其繁惑，以十八章爲定[7]。鄭衆、馬融，並爲之注[8]。又有鄭氏注，相傳或云鄭玄，其立義與玄所注餘書不同，故疑之。梁代，安國及鄭氏二家，並立國學，而安國之本，亡於梁亂。陳及周、齊，唯傳鄭氏。至隋，祕書監王劭於京師訪得《孔傳》[9]，送至河間劉炫。炫因序其得喪，述其議疏，講于人間，漸聞朝廷，後遂著令[10]，與鄭氏並立。儒者諠諠[11]，皆云炫自作之，非孔舊本，而祕府又先無其書。又云魏氏遷洛，未達華語，孝文帝命侯伏侯可悉陵[12]，以夷言譯《孝經》之旨，教于國人，謂之《國語孝經》。今取以附此篇之末。

[1] 顔芝：河間（今河北河間）人，生平事迹不詳。

[2] 長孫氏：缺名，生平事迹不詳。漢代傳《孝經》之人，《漢志》著録《長孫氏説》二篇。

[3] 江翁：缺名，瑕丘江公之孫，或稱江公、江氏。《漢書》卷八八載“江公著《孝經説》”。《漢志》著録《江氏説》一篇。

[4] 翼奉（生卒年不詳）：字少君，東海下邳（今江蘇邳州東）人。治《齊詩》，明經術，惇學不仕，好律曆陰陽之占。漢元帝即位，徵待詔宦者署，後爲中郎，又爲博士、諫議大夫，年老以壽終。《漢書》卷七五有傳。《漢志》著録其《翼氏説》一篇。

[5] 張禹（？—前5）：字子文，河内軹（今河南濟源東南）人。及長，至長安學，從施讎受《易》，從王陽、庸生問《論語》，既皆明習，舉爲郡文學。初元中，授太子《論語》。成帝即位，拜爲諸吏光禄大夫、給事中、領尚書事。河平四年（前25），爲丞相，封安昌侯。建平二年（前5）卒，謚曰節侯。其所傳《論語》盛行，謂之《張侯論》。《漢志》著録《安昌侯説》一篇。《漢書》卷八一有傳。

[6] 長孫有《閨門》一章：這一段介紹《古文孝經》二十二章與顔貞所獻《今文孝經》十八章相較，多出四章，就是“衍出三章”和《閨門》一章。《經典釋文叙録》曰“又有古文出於孔氏壁中，别有《閨門》一章”。故此稱長孫有《閨門》一章，誤。

[7] 以十八章爲定：劉向用顔貞本比對《古文孝經》二十二章，除去多而不解者，亦定爲十八章。

[8] 並爲之注：前著録梁有馬融、鄭衆注《孝經》二卷，亡。《經典釋文叙録》載，後漢馬融亦作《古文孝經傳》，而世不傳。

[9] 王劭（生卒年不詳）：字君懋，太原晉陽（今山西太原）人。少沈默，好讀書。北魏時，累遷太子舍人、待詔文林館，又爲中書舍人。入隋，授著作佐郎。煬帝即位，遷祕書少監，數載卒官。其作《齊書》、《隋書》、《平賊記》，大爲有識者嗤鄙，而爲《讀書記》，時人服其精博。《隋書》卷六九、《北史》卷三五有傳。本志經、史部著録其著述四部。

[10] 著令：書面寫定的規章制度。

[11] 諠諠（xuān）：形容聲音大而混雜。

[12] 侯伏侯可悉陵：北魏時人，生平事迹不可考。前著録《國語孝經》以及本志“小學類”著録之《國語物名》、《國語雜物名》，皆爲其所作。

論　語

《論語》十卷。鄭玄注。梁有《古文論語》十卷，鄭玄注；又王肅、虞翻、譙周等注《論語》各十卷。亡。

《論語》是孔子應答弟子及時人所言，或弟子相與言而接聞於夫子之語也，由孔子弟子所録，與再傳弟子共同纂輯而成《論語》，時爲戰國初年。漢初，傳《論語》者有三家，魯人所傳《魯論》二十篇，即今所行篇次；齊人傳《齊論》二十二篇，多《問王》、《知道》二篇；《古論語》出自孔氏壁中，二十一篇，兩《子張》。成帝師張禹本授《魯論》，晚講《齊論》，後遂合而考之，删其煩惑，除《齊論》之《問王》、《知道》，從《魯論》二十篇定，號《張侯論》，當世尊之。此即今傳《論語》之祖本。漢爲《張侯論》作注者，先有包咸、周氏二家，後有鄭玄。何晏曰："漢末大司農鄭玄就《魯論》篇章考之《齊》、《古》，爲之注。"見《論語集解序》。王國維亦有考證："鄭氏所據本固爲自《魯論》出之《張侯論》，及以《古論》校之，則篇章雖仍《魯論》舊，而字句全從古文。"（《觀堂集林》卷四）魏有何晏等《論語集解》，南朝有皇侃《論語義疏》，唐賈公彦爲《論語》作疏。宋邢昺作《論語注疏》，即今《十三經注疏》中的《論語正義》，又有朱熹《論語集注》。清有劉寶楠《論語正義》，近代有程樹德《論語集釋》、楊樹達《論語疏證》、楊伯峻《論語譯注》。1973 年河北定縣出土漢簡《論語》，一些學者認爲這是早於《張侯論》的融合《魯論》、《齊論》的本子。兩《唐志》著録鄭玄注《論語》十卷,《宋志》無載，亡佚。清王謨、袁鈞、孔廣林、勞格、錢玫、宋翔鳳、馬國翰、黄奭、王仁俊、俞樾以及民國時龍璋，皆有輯本。王肅注《論語》：兩《唐志》有著録,《宋志》無載，亡佚。清馬國翰、民國龍璋有輯本。虞翻注《論語》：兩《唐志》無載，亡佚。譙周（201—270）：字允南，巴西西充國（今屬四川）人。崇古篤志於學。建興中，諸葛亮令其爲勸學從事。後主立太子，爲家令。後遷光禄大夫。魏攻蜀，譙周以爲當降，後主納之。魏封其爲陽城亭侯。入晉，屢徵不起。泰始六年（270）秋，爲散騎常侍，疾篤不拜，冬，卒。著有《法制》、《五經論》、《古史考》等。《三國志》卷四二有傳。本志經、史、子尚有譙周五部著述。其書兩《唐志》無載，亡佚。清馬國翰有輯本。

《論語》九卷。鄭玄注，晉散騎常侍虞喜贊。

此書兩《唐志》有載,《宋志》無載，亡佚。姚振宗疑此書即下著録之虞喜撰《新書對張論》十卷。

《集解論語》十卷。何晏集。

《論語集解序》稱當時對《論語》的訓解已多：“所見不同，互有得失。今集諸家之善，記其姓名，有不安者頗爲改易，名曰《論語集解》。”序後署名有孫邕、鄭冲、曹羲、荀顗、何晏。《晉書》卷三三載，鄭冲與孫邕、曹羲、荀顗、何晏共集《論語》諸家訓注之善者。《論語集解》是何晏等五人共同完成的。《經典釋文叙録》曰,《論語集解》集孔安國、包咸、周氏、馬融、鄭玄、陳群、王肅、周生烈之説，並下己意，爲《集解》十卷。正始上之，盛行於世，今以爲主。此書兩《唐志》、《宋志》皆有著録，流傳至今，多以附宋邢昺疏之《論語注疏》流傳。單行者較少，現存最早的本子有元岳氏荆谿家塾刻本、日本正平十九年（元至正二十四年）刻本。今通行本爲《十三經注疏》本等。

《集注論語》六卷。晉八卷，晉太保衛瓘注。梁有《論語補闕》二卷，宋明帝補衛瓘闕，亡。

《宋書》卷八載，宋明帝好讀書，愛文義。在藩時續衛瓘所注《論語》二卷，行於世。兩《唐志》著録宋明帝補衛瓘《論語注》十卷，《宋志》無載，亡佚。清馬國翰有輯本。

《論語集義》八卷。晉尚書左中兵郎崔豹集。梁十卷。

崔豹（生卒年不詳）：字正熊，漁陽（今北京密雲）人。晉尚書左中兵郎，惠帝時官至太傅（疑太僕之誤）丞。見《世説新語·言語》、《經典釋文叙録》。本志子部尚有崔豹一部著述。兩《唐志》著録崔豹《論語大義解》十卷，《宋志》無載，亡佚。

《論語》十卷。晉著作郎李充注。

《晉書》卷九二載，李充任著作郎時，見典籍混亂，即以類相從，甲乙爲次，使其典籍甚有條貫。累遷中書侍郎，卒官。注《尚書》及《周易旨》等，行於世。本志集部尚有李充二部著述。《經典釋文叙録》、兩《唐志》皆著録李充注《論語》十卷，《宋志》無載，亡佚。清馬國翰有輯本。

《集解論語》十卷。晉廷尉孫綽解。梁有盈氏及孟整注《論語》各十卷，亡。

孫綽（314—371）：字興公，太原中都（今山西平遥西北）人。博學善屬文，少以文才垂稱，於時文士，綽爲其冠。除著作郎，襲爵長樂侯，累遷廷尉卿，領著作，年五十八卒。《晉書》卷五六有傳。本志史、子部尚有孫綽四部著述。兩《唐志》著録孫綽《集解論語》十卷，《宋志》無載，亡佚。清馬國翰有輯本。盈氏：

不詳何人。《經典釋文叙録》載《論語》盈氏注十卷，兩《唐志》著録盈氏《論語集義》十卷，《宋志》無載，亡佚。孟整："整"原作"鰲"，據《經典釋文叙録》改。《經典釋文叙録》稱："一云孟陋。陋字少孤，江夏（湖北武漢）人，東晉撫軍參軍，不就。"孟陋《晉書》卷九四有傳，稱其博學多通，長於三《禮》。注《論語》，行於世。卒以壽終。兩《唐志》著録孟鰲注《論語》九卷，《宋志》無載，亡佚。

《集解論語》十卷。晉兖州别駕江熙解。

皇侃《論語義疏序》稱此書集衛瓘、繆播、欒肇、郭象、蔡謨、袁喬、江惇、蔡系、李充、孫綽、周懷、范甯、王珉十三家《論語》注。《經典釋文叙録》載此書爲十二卷，兩《唐志》著録《論語》十卷，江熙集解，《宋志》無載，亡佚。清馬國翰有輯本。

《論語》七卷。盧氏注。梁有晉國子博士梁覬、益州刺史袁喬、尹毅、司徒左長史張憑及暢惠明、宋新安太守孔澄之、齊員外郎虞遐及許容、曹思文注，釋僧智略解，梁太史叔明集解，陶弘景集注《論語》各十卷；又《論語音》二卷，徐邈等撰。亡。

盧氏：疑即盧景裕，《北史》卷三〇載其注《周易》、《尚書》、《孝經》、《論語》等。此書兩《唐志》無載，亡佚。梁覬：天水（今甘肅天水）人，東晉國子博士。見《經典釋文叙録》。兩《唐志》有著録，然《舊唐志》作梁顗《論語注》十卷，《宋志》無載，亡佚。清馬國翰有輯本。袁喬（312—348）：字彦叔，陳郡陽夏（今河南太康）人。初拜佐著作郎，桓温引爲建武將軍，江夏相。平蜀後，進號龍驤將軍，封湘西伯。三十六歲卒。贈益州刺史，謚曰簡。博學有文才，注《論語》行於世。《晉書》卷八三有傳。本志集部尚有其一部著述。此書兩《唐志》有著録，《宋志》無載，亡佚。清馬國翰有輯本。尹毅注《論語》：《經典釋文叙録》、兩《唐志》皆有著録，《宋志》無載，亡佚。張憑（生卒年不詳）：字長宗，吴郡（今江蘇蘇州）人。舉孝廉，劉惔薦之，官至吏部郎、御史中丞。《晉書》卷七五有傳。本志子、集部尚有張憑二部著述。《經典釋文叙録》載張憑注《論語》十卷，《舊唐志》著録《論語》又十卷孫氏注，疑孫氏乃張氏之誤。《新唐志》著録《論語》十卷張氏注。《宋志》無載，亡佚。清馬國翰有輯本。暢惠明："暢"原作"陽"，據兩《唐志》、《通志·氏族略》改。生平事迹不詳。兩《唐志》著録暢惠明《論語義注》十卷，《宋志》無載，亡佚。孔澄之（生卒年不詳）：字仲淵，會稽（今浙江紹興）人，宋新安太守。《經典釋文叙録》載此書爲十卷，兩《唐志》無載，亡佚。虞遐（生卒年不詳）：會稽人，齊員外郎，《經典釋文叙録》載此書十卷，兩《唐志》無載，亡佚。許容：生平事迹不詳。《經典釋文叙録》、兩《唐志》皆不載此書，亡佚。曹思文：齊國子助教。見《南齊書》卷九。《經典釋文叙録》、兩《唐志》皆無載，亡佚。僧智：齊僧人，《高僧傳》提及，始末不詳。所作《論語略解》，兩《唐志》無載，亡佚。太史叔明集解《論語》：《南史》卷七一稱其善《論語》，有《集解論語》。兩《唐志》不載此書，亡佚。清馬國翰有輯本。陶弘景集注《論語》：《南史》卷七六載其著有《論語集注》。兩《唐志》不載此書，亡佚。《論語音》二卷：《經典釋文叙録》載《論語音》一卷，兩《唐志》著録此書爲二卷，《宋志》無載，亡佚。

《論語難鄭》一卷。梁有《古論語義注譜》一卷，徐氏撰；《論語隱義注》三卷，《論語義注》三卷。亡。

不署撰者。此書兩《唐志》無載，亡佚。徐氏：不詳何人。丁國鈞《補晉書藝文志》推測徐氏爲徐邈。兩《唐志》著録徐氏《古論語義注譜》一卷，《宋志》無載，亡佚。《論語隱義注》：不署撰者。馬國翰以爲郭象有《論語隱》一卷，此書是後人衍郭象義而注之。兩《唐志》著録《論語義注隱》三卷,《宋志》無載,亡佚。清馬國翰、王仁俊有輯本。《論語義注》:不署撰者。兩《唐志》不載此書,亡佚。

《論語難鄭》一卷。

就前所著録《論語難鄭》而言,應是另一部。兩《唐志》不載此書,亡佚。

《論語標指》一卷。司馬氏撰。

司馬氏:不詳何人。兩《唐志》不載此書,亡佚。

《論語雜問》一卷。

不署撰者。兩《唐志》不載此書,亡佚。

《論語孔子弟子目録》一卷。鄭玄撰。

《史記·仲尼弟子列傳贊》曰:"弟子籍出孔氏,古文近是。余以弟子名姓文字悉取《論語》問並次爲篇。"此書附在《古文論語》篇目之後,鄭玄爲其作注。《日本國見在書目録》著録《弟子録名》一卷,無撰者。兩《唐志》著録《論語篇目弟子》一卷,鄭玄注。《宋志》無載,亡佚。清王謨、馬國翰、孔廣林有輯本。

《論語體略》二卷。晉太傅主簿郭象撰。

郭象(252—312):字子玄,河南(今河南洛陽)人。少有才理,好《老》、《莊》,常閒居,以文自娱。後辟司徒掾,稍至黄門侍郎,又被引爲太傅主簿。永嘉末病卒。著碑論十二篇。《晉書》卷五〇有傳。本志子、集部尚有其二部著述。兩《唐志》著録此書,《宋志》無載,亡佚。清馬國翰有輯本。

《論語旨序》三卷。晉衛尉繆播撰。

繆播（？—309）：字宣則，蘭陵（今山東蘭陵）人。才思清辯。惠帝時爲祭酒，累遷太弟中庶子。懷帝即位，爲給事黄門侍郎、侍中，徙中書令，被東海王所害。後贈衛尉。《晉書》卷六〇有傳。兩《唐志》著録此書爲二卷，《宋志》無載，亡佚。清馬國翰有輯本。

《論語釋疑》三卷。王弼撰。

《經典釋文叙録》載此書三卷，兩《唐志》著録爲二卷，《宋志》無載，亡佚。清馬國翰有輯本。

《論語釋》一卷。張憑撰。

兩《唐志》無載，亡佚。馬國翰疑其即張憑《論語注》十卷之散佚而存者。

《論語釋疑》十卷。晉尚書郎欒肇撰。梁有《論語釋駁》三卷，王肅撰；《論語駁序》二卷，欒肇撰；《論語隱》一卷，郭象撰；《論語藏集解》一卷，應琛撰；《論語釋》一卷，曹毗撰；《論語君子無所争》一卷，庾亮撰；《論語釋》一卷，李充撰；《論語釋》一卷，庾翼撰；《論語義》一卷，王濛撰；又蔡系《論語釋》一卷，張隱《論語釋》一卷，郄原《通鄭》一卷，王氏《修鄭錯》一卷，姜處道《論釋》一卷。亡。

此書《經典釋文叙録》、兩《唐志》皆有著録，《宋志》無載，亡佚。《論語釋駁》：兩《唐志》無載，亡佚。《論語駁序》：兩《唐志》著録《論語駁》二卷，《宋志》無載，亡佚。《論語隱》：兩《唐志》無載，亡佚。應琛：生平事迹不詳。其書兩《唐志》無載，亡佚。曹毗（生卒年不詳）：毗（pí），字輔佐，譙國（今安徽亳州）人。少好文籍，善屬詞賦。舉孝廉，除郎中、佐著作郎，徵爲太學博士。累遷尚書郎、鎮大將軍從事中郎、下邳太守，至光禄勳卒。所著文筆十五卷，行於世。《晉書》卷九二有傳。本志史、集部尚有其著述二部。其書兩《唐志》無載，亡佚。《論語君子無所争》：兩《唐志》無載，亡佚。李充《論語釋》：兩《唐志》無載，亡佚。庾翼《論語釋》：兩《唐志》無載，亡佚。清馬國翰有輯本。王濛（生卒年不詳）：字仲祖，太原晉陽（今山西太原）人，哀靖皇后之父。其性和暢，能言理，辭簡而有會。出補長山令，後徙中書郎。及簡文帝輔政，益貴幸之，轉司徒左長史。三十九歲卒。《晉書》卷九三有傳。本志集部有其一部著述。此書兩《唐志》無載，亡佚。蔡系：字子叔，陳留考城（今河南蘭考）人，蔡謨子。有才學，位至撫軍長史。見《晉書》卷七七、《世説新語·雅量》。本志集部尚有其一部著述。此書兩《唐志》無載，亡佚。張隱：生平事迹不詳，所著兩《唐志》無載，亡佚。郄原：生平事迹不詳。所著兩《唐志》無載，亡佚。王氏：不詳何人。姚振宗疑其即爲江熙《集解論語》所集十三家之一家王珉。其所著兩《唐志》無載，亡佚。姜處道：生平事迹不詳。其作《論釋》，疑"論"下脱"語"字。姚振宗從張憑、郭象、應琛、曹毗、庾亮、李充、庾翼、王濛、蔡系、張隱、郄原、王氏、姜處道十三家，於隋只存張憑一家，餘者十二家兩《唐志》皆無載，而兩《唐志》著録《論語雜議》十三卷，不署撰者，此書則又不見於本志，認爲以上十三家之作合爲《論語雜議》。

《論語别義》十卷。范廙撰。梁有《論語疏》八卷，宋司空法曹張略等撰；《新書對張論》十卷，虞喜撰。

范廙（yì）：馬國翰疑爲范甯之誤。兩《唐志》不載此書，然有《論語剔義》十卷，疑即此書，"剔義"爲"别義"之誤。張略：生平事迹不詳。此書兩《唐志》無載，亡佚。《新書對張論》：《册府元龜·學校·注釋》載虞喜又注《論語》九卷、《新書討張論語》十卷。此書兩《唐志》無載，亡佚。

《論語義疏》十卷。褚仲都撰。

《日本國見在書目録》著録《論語疏》十卷，褚仲都撰。兩《唐志》著録《論語講疏》十卷，褚仲都撰。《宋志》無載，亡佚。清馬國翰有輯本。

《論語義疏》十卷。皇侃撰。

皇侃《論語義疏序》稱，何晏因《魯論》集馬融等七家，又采《古論》孔注，又自下己意。今日所講，即是《魯論》爲張侯所學、何晏所集者也，又有江熙所集十三家。侃今之講，先通何集，若江集中諸人有可采者亦附而申之，又别有通儒解釋於何集無妨者，亦引取爲説，以示廣聞。《論語義疏》所用底本，不論是正文，還是注文，與後來流行的邢疏本都有較大差異，對了解《論語》及其注本有研究價值。此書《經典釋文叙録》、兩《唐志》、《宋志》皆有著録，《直齋書録解題》却無著録，蓋此書在南宋亡佚。日本桃園天皇寬延三年（1753），平安服元喬《皇侃論語義疏新刻序》謂此書足利學校有藏，新刻本即據其藏本而刻。清乾隆年間開四庫館，鮑廷博得到從日本傳入的《論語義疏》，後收入《知不足齋叢書》及《四庫全書》，另有武英殿本。

《論語述義》十卷。劉炫撰。

《北史》卷八二載，劉炫著《論語述義》十卷。兩《唐志》著録劉炫《論語章句》二十卷，《宋志》無載，亡佚。

《論語義疏》八卷。

不署撰者。兩《唐志》無載，亡佚。

《論語講疏文句義》五卷。徐孝克撰，殘缺。

此書兩《唐志》無載，亡佚。

《論語義疏》二卷。張冲撰。梁有《論語義注圖》十二卷，亡。

《隋書》卷七五、《北史》卷八二皆載張冲撰《論語義》十卷，而此著録爲二卷。姚振宗疑前《論語義疏》八卷亦爲張冲所撰，與此二卷合，正與本傳記載相符。此書兩《唐志》無載，亡佚。《論語義注圖》：不署撰者。兩《唐志》無載。《崇文總目》有《論語井田義圖》一卷，並稱“其曰論語者，蓋爲《論語》學者引用”。它可能是《論語義注圖》的一部分。

《孔叢》七卷。陳勝博士孔鮒撰。梁有《孔志》十卷，梁太尉參軍劉被撰，亡。

孔鮒（前264？—前208）：字甲，孔子八世孫，魏相孔順之子。爲陳勝博士，死陳下。見《史記》卷四七、《漢書》卷八一。此書爲子孫雜記其先世言行之書。《漢志》無載，《舊唐志》著録《孔叢子》七卷，孔鮒撰；《新唐志》著録《孔叢》七卷，不署撰者。《宋志》著録《孔叢子》七卷，漢孔鮒撰，下有注引朱熹語“僞書也”。此書二十一篇，其間記有孔鮒身後事，並記有迄後漢延光三年孔季彦之事，第七卷名曰《連叢子》，乃爲漢武帝時太常孔臧所作賦與書。這些内容都是指摘此書爲託名孔鮒的僞書證據。1977年安徽阜陽雙古堆漢墓（漢文帝年間）出土的一件有篇題的木牘，上面有兩篇名與《孔叢子》的篇名相合，加之此書内容的性質以及古代典籍流傳的特點，不便武斷地認爲《孔叢子》就是僞書，還須進一步研究。宋宋咸爲此書作注。此書現存最早的本子爲明刻本，通行本爲《四庫》本。劉被：生平事迹不詳。其書兩《唐志》無載，亡佚。

《孔子家語》二十一卷。王肅解。梁有《當家語》二卷，魏博士張融撰，亡。

此書内容與《論語》同源，皆爲孔門弟子各自記録的與孔子的問答，一部分輯成《論語》，其餘則集成《孔子家語》。《漢志》著録《孔子家語》二十七卷，不署撰者。顔師古注曰："非今所有《家語》也。"王肅《孔子家語自序》言，從孔子二十二世孫孔猛處得其先人之書："所論有若重規疊矩，而恐其將絶，故特爲解以貽好事之君子。"《日本國見在書目録》著録《孔子家語》二十一卷，王肅撰；兩《唐志》著録王肅注《孔子家語》十卷；《宋志》著録《孔子家語》十卷，王肅注。元代王廣謀作《孔子家語注》，明代此書流傳漸稀，清陳士珂作《孔子家語疏證》十卷。《孔子家語》現存最早的本子是明嘉靖刻本，通行本爲《四部叢刊》本、《叢書集成》本。後世多指《孔子家語》爲僞書，從對安徽阜陽雙古堆（1973 年發掘）、河北定縣（今定州）八角廊村（1977 年發掘）兩漢墓出土的竹簡和木牘的研究，發現其不少内容與今傳《孔子家語》相近，所以學者提出應對今本《孔子家語》重新認識。張融：生平事迹不詳。姚振宗以爲此書或爲王肅所注《孔子家語》而作，《日本國見在書目録》有《家語鈔》一卷，似即此書。姑備一説。

《孔子正言》二十卷。梁武帝撰。

《南史》卷七一載，梁武帝撰《五經講疏》及《孔子正言》。《隋書》卷二六載："大同七年，國子祭酒到溉等又表立《正言》博士一人，位視國子博士。"《日本國見在書目録》著録《孔子正言》二十卷，梁武帝撰。兩《唐志》亦著録此書，《宋志》無載，亡佚。

《爾雅》三卷。漢中散大夫樊光注。梁有漢劉歆，犍爲文學、中黄門李巡《爾雅》各三卷，亡。

《爾雅》今十三經之一，三卷十九篇，無撰者。王應麟曰："《釋詁》一篇，蓋周公所作；《釋言》以下仲尼所增，子夏所定，叔孫通所益，梁文所補。"（見《漢藝文志考證》卷四）"《爾雅》者，孔子門人所作，以釋六藝之旨。"（見鄭玄《駁五經異議》）"今觀其文，大抵采諸書訓詁名物之同異，以廣見聞，實自爲一書，不附經義。"（見《四庫全書總目》卷四〇）《漢志》著録《爾雅》三卷二十篇，王鳴盛曰"别有《序篇》一篇"（見《蛾術編·説録》），亡佚。後世多人爲《爾雅》作注，其間郭璞注"甚得六經之旨，頗詳百物之形"，爲世人所重，《爾雅》即與郭注並行流傳至今。宋邢昺作《爾雅疏》，鄭樵《爾雅注》三卷，清邵晉涵《爾雅正義》二十卷、郝懿行《爾雅義疏》二十卷等，今人有《爾雅詁林》。《爾雅》單經本罕見，有唐石經本。樊光（生卒年不詳）：《經典釋文敘録》稱其爲京兆（今陝西西安周邊）人，後漢中散大夫。沈旋（沈約子）疑此注非樊光所作。兩《唐志》著録樊光注《爾雅》六卷，《宋志》無載，亡佚。清馬國翰、黄奭有輯本。劉歆《爾雅》：《經典釋文敘録》著録劉歆《爾雅》三卷，並稱與李巡注正同，疑非歆注。兩《唐志》不載此書，亡佚。清馬國翰、黄奭有輯本。犍爲文學：《經典釋文敘録》著録其注《爾雅》，稱其"卒史臣舍人，漢武帝時待詔。闕中卷"。或曰此即《漢書》卷六五所言郭舍人。錢大昕則曰"蓋其人姓舍名人"（見《廿二史考異》卷三四）。張澍曰，"闕中卷，故自《釋訓》以下，《釋草》以上，並無一語"（見《蜀典輯本序》）。此書兩《唐志》無載，亡佚。清馬國翰、黄奭、王仁俊、王謨有輯本。李巡（？—189）：汝陽（今河南汝南）人，靈帝時宦者，被稱爲清忠，不争威權。將博士爲争高下行賄事告上，與諸儒共刻五經文於石，於是詔蔡邕等正其文字。見《後漢書》卷七八。此書《經典釋文敘録》、兩《唐志》皆有著録，《宋志》無載，亡佚。清馬國翰、黄奭、王仁俊有輯本，黄奭又輯樊光、李巡等注爲《爾雅古義》。

《爾雅》七卷。孫炎注。

《經典釋文叙録》著録《爾雅》孫炎注三卷，兩《唐志》著録此書爲六卷，《宋志》無載，亡佚。清馬國翰、王仁俊有輯本，另有吴騫輯《孫氏爾雅正義拾遺》一卷。

《爾雅》五卷。郭璞注。

《爾雅序》曰："雖注者十餘，然猶未詳備，並多紛謬，有所漏略。是以復綴集異聞，會萃舊説；考方國之語，采謡俗之志；錯綜樊、孫，博關群言；剟其瑕礫，搴其蕭稂；事有隱滯，援據徵之；其所易了，闕而不論。"《經典釋文叙録》稱，《爾雅注》"唯郭景純洽聞强識，詳悉古今，作《爾雅注》，爲世所重"。宋邢昺爲此書作疏。兩《唐志》、《宋志》、《四庫全書總目》卷四〇皆著録郭璞注《爾雅》。此書現存最早的本子有宋刻本，通行本爲《十三經注疏》本。

《集注爾雅》十卷。梁黄門郎沈琁注。

沈琁（生卒年不詳）：又作旋、璿，字士規，吴興武康（今浙江德清）人，沈約子。位司徒右長史、太子僕。後爲給事黄門侍郎，出爲招遠將軍，卒于南康内史，謚曰恭侯。集注《邇言》，行於世。《梁書》卷七、《南史》卷五七有傳。《經典釋文叙録》載："《爾雅》梁有沈旋，沈約之子集衆家之注。"《舊唐志》載，沈璿《集注爾雅》十卷。《新唐志》載，《爾雅集注》十卷，沈琁注。《宋志》無載，亡佚。清馬國翰、黄奭有輯本。

《爾雅音》八卷。祕書學士江漼撰。梁有《爾雅音》二卷，孫炎、郭璞撰。

江漼（生卒年不詳）：濟陽考城（今河南蘭考）人，江總第七子。陳駙馬都尉、祕書郎。隋給事郎、直祕書省學士。見《陳書》

卷二七。《舊唐志》著録《爾雅圖贊》二卷、《爾雅音》六卷，撰者爲江灌；《新唐志》著録江灌《圖贊》一卷，又《音》一卷。疑“江灌”爲“江漼”之誤。《宋志》無載，亡佚。孫炎《爾雅音》：《顏氏家訓・音辭》稱孫炎創《爾雅音義》，是漢末人獨知反切，至於魏世，此事大行。張守節《史記正義・論音例》亦曰：“先儒音字，比方爲音。至魏祕書孫炎始作反音，又未甚切。”兩《唐志》不載此書，亡佚。清黄奭、馬國翰有輯本。郭璞《爾雅音》：《經典釋文敘録》載郭璞《爾雅音》一卷，兩《唐志》著録郭璞《爾雅音義》一卷，《宋志》無載，亡佚。清馬國翰、黄奭有輯本。

《爾雅圖》十卷。郭璞撰。梁有《爾雅圖贊》二卷，郭璞撰，亡。

《爾雅序》言“别爲音圖，用祛未寤”。“謂注解之外，别爲《音》一卷、《圖贊》二卷，字形難識者，則審音以知之；物狀難辨者，則披圖以別之。用此音圖以祛除未曉寤者”（見邢昺疏）。《晉書》卷七二載，郭璞注釋《爾雅》，别爲《音義》、《圖譜》傳於世。《日本國見在書目録》載《爾雅圖》十卷，郭璞撰。兩《唐志》著録此書一卷，《宋志》無載，亡佚。《爾雅圖贊》：《經典釋文敘録》載郭璞《爾雅圖贊》二卷，兩《唐志》無載，亡佚。清王謨、孫志祖、黄奭、錢熙祚、馬國翰、嚴可均有輯本。

《廣雅》三卷。魏博士張揖撰。梁有四卷。

張揖（生卒年不詳）：字稚讓，清河（今河北清河）人，一曰河間（今河北河間）人。魏太和中爲博士，止解《司馬相如》一卷。見顏師古《漢書敘例》。張揖《進廣雅表》闡其作意，指出《爾雅》尚有不足：“臣揖竊以所識，擇撢群藝，文同義異，音轉失讀，八方殊語，庶物易名，不在《爾雅》者，詳録品覈，以著於篇。凡萬八千一百五十文，分爲上中下。”此書“因《爾雅》舊目，博采漢儒箋注及《三倉》、《説文》諸書，以增廣之”。見《四庫全書總目》卷四〇。此書兩《唐志》著録張揖《廣雅》四卷，《直齋書録解題》著録張揖《廣雅》十卷，《崇文總目》著録張揖撰《博雅》十卷，《四庫全書總目》著録張揖《廣雅》十卷，並稱“隋祕書學士曹憲爲之音釋，避煬帝諱改名《博雅》，故至今二名並稱，實一書也”。清王念孫著有《廣雅疏證》十卷。國家圖書館現存《廣雅》十卷，魏張揖撰，隋曹憲音，明刻本；《博雅》十卷，魏張揖撰，隋曹憲音解，明刻本；《博雅音》十卷，隋曹憲撰。以上三書同爲一書。通行本有《四庫》本、《叢書集成》本等。

《廣雅音》四卷。祕書學士曹憲撰。

曹憲（541？—645）：揚州江都（今江蘇揚州）人。仕隋爲祕書學士。精諸家文字之書，訓注張揖所撰《博雅》，分爲十卷，煬帝令藏於祕閣。唐貞觀中，太宗徵爲弘文館學士，以年老不仕，乃遣使就家，拜朝散大夫。所撰《文選音義》，甚爲當時所重。《舊唐書》卷一八九上、《新唐書》卷一九八有傳。本志經部尚有曹憲一部著述。《日本國見在書目録》、兩《唐志》皆著録《博雅》十卷，曹憲撰，其中應包括張揖所撰《廣雅》，故今《廣雅》或《博雅》皆署張揖撰，曹憲音解。

《小爾雅》一卷。李軌略解。

《漢志》著録《小雅》一篇。錢大昕曰：“李善《文選注》引《小爾雅》皆作《小雅》，此書依附《爾雅》而作，本名《小雅》，後人僞造《孔叢》，以此篇竄入，因有《小雅》之名，失其舊矣。”(《三史拾遺》) 謝啓昆《小學考》亦曰：“《小爾雅》非《漢志》之《小雅》。”《四庫全書總目》卷四三曰：“《漢書·藝文志》有《小雅》一篇，無撰人名氏。《隋》、《唐志》並載李軌注《小爾雅》一卷，其書久佚。今所傳本則《孔叢子》第十一篇，鈔出别行者也。”此書《舊唐志》著録《小爾雅》一卷，李軌撰；《新唐志》著録李軌解《小爾雅》一卷；《宋志》著録孔鮒《小爾雅》一卷。清王煦著有《小爾雅疏》八卷、宋翔鳳著有《小爾雅訓纂》六卷等，可參考。

《方言》十三卷。漢揚雄撰，郭璞注。

揚雄（前53—18）：字子雲，蜀郡郫縣（今四川成都郫都區）人。少而好學，不爲章句，訓詁通而已，博覽無所不見。好辭賦，並以其諫主論時政。成帝時爲待詔，後爲給事黄門。王莽篡位，爲大夫。天鳳五年（18）卒，時年七十一。著有《太玄》、《法言》、《訓纂》、《州箴》，及《反離騷》、《甘泉賦》等。《漢書》卷八七有傳。本志經、史、子、集部尚有其五部著述。此書是我國很早記載古代不同方域語言的書，又作《輶軒使者絶代語釋别國方言》。此書署揚雄撰，但《漢書・揚雄傳》及《藝文志》皆無《方言》有關記載。《劉歆與揚雄書》、應劭《風俗通義序》、《華陽國志》卷一〇上提及揚雄撰《方言》。宋代有人質疑此書，以爲是僞託。然“反覆推求，其真僞皆無顯據”（《四庫全書總目》卷四〇）。周祖謨認爲《方言》普遍流傳於東漢和帝以後。見《方言校箋自序》。郭璞注《方言》，《晉書》卷七二其本傳有記載。此書《日本國見在書目録》著録《方言》十卷，揚雄撰，郭璞注；兩《唐志》著録揚雄《别國方言》十三卷；《宋志》著録揚雄《方言》十四卷；《四庫全書總目》著録《方言》十三卷，並稱舊題漢揚雄撰，晉郭璞注。後世研究《方言》者有清末王國維、現代周祖謨，續補《方言》者有清杭世駿、戴震等。此書最早的本子是宋慶元六年（1200）刻《輶軒使者絶代語釋别國方言解》十三卷，通行本爲《四庫本》、武英殿聚珍本等。

《釋名》八卷。劉熙撰。

此書從音求義，多以同聲相諧，推見古音，所釋器物亦可推見古制。見《四庫簡明目録》。劉熙自序稱："撰天地陰陽四時邦國都鄙車服喪紀，下及庶民應用之器，論叙指歸謂之《釋名》，凡二十七篇。"兩《唐志》、《宋志》皆著録《釋名》八卷，《四庫全書總目》卷四〇著録其八卷，然稱其凡二十篇。清畢沅著有《釋名疏證》八卷、《補遺》一卷。此書現存最早的本子是明嘉靖年間刻本，通行本爲《四庫》本、《四部叢刊》本。

《辯釋名》一卷。韋昭撰。

吴鳳凰二年（273），韋昭入獄，因獄吏上辭求免，言"又見劉熙所作《釋名》，信多佳者，然物類聚多，難得詳究，故時有得失，而爵位之事，又有非是。愚以官爵，今之所急，不宜乖誤。囚自忘至微，又作《官職訓》及《辯釋名》各一卷，欲表上之"（《三國志》卷六五）。《新唐志》、《宋志》、《崇文總目》有載，《郡齋讀書志》、《直齋書録解題》無載，疑此書亡於南宋。清任大椿、顧震福有輯文，清馬國翰、黄奭及民國龍璋有輯本。

《五經音》十卷。徐邈撰。

《晉書》卷九一載，徐邈"撰正五經音訓，學者宗之"。本志分别著録《周易音》一卷、《古文尚書音》一卷、《毛詩音》一卷、《三禮音》三卷、《左氏音》三卷，此書爲其合併爲帙者。兩《唐志》不載，亡佚。

《五經正名》十二卷。劉炫撰。

《隋書》卷七五稱，劉炫著《五經正名》十二卷。《舊唐志》著録《五經正名》十五卷，疑"五"爲"二"之誤；《新唐志》著録《五經正名》十二卷；《宋志》無載，亡佚。

《白虎通》六卷。

不署撰者。《後漢書》卷三載，建初四年（79），將、大夫、博士、議郎、郎官及諸生、諸儒會白虎觀，講議五經異同，使五官中郎將魏應承制問，侍中淳于恭奏，帝親稱制臨决，如孝宣甘露石渠故事，作《白虎議奏》。卷六九上載，肅宗親臨稱制，如石渠故事，顧命史臣著爲《通義》。卷四〇下載，天子會諸儒講論五經，作《白虎通德論》，令（班）固撰集其事。《舊唐志》著録《白虎通》六卷，漢章帝撰；《新唐志》著録班固等《白虎通義》六卷；《宋志》著録班固《白虎通》十卷；《崇文總目》著録《白虎通德論》十卷，後漢班固等撰；《四庫全書總目》卷一一八著録《白虎通義》四卷，漢班固撰。其提要曰："白虎觀諸儒其議奏統名曰《白虎通德論》，固撰集後乃名其書曰《通義》。《唐志》所載蓋其本名，稱《白虎通德論》失其實矣。《隋志》删去'義'字，蓋流俗省略，有此一名。"清陳立著有《白虎通疏證》十二卷。此書現存最早的本子是《白虎通德論》十卷，元大德年間刻本。通行本爲《白虎通義》四卷，《四庫》本；《白虎通德論》十卷，《四部叢刊》本。

《五經異議》十卷。後漢太尉祭酒許慎撰。

許慎（58—147）：字叔重，汝南召陵（今河南漯河召陵區）人。爲郡功曹，舉孝廉，再遷除洨長。因五經傳説臧否不同，於是撰《五經異議》，又作《説文解字》，皆傳於世。《後漢書》卷七九下有傳。本志經、子部尚有許慎二部著述。《日本國見在書目録》有《五經異議》十卷，後漢太尉祭酒許慎撰；兩《唐志》著録《五經異議》十卷，許慎撰，鄭玄駁。《宋志》無載，亡佚。清王謨、王仁俊有《五經異議》輯本，清王復、袁鈞、孔廣林、黄奭有《駁五經異議》輯本。另清陳壽祺撰《五經異議疏證》三卷。

《五經然否論》五卷。晉散騎常侍譙周撰。

《三國志》卷三八載，譙周少時曾數往秦宓處咨訪，記録其言於《春秋然否論》，疑此應爲《五經然否論》之一。此書兩《唐志》有著録，《宋志》無載，亡佚。清王謨、馬國翰、黄奭有輯本。

《五經拘沈》十卷。晉高凉太守楊方撰。

楊方（生卒年不詳）：字公回，會稽（今浙江紹興）人。少好學，有異才。得賀循舉薦，先爲東安太守、司徒參軍事，後補高凉太守。在郡期間著《五經拘沈》，更撰《吴越春秋》，皆行於世。年老棄郡歸，卒於家。《晉書》卷六八有傳。本志經、史、集部尚有楊方三部著述。此書兩《唐志》著録楊方《五經鉤沈》十卷，《宋志》著録陽方《五經鉤沈》五卷，《崇文總目》著録楊方《五經鉤沈》五卷，《郡齋讀書志》、《直齋書録解題》皆無載，疑此書亡於南宋。清王謨、馬國翰有輯本。

《五經大義》三卷。戴逵撰。梁有《通五經》五卷，王氏撰；《五經咨疑》八卷，周楊撰；《五經異同評》一卷，賀瑒撰；《五經祕表要》三卷。亡。

戴逵（326—396）：字安道，譙國銍縣（今安徽濉溪）人。少博學，善屬文。孝武帝時，以散騎常侍、國子博士累徵，不就。義熙初，以散騎侍郎徵，不起。不久即卒。《晉書》卷九四有傳。本志史、子、集部尚有其三部著述。此書兩《唐志》無載，亡佚。清馬國翰有輯本。王氏：不詳何人。其作《兩唐志》無載，亡佚。周楊：生平事迹不詳。兩《唐志》著録《五經咨疑》八卷，楊思撰。《宋志》無載，亡佚。《五經異同評》：《梁書》卷八四載，天監四年，賀瑒爲五經博士，别詔爲皇太子定禮，撰《五經義》。《五經祕表要》：不署撰者。姚振宗據書名，疑此書爲讖緯家之説。

《五經大義》十卷。後周縣伯中大夫樊文深撰。

樊文深（生卒年不詳）：名深，字文深，河東猗氏（今山西臨猗）人。弱冠好學，講習五經，晝夜不倦。魏永安中，以功累遷中散大夫。北周時爲國子博士，賜姓萬鈕於氏。天和二年（567），遷縣伯中大夫，加開府儀同三司。建德年間病卒。撰《七經異同》三卷等。《周書》卷四五、《北史》卷八二有傳。此書兩《唐志》無載，亡佚。

《經典大義》十二卷。沈文阿撰。

《南史》卷七一記載，沈文阿撰《經典大義》十八卷。《日本國見在書目録》著録《經典大義》十二卷,《舊唐志》著録《經典大義》十卷,《新唐志》著録《經典玄儒大義序録》十卷。此書與後面著録之《經典玄儒大義序録》二卷，同是《經典大義》十八卷的一部分。《宋志》無載，亡佚。

《五經大義》五卷。何妥撰。

此書兩《唐志》無載，亡佚。

《五經通義》八卷。梁九卷。

不署撰者。兩《唐志》著録《五經通義》九卷，劉向撰。《宋志》無載，亡佚。元陶宗儀《説郛》中有《五經通義》一卷，清王謨、洪頤煊、宋翔鳳、劉學寵、馬國翰、黃奭、王仁俊有輯本。

《五經義》六卷。梁七卷。梁又有《五經義略》一卷，亡。

不署撰者。兩《唐志》著録《五經雜義》七卷，劉向撰。《漢志》著録《五經雜議》十八篇，似與此書有關。《宋志》無載，亡佚。《五經義略》：不署撰者。疑《五經雜義》之節略本。

《五經要義》五卷。梁十七卷，雷氏撰。

雷氏：不詳何人。清王謨等以爲雷氏即雷次宗。兩《唐志》著録《五經要義》五卷，劉向撰，不知與此書有何關聯，待考。此書《宋志》無載，亡佚。清王謨、馬國翰、黄奭有輯本。

《五經析疑》二十八卷。邯鄲綽撰。

邯鄲綽：生平事迹不詳。《日本國見在書目録》、兩《唐志》皆著録此書爲三十卷，《宋志》無載，亡佚。元陶宗儀《説郛》中有《五經析疑》一卷，清王謨、劉學寵有輯本。

《五經宗略》二十三卷。元延明撰。

《魏書》卷二〇載，元延明又撰《五經宗略》。兩《唐志》著録元延明《五經宗略》四十卷，《宋志》無載，亡佚。

《五經雜義》六卷。孫暢之撰。

此書兩《唐志》無載，亡佚。

《長春義記》一百卷。梁簡文帝撰。

《梁書》卷四載，簡文帝所著《長春義記》一百卷，行於世。《南史》卷六二載，梁簡文在東宫撰《長春殿義記》，使（徐）陵爲序。兩《唐志》皆著録簡文帝《長春義記》一百卷，《宋志》無載，亡佚。

《大義》九卷。

不署撰者。兩《唐志》無載，亡佚。

《游玄桂林》九卷。張譏撰。

《南史》卷七一載，張譏撰有《游玄桂林》二十四卷。本志子部“道家”著録張譏《游玄桂林》二十一卷、《目》一卷。兩《唐志》著録此書二十卷,《宋志》無載，亡佚。

《六經通數》十卷。梁舍人鮑泉撰。

鮑泉（？—551）：字潤岳，東海（今江蘇連雲港）人。博涉史傳，兼有文筆。梁元帝承制，累遷至信州刺史，後爲郢州長史，行州府事。郢州被侯景將攻破，被殺於江夏，沉屍黄鶴磯。尤明《儀禮》，撰《新儀》四十卷，行於世。《梁書》卷三〇、《南史》卷六二有傳。本志史、集部尚有其作二部。此書兩《唐志》無載，亡佚。

《七經義綱》二十九卷。樊文深撰。

《七經論》三卷。樊文深撰。

《質疑》五卷。樊文深撰。

《周書》卷四五載，樊文深撰《七經異同》三卷,《義綱略論》并《目録》三十一卷，並行於世。兩《唐志》著録樊文深《七經義綱略論》三十卷及《質疑》五卷，不著録《七經論》，亦不著録《七經異同》，疑此二書爲一書。此三書《宋志》皆無載，亡佚。清王謨、馬國翰輯《七經義綱》各一卷。

《經典玄儒大義序録》二卷。沈文阿撰。

此書應與前所著録《經典大義》合爲一書，本志分别著録，有誤。

《玄義問答》二卷。

不署撰者。以玄義釋經之書。兩《唐志》無載，亡佚。

《六藝論》一卷。鄭玄撰。

《日本國見在書目録》著録《六藝論》一卷，鄭玄撰，方叔機注；《舊唐志》著録《六藝論》一卷，鄭玄注；《新唐志》著録鄭玄《六藝論》一卷；《宋志》無載，亡佚。清王謨、袁鈞、孔廣林、陳鱣、臧琳、洪頤煊、馬國翰、黄奭有輯本。皮錫瑞撰《六藝論疏證》一卷。

《聖證論》十二卷。王肅撰。

《三國志》卷一三載，王肅集《聖證論》譏短鄭玄，鄭玄門人孫叔然駁而釋之。《日本國見在書目録》“五經家”著録《聖證論》，王肅撰；“小學家”著録《聖證論》十一卷，無撰者。《舊唐志》著録《聖證論》十一卷，無撰者；《新唐志》著録王肅《聖證論》十一卷；《宋志》無載，亡佚。清王謨、馬國翰有輯本。

《鄭志》十一卷。魏侍中鄭小同撰。

《後漢書》卷三五載：“門人相與撰玄答弟子問五經，依《論語》作《鄭志》。”兩《唐志》著録《鄭志》九卷，無撰者。然不少人仍認爲此書由鄭小同編成。《四庫全書總目》卷三三有《鄭志》三卷、《補遺》一卷，提要曰，《隋志》著録《鄭志》十一卷，已非諸弟子舊本。《崇文總目》始不著録，則全佚於北宋。此本三卷，莫考其出自誰氏。此書有王復輯《鄭志》三卷、《補遺》一卷，袁鈞、孔廣林各輯《鄭志》八卷，黄奭輯《鄭志》一卷，錢東垣等校《鄭志》三卷。又有成蓉鏡撰《鄭志考證》一卷、皮錫瑞撰《鄭志疏證》八卷。

《鄭記》六卷。鄭玄弟子撰。

《四庫全書總目》卷三三稱，《鄭記》皆其門人互相問答之詞。其書久佚，可考見者，尚有《初學記》、《通典》、《太平御覽》所引三條。兩《唐志》著録《鄭記》六卷，無撰者。《宋志》無載，亡佚。清袁鈞有輯本。

《謚法》三卷。劉熙撰。

本志“禮類”《大戴禮記》條下注曰：“梁有《謚法》三卷，後漢安南太守劉熙注，亡。”而在此又著録此書，而且是以見存書著録的，顯然重複。兩《唐志》著録《謚法》三卷，荀顗演，劉熙注。《宋志》無載，亡佚。清孫馮翼、王仁俊有輯本。

《謚法》十卷。特進、中軍將軍沈約撰。

沈約（441—513）：字休文，吴興武康（今浙江德清）人。宋時爲尚書度支郎。入齊，直永壽省，校四部書，累遷至司徒左長史、征虜將軍、南清河太守。梁武帝受禪，爲尚書僕射，封建昌縣侯，累遷侍中、中書令、尚書令、太子太傅、左光禄大夫加特進。天監十二年卒官，時年七十三。謚曰隱。著有《宋書》、《齊紀》、《邇言》、《謚例》等。《宋書》卷一〇〇、《梁書》卷一三、《南史》卷五七有傳。本志經、史、子、集部尚有沈約十五部著述。宋《中興書目》稱，沈約《謚法》十卷“唯取《周書》及劉熙《謚法》、《廣謚》舊文，仍采乘輿《帝王世紀·謚法篇》之異者，以爲此書”（《玉海》卷五四）。兩《唐志》著録沈約《謚例》十卷，《宋志》著録《謚法》十卷。《郡齋讀書志》卷二著録《沈賀謚法》，沈約撰，凡七百九十四條。《直齋書録解題》無載，亡佚。

《謚法》五卷。梁太府卿賀琛撰。

賀琛（481—549）：“琛”原作“瑒”，據其本傳改。字國寶，會稽山陰（今浙江紹興）人。家貧，販粟自給，閑則習業，尤精三《禮》。普通中，始應辟命，累遷尚書左丞，受詔撰《新謚法》。太清二年，侯景陷城，以爲金紫光禄大夫，卒。撰有《三禮講疏》、《五經滯義》等，凡百餘篇。《梁書》卷三八、《南史》卷六二有傳。賀琛《謚法》"采舊《謚法》及《廣謚》，又益以己所撰《新謚》，分君、臣、婦人三卷，各分美、平、惡三等。其條比沈約《謚例》頗多，亦有約載而琛不取者"（《玉海》卷五四）。兩《唐志》、《宋志》著録賀琛《謚法》三卷，《崇文總目》著録此書四卷。《郡齋讀書志》卷二著録《沈賀謚法》四卷，曰"凡七百九十四條。賀琛又加婦人謚二百三十八條"。《直齋書録解題》無載，亡佚。

《江都集禮》一百二十六卷。

不署撰者。《日本國見在書目録》著録《江都集禮》一百二十六卷；《舊唐志》"禮類"著録《江都集禮》一百二十卷，潘徽撰；《新唐志》"儀注類"著録牛弘、潘徽《隋江都集禮》一百二十卷；《崇文總目》著録《江都集禮》一百四卷，隋諸儒撰。《宋志》有《江都集禮圖》五十卷，似此書之佚存。今亡。

右七十三部，七百八十一卷。通計亡書，合一百一十六部，一千二十七卷。

七十三部：實爲七十四部。一百一十六部：實爲一百二十六部。

《論語》者，孔子弟子所録。孔子既敘六經，講於洙、泗之上[1]，門徒三千，達者七十。其與夫子應答，及私相講肄[2]，言合於道，或書之於紳[3]，或事之無厭。仲尼既没，遂緝而論之，謂之《論語》。漢初，有齊、魯之説。其齊人傳者，二十二篇；魯人傳者，二十篇。齊則昌邑中尉王吉[4]、少府宋畸[5]、御史大夫貢禹[6]、尚書令五鹿充宗[7]、膠東庸生[8]。魯則常山都尉龔奮[9]、長信少府夏侯勝[10]、韋丞相節侯父子[11]、魯扶卿[12]、前將軍蕭望之[13]、安昌侯張禹[14]，並名其學。張禹本授《魯論》，晚講《齊論》，後遂合而考之，删其煩惑。除去《齊論》《問王》[15]、《知道》二篇，從《魯論》二十篇爲定，號《張侯論》，當世重之。周氏[16]、包氏[17]，爲之章句，馬融又爲之訓。又有古《論語》，與《古文尚書》同出，章句煩省，與《魯論》不異，唯分《子張》爲二篇，故有二十一篇。孔安國爲之傳。漢末，鄭玄以《張侯論》爲本，參考《齊論》、古《論》而爲之注。魏司空陳群[18]、太常王肅、博士周生烈[19]，皆爲義説。吏部尚書何晏，又爲集解。是後諸儒多爲之注，《齊論》遂亡。古《論》先無師説，梁、陳之時，唯鄭玄、何晏立於國學，而鄭氏甚微。周、齊，鄭學獨立。至隋，何、鄭並行，鄭氏盛於人間。其《孔叢》、《家語》，並孔氏所傳仲尼之旨。《爾雅》諸書，解古今之意，并五經總義，附于此篇。

[1] 洙泗：山東曲阜境内的兩條河，洙水在北，泗水在南。孔子居於兩水之間，教授弟子。

[2] 講肄：講習。

[3] 紳：一種服飾，束在腰間，一頭垂下的大帶。

[4] 王吉（？—前48）：字子陽，故又稱王陽，琅邪皋虞（今山東青島即墨東北）人。舉賢良爲昌邑中尉，後累遷益州刺史、博士諫大夫。兼通五經，以《詩》、《論語》教授。《漢書》卷七二有傳。

[5] 宋畸（生卒年不詳）："宋"原作"宗"，據《漢書》卷八、《經典釋文叙録》改。又作宋疇，字翁壹。宣帝時由左馮翊任少府。見《漢書》卷一九下。

[6] 貢禹（前127—前44）：字少翁，琅邪（今山東諸城附近）人。以明經徵爲博士，舉孝廉爲河南令。元帝即位，爲諫大夫，後拜光禄大夫，爲御史大夫數月，卒。《漢書》卷七二有傳。

[7] 五鹿充宗：字君孟，代郡（今河北北部）人。宣帝時爲少府，貴幸，爲《梁丘易》。石顯擅權，因與石顯善，爲尚書令。見《漢書》卷七五、《經典釋文叙録》。

[8] 膠東：漢國名，今山東境内。庸生，生平事迹不詳。《經典釋文叙録》言其名譚，從都朝尉習古文《尚書》，授張禹《齊論語》。見《漢書》卷八一。

[9] 龔奮（生卒年不詳）：《漢書》無載，《經典釋文叙録》亦僅稱常山都尉。

[10] 夏侯勝（生卒年不詳）：字長公，東平（今山東東平）人。好學，從夏侯始昌受《尚書》及《洪範五行傳》。徵爲博士、光禄大夫。宣帝時遷長信少府，賜爵關内侯。又遷太子太傅。受詔撰《尚書》、《論語説》，九十卒官。《漢書》卷七五有傳。

[11] 韋丞相節侯父子：韋賢（前148—前60），字長孺，魯國鄒（今山東鄒城）人。兼通《禮》、《尚書》，以《詩》教授，號鄒魯大儒。昭帝時，徵爲博士、給事中，稍遷光禄大夫詹事，至大鴻臚。漢宣帝本始三年（前71）爲丞相，扶陽侯。年八十二卒，謚曰節侯。子韋玄成（？—前36），受詔與蕭望之及五經諸儒雜論同異於石渠閣，條奏其對。漢元帝即位，爲少府遷太子太傅，至御史大夫。永光中，爲丞相。建昭三年（前36）卒，謚曰共侯。《漢書》卷七三有傳。

[12] 魯扶卿：《漢書》無載，《經典釋文叙録》有注曰："鄭云扶先，或説先先生。"生平事迹不詳。

[13] 蕭望之（？—前48）：字長倩，東海蘭陵（今山東蘭陵）人。好學，治《齊詩》，事后蒼十年。又從夏侯勝問《論語》。官至太傅、御史大夫。後因獲罪自殺。《漢書》卷七八有傳。

[14] 張禹（？—前5）：字子文，河内軹（今河南濟源東南）人。從施讎受《易》，從王陽、庸生問《論語》。成帝即位，拜給事中，後爲丞相，封安昌侯。建平二年（前5）卒，謚節侯。禹

爲師，以上難數對己問經，爲《論語章句》獻之。《漢書》卷八一有傳。

[15] 問王：《漢書藝文志講疏》稱，“問王者，問玉也”。其根據爲《説文解字》玉部引《逸論語》，“如玉之瑩”。

[16] 周氏：不詳何人。

[17] 包氏：《經典釋文叙録》作包咸（前6—65），字子良，會稽曲阿（今江蘇丹陽）人。師事博士右師細君，習《魯詩》、《論語》。光武朝，舉孝廉，除郎中。入授皇太子《論語》，又爲其章句。拜諫議大夫、侍中、右中郎將。永平五年（62），遷大鴻臚，八年（65）卒於官。《后漢書》卷七九下有傳。

[18] 陳群（？—236）：字長文，潁川許昌（今河南許昌）人。魏國既建，遷爲御史中丞。明帝即位，進封潁陰侯。不久爲司空，録尚書事。青龍四年（236）卒，謚曰靖侯。《後漢書》卷六二、《三國志》卷二二有傳。

[19] 周生烈（生卒年不詳）：《三國志》卷一三裴注曰：“此人姓周生，名烈。何晏《論語集解》有烈《義例》，餘所著述，見晉武帝《中經簿》。”《經典釋文叙録》則曰，周生烈“敦煌人。《七録》云字文逢，本姓唐，魏博士、侍中”。

讖　緯

《河圖》二十卷。梁《河圖洛書》二十四卷，目録一卷，亡。

桓譚《新論》曰："讖出《河圖洛書》但有兆朕而不可知，後人妄復加增依託，稱是孔丘，誤之甚也。"《水經·河水》注引《春秋名曆序》曰："《河圖》帝王之階，圖載江河山川州界之分野。"《日本國見在書目録》著録《河圖》一卷，兩《唐志》無載，亡佚。後人多有輯佚，如孫瑴、黄奭等。《河圖洛書》：《經義考》卷二六四"蔡邕曰，《洛書》皆言存亡之事，覽之以驗禍福也。又曰《河圖洛書》至信至明。王充曰，河神故出圖，洛靈故出書"。並著録有關《河圖》、《洛書》的篇目有三十餘種。明孫瑴，清黄奭、殷元正等有《河圖》輯本。

《河圖龍文》一卷。

《日本國見在書目録》著録《河圖龍文》一卷，兩《唐志》無載。朱彝尊稱，王應麟曰《文選注》引此書。見《經義考》卷二六四。《宋志》無載，亡佚。清喬松年、殷元正有輯本。

《易緯》八卷。鄭玄注。梁有九卷。

《後漢書》卷三五載，鄭玄曰"遂博稽六藝，粗覽傳記，時覩祕書緯術之奥"。《後漢書》卷八二上《樊英傳》列《易緯》篇目有《稽覽圖》、《乾鑿度》、《坤靈圖》、《通卦驗》、《是類謀》、

《辨終備》。《日本國見在書目録》著録《易緯》十卷，鄭玄注，兩《唐志》無載，《宋志》著録《易乾鑿度》三卷、《易緯》七卷、《易緯稽覽圖》一卷、《易通卦驗》二卷，並鄭玄注。後亡佚。清四庫館臣從《永樂大典》中輯出《乾坤鑿度》二卷、《周易乾鑿度》二卷、《易緯稽覽圖》二卷、《易緯辨終備》一卷、《易緯通卦驗》二卷、《易緯乾元序制》一卷、《易緯是類謀》一卷。見《四庫全書總目》卷六。另外，明孫瑴，清黄奭、喬松年等亦有輯本。

《尚書緯》三卷。鄭玄注。梁六卷。

《後漢書》卷八二上《樊英傳》注列《書緯》篇目爲《琁機鈐》、《考靈耀》、《刑德放》、《帝命驗》、《運期授》。《經義考》卷二六五載，《書緯》篇目又有《帝驗期》、《鉤命决》、《洛罪級》。兩《唐志》著録鄭玄注《書緯》三卷，今亡佚。後人多以篇輯佚，如黄奭、馬國翰、喬松年等。

《尚書中候》五卷。鄭玄注。梁有八卷，今殘缺。

《後漢書》卷八二上《方術列傳序》“緯候之部”，其注曰：“緯，《七經緯》也；候，《尚書中候》也。”朱彝尊言：“《中候》專言符命，當是新莽時所出之書。”（《經義考》卷二六五）兩《唐志》不載此書，亡佚。清王謨、袁鈞、孔廣林、馬國翰、王仁俊多以篇爲輯本。

《詩緯》十八卷。魏博士宋均注。梁十卷。

《詩緯》有《推度災》、《記歷樞》、《含神務》。見《後漢書》卷八二上注。《日本國見在書目録》著録《詩緯》十卷，魏博士宋均注，兩《唐志》亦有著録，《宋志》無載，亡佚。清黄奭、王仁俊、馬國翰多以篇爲輯本。

《禮緯》三卷。鄭玄注，亡。

《禮緯》有《含文嘉》、《稽命徵》、《斗威儀》。見《後漢書》卷八二上注。《日本國見在書目録》著録《禮緯》三卷，鄭玄注。兩《唐志》無載，亡佚。

《禮記默房》二卷。宋均注。梁有三卷，鄭玄注，亡。

《默房》似《禮緯》之一。兩《唐志》著録宋均注《禮緯》三卷，而無此書，疑此書與《唐志》所著録爲一書，《宋志》無載，亡佚。鄭玄注《禮記默房》，疑即前所著録之《禮緯》三卷爲一書。

《樂緯》三卷。宋均注。梁有《樂五鳥圖》一卷，亡。

《樂緯》有《動聲儀》、《稽耀嘉》、《汁圖徵》。見《後漢書》卷八二上注。兩《唐志》著録宋均注《樂緯》三卷，《宋志》無載，亡佚。清馬國翰、王仁俊、黄奭輯其篇。

《春秋災異》十五卷。郗萌撰。梁有《春秋緯》三十卷，宋均注；《春秋内事》四卷，《春秋包命》二卷，《春秋祕事》十一卷，《書、易、詩、孝經、春秋、河洛緯祕要》一卷，《五帝鉤命决圖》一卷。亡。

郗萌（生卒年不詳）：本志本類叙“漢末，郎中郗萌，集圖緯讖雜占爲五十篇，謂之《春秋災異》”。本書《天文志》曰：“漢祕書郎郗萌記先師相傳《宣夜》之説。”本志子部著録郗萌《秦災異》一卷。此書兩《唐志》無載，亡佚。《春秋緯》：包括《演孔圖》、《元命包》、《文耀鉤》、《運斗樞》、《感精符》、《合誠圖》、《考異郵》、《保乾圖》、《漢含孳》、《佑助期》、《握誠圖》、《潛潭巴》、《説題辭》。見《後漢書》卷八二上注。《日本國見在書目録》著録《春秋緯》四十卷，宋均注；兩《唐志》著録宋均注《春秋緯》三十八卷。《宋志》無載，亡佚。清馬國翰、黄奭、王仁俊等有輯篇。《春秋内事》："其事祕密，故稱内。"而"内學謂圖讖之書也"。見《後漢書》卷八二上注。此書亦屬圖讖之書。《春秋包命》：疑即《元命包》。《春秋祕事》：類《春秋内事》。《書、易、詩、孝經、春秋、河洛緯祕要》：不知何人雜録讖緯家言成一書。《五帝鉤命决圖》：不知何經之緯。以上諸書皆不見兩《唐志》，亡佚。

《孝經勾命决》六卷。宋均注。

《孝經緯》有《鉤命决》、《援神契》，此書爲《孝經緯》之一。《古微書》卷三〇序曰，"參其奥以示人，故以决名"。《後漢書·天文志》引宋均此書。《日本國見在書目録》著録《孝經勾命决》六卷，宋均注；兩《唐志》無載，亡佚。清馬國翰、黄奭、王仁俊有輯本。

《孝經援神契》七卷。宋均注。

《古微書》卷二七序曰："此言孝道之至，行乎陰陽，通乎鬼神，上下古今，若執符契也。"《日本國見在書目録》著録《孝經援神契》七卷，宋均注；兩《唐志》無載，亡佚。清馬國翰、黄奭、王仁俊有輯本。

《孝經内事》一卷。梁有《孝經雜緯》十卷，宋均注；《孝經元命包》一卷，《孝經古祕援神》二卷，《孝經古祕圖》一卷，《孝經左右握》二卷，《孝經左右契圖》一卷，《孝經雌雄圖》三卷，《孝經異本雌雄圖》二卷，《孝經分野圖》一卷，《孝經内事圖》二卷，《孝經内事星宿講堂七十二弟子圖》一卷，又《口授圖》一卷；又《論語讖》八卷，宋均注；《孔老讖》十二卷，《老子河洛讖》一卷，《尹公讖》四卷，《劉向讖》一卷，《雜讖書》二十九卷，《堯戒舜禹》一卷，《孔子王明鏡》一卷，《郭文金雄記》一卷，《王子年歌》一卷，《嵩高道士歌》一卷。亡。

《經義考》卷二六七稱："此系借經説災祥之書。"《日本國見在書目録》著録《孝經内事》一卷。姚振宗以爲此書是宋均所注《孝經雜緯》十卷的一部分。兩《唐志》無載，亡佚。清王謨有宋均注《孝經内事》輯本。《孝經雜緯》：兩《唐志》著録宋均注《孝經緯》五卷，《宋志》無載，亡佚。《孝經元命包》：兩《唐志》無載，亡佚。《孝經古祕援神》：兩《唐志》無載，亡佚。清馬國翰、黄奭有輯本。《孝經古祕圖》：兩《唐志》無載，亡佚。清黄奭、馬國翰有輯本。《孝經左右握》：兩《唐志》無載，亡佚。《孝經左右契圖》：兩《唐志》無載，亡佚。《孝經異本雌雄圖》：《日本國見在書目録》著録《孝經雌雄圖》三卷、《孝經雌圖》三卷上中下、《孝經雄圖》一卷。前二書當爲《孝經雌雄圖》三卷，後一書與《孝經異本雌雄圖》二卷爲一書。清馬國翰、黄奭有輯本。《孝經分野圖》：兩《唐志》無載，亡佚。《孝經内事圖》：兩《唐志》無載，亡佚。清馬國翰有輯本。《孝經内事星宿講堂七十二弟子圖》：兩《唐志》無載，亡佚。《口授圖》：兩《唐志》無載，亡佚。《論語讖》：侯康《補三國藝文志》曰，宋注《論語讖》有《摘輔象》、《摘衰聖》、《比考讖》、《陰嬉讖》、《撰考讖》。兩《唐志》著録宋均注《論語緯》十卷，《宋志》無載，亡佚。《孔老讖》：《宋書》卷二七《符瑞志》引孔子《河雒讖》，《南史》卷四《齊本紀》引孔子《河洛讖》。兩《唐志》無載，亡佚。《老子河洛讖》：《南齊書》卷一八《祥瑞志》引《老子河洛讖》。兩《唐志》無載，亡佚。《尹公讖》：尹公，不詳何人。兩《唐志》無載，亡佚。《劉向讖》：《昭明文選》卷四干寶《晉紀總論》提及"劉向之讖云，滅亡之後，又少如水名者得之，起事者據秦川，西南乃得其朋"。《宋書》卷二七載，晉既禪宋，太史令駱達奏陳天文符讖，其間引《劉向讖》。兩《唐志》無載，亡佚。《雜讖書》：姚振宗以爲圖讖盛於漢哀、平之際，此《雜讖書》大抵集録諸家讖記之文。兩《唐志》無載，亡佚。《堯戒舜禹》：兩《唐志》無載，亡佚。《孔子王明鏡》：兩《唐志》無載，亡佚。郭文（生卒年不詳）：字文舉，軹（今河南濟源東南）人。少愛山水，尚嘉遁。王導聞其名，遣人迎至西園中，七年未嘗出入。後逃歸臨安，結廬於山中，以病終。《晉書》卷九四有傳。《南齊書》卷一八《祥瑞志》、《南史》卷四《齊本紀》皆引《金雄紀》。兩《唐志》無載，亡佚。《王子年歌》：王子年名嘉，子年爲字，隴西安陽（今甘肅隴西）人。隱於東陽谷，鑿崖穴居，弟子數百人。苻堅屢徵，不起。公侯以下往叅未來之事，辭如讖記。後爲姚萇所殺。苻堅聞其死，贈太師，謚曰文。其所造《牽三歌讖》，事過皆驗。又著《拾遺録》十卷。《晉書》卷九五有傳。《南齊書》卷一八、《南史》卷四皆引其《王子年歌》。兩《唐志》無載，亡佚。《嵩高道士歌》：嵩高道士可能即魏嵩山道士寇謙之。其歌兩《唐志》無載，亡佚。

右十三部，合九十二卷。通計亡書，合三十二部，共二百三十二卷。

三十二部：實爲四十四部。

《易》曰："河出圖，洛出書[1]。"然則聖人之受命也，必因積德累業，豐功厚利，誠著天地，澤被生人[2]，萬物之所歸往，神明之所福饗[3]，則有天命之應。蓋龜龍銜負[4]，出於河、洛，以紀易代之徵，其理幽昧，究極神道。先王恐其惑人，祕而不傳。説者又云，孔子既叙六經，以明天人之道，知後世不能稽同其意[5]，故别立緯及讖[6]，以遺來世。其書出於前漢，有《河圖》九篇，《洛書》六篇，云自黄帝至周文王所受本文。又别有三十篇，云自初起至于孔子，九聖之所增演[7]，以廣其意。又有《七經緯》三十六篇，並云孔子所作，并前合爲八十一篇。而又有《尚書中候》、《洛罪級》、《五行傳》、《詩推度災》、《氾曆樞》、《含神務》、《孝經勾命决》、《援神契》、《雜讖》等書。漢代有郗氏、袁氏説[8]。漢末，郎中郗萌，集圖緯讖雜占爲五十篇，謂之《春秋災異》。宋均、鄭玄，並爲讖律之注。然其文辭淺俗，顛倒舛謬，不類聖人之旨。相傳疑世人造爲之後，或者又加點竄，非其實録。起王莽好符命[9]，光武以圖讖興，遂盛行於世。漢時，又詔東平王蒼[10]，正五經章句，皆命從讖。俗儒趨時，益爲其學，篇卷第目，轉加增廣。言五經者，皆憑讖爲説。唯孔安國、毛公[11]、王璜[12]、賈逵之徒獨非之，相承以爲妖妄，亂中庸之典[13]。故因漢魯恭王、河間獻王所得古文，參而考之，以成其義，謂之"古學"。當世之儒，又非毁之，竟不得行。魏代王肅，推引古學，以難其義。王弼、杜預，從而明之，自是古學稍立。至宋大明中[14]，始禁圖讖，梁天監已後，又重其制。及高祖受禪，禁之踰切。煬帝即位，乃發使四出，搜天下書籍與讖緯相涉者，皆焚之，爲吏所糾者至死[15]。自是無復其學，祕府之内，亦多散亡。今録其見存，列于六經之下，以備異説。

[1] 河出圖，洛出書：見《易·繫辭上》。據孔安國、劉歆等解説，伏羲時有龍馬出於黄河，馬背上有旋毛如星點，稱作龍圖，伏羲仿其作八卦。夏禹治水時有神龜出於洛水，背上有裂紋，如文字，禹仿其作《洪範》。

[2] 澤被：澤，施恩；被，及、至。

[3] 福饗（xiǎng）：饗通享，即福享。

[4] 龜龍銜負：即指《河圖》、《洛書》，古代認爲其出現是帝王、聖者受命的祥瑞。

[5] 稽：相合、一致。

[6] 緯及讖：緯對經而言，漢人稱其亦爲孔子所作。有《易緯》、《書緯》、《詩緯》、《禮緯》、《樂緯》、《春秋緯》、《孝經緯》

七種，與七經相對，稱作七緯。其書以儒家經義，附會人事吉凶禍福，預言治亂興廢，其間多有怪誕無稽之談。讖，預言吉凶得失的文字、圖記，誕妄不經。

[7] 九聖：指伏羲、神農、黄帝、堯、舜、禹、文王、周公、孔子。

[8] 袁氏：不詳何人，待考。

[9] 符命：古代謂天賜祥瑞與人君，作爲受命的憑證。

[10] 東平王蒼（？—83）：漢光武帝子，建武十五年（39）封東平公，十七年（41）進爵爲王。少好經書，雅有智思。明帝即位，拜爲驃騎將軍，位在三公之上。章帝時，朝廷每有疑政，輒驛使諮問。建初八年（83）薨。《後漢書》卷四二有傳。

[11] 毛公：此指傳《毛詩》者毛萇。

[12] 王璜：字平中。能傳《費氏易》、《古文尚書》，又從徐敖習《毛詩》。劉歆爲國師，其貴顯。見《漢書》卷八八。

[13] 中庸：不偏爲中，不變爲庸。儒家以中庸爲最高的道德標準。

[14] 大明：南朝宋孝武帝劉駿的年號，公元 457—464 年。

[15] 糾：舉發、懲治。

小　學

《三蒼》三卷。郭璞注。秦相李斯作《蒼頡篇》，漢揚雄作《訓纂篇》，後漢郎中賈魴作《滂喜篇》，故曰《三蒼》。梁有《蒼頡》二卷，後漢司空杜林注，亡。

《漢志》著録《蒼頡》一篇，下有注曰："上七章，秦丞相李斯作；《爰歷》六章，車府令趙高作；《博學》七章，太史令胡母敬作。"小序中曰，漢興，閭里書師合《蒼頡》、《爰歷》、《博學》三篇，斷六十字爲一章，凡五十五章，并爲《蒼頡篇》。此李斯作《蒼頡篇》當是三篇總合以爲之《蒼頡篇》。據梁庾元威《論書》言，《蒼頡篇》爲《三蒼》上卷；至哀帝元壽中，揚子雲作《訓纂》記滂喜，爲中卷；和帝永元中賈升郎更續記彦均，爲下卷；故人稱《三蒼》。見《全梁文》卷六七。李斯（？—前208）：楚上蔡（今河南上蔡西南）人。從荀卿學帝王術，學成赴秦，先爲長史，後爲客卿，乃至丞相。秦始皇成霸業多得其助。二世時，以謀反罪名被誅，夷三族。《史記》卷八七有傳。《日本國見在書目録》著録《蒼頡篇》一卷，不署撰者。兩《唐志》無載，亡佚。清任大椿、孫星衍、黄奭、顧震福、陳其榮，民初王國維、龍璋有輯本，然皆不署李斯名。《漢志》著録揚雄《蒼頡訓纂》一篇，兩《唐志》無載，亡佚。清馬國翰、黄奭有輯本。賈魴（生卒年不詳）：後漢郎中，其他事迹無考。其《滂喜篇》亡佚。《日本國見在書目録》著録《三蒼》三卷，郭璞注。兩《唐志》著録《三蒼》

三卷，李斯等撰，郭璞解。《宋志》無載，亡佚。清任大椿、馬國翰、黃奭、顧震福有輯本。 杜林（？—47）：字伯山，扶風茂陵（今陝西興平）人，杜鄴子。少好學，從張竦學，博洽多聞，時稱通儒。光武帝拜其爲侍御史，問以經書故舊等事。累官大司徒司直、光禄勳、少府、大司空。正文字過於鄴、竦，故世言小學者由杜公。《漢書》卷八五、《後漢書》卷二七有傳。《漢志》著録杜林《蒼頡訓纂》一篇、《蒼頡故》一篇，兩《唐志》皆著録《蒼頡訓詁》二卷，《宋志》無載，亡佚。清馬國翰有輯本。

《埤蒼》三卷。張揖撰。梁有《廣蒼》一卷，樊恭撰，亡。

後魏江式稱："魏初，博士張揖著《埤蒼》、《廣雅》、《古今字訓》。究諸《埤》、《廣》，綴拾遺漏，增長事類，抑亦于文爲益者。"（《全後魏文》卷四五）《日本國見在書目録》著録此書爲二卷。《通志・藝文略》、《玉海・藝文》稱《隋志》著録二卷。兩《唐志》皆著録此書爲三卷。《宋志》無載，亡佚。清任大椿、馬國翰、黃奭、顧震福，民國龍璋、陶棟有輯本。 樊恭：不詳何人。兩《唐志》皆著録《廣蒼》一卷，《宋志》無載，亡佚。清任大椿、馬國翰、黃奭，民國龍璋有輯本。

《急就章》一卷。漢黄門令史游撰。

史游（生卒年不詳）：漢元帝之世爲黄門令，勤心納忠，有所補益。見《後漢書》卷七八。唐張懷瓘《書斷》卷上稱，章草者，漢黄門令史游所作也。《郡齋讀書志》卷四稱："雜記姓名諸物五官等字，以教童蒙。急就者，謂字之難知者，緩急可就而求焉。"《直齋書録解題》卷三言："其文多古語、古字、古韻，有足觀者。"《四庫全書總目》卷四一曰："自始至終無一複字，文詞奥雅，亦非《蒙求》諸書所可及。舊有曹壽、崔浩、劉芳、顔之推注，今皆不傳。惟顔師古注一卷存，王應麟又補注之，釐爲四卷。"《漢志》著録《急就》一篇，元帝時黄門令史游作。《日本國見在書目録》著録《急就篇》一卷，史游撰。《舊唐志》著録曹壽解《急就章》一卷、顔之推《急就章注》一卷、顔師古《急就章注》一卷，《新唐志》無顔師古《急就章注》。《四庫全書總目》著録《急就章》四卷。史游《急就章》現存最早的本子爲皇象本《急就章》一卷。顔師古《急就章注》最早的本子爲明抄本，通行本爲《四庫》本、《四部叢刊》本、《叢書集成》本。

《急就章》二卷。崔浩撰。

崔浩上《五寅元曆》稱："太宗即位元年，敕臣解《急就章》、《孝經》、《論語》、《詩》、《尚書》、《春秋》、《禮記》、《周易》，三年成訖。"（見《魏書》卷三五）此書兩《唐志》無載，亡佚。

《急就章》三卷。豆盧氏撰。

豆盧氏：不詳何人。此書兩《唐志》無載，亡佚。

《吴章》二卷。陸機撰。

陸機（261—303）：字士衡，吴郡（今江蘇蘇州）人。父陸抗，孫吴大司馬。少有異才，文章蓋世。父卒，領義兵爲牙門將。入晉，累官太子洗馬、郎中令、平原内史等。後被誣有異志，害於軍中，時年四十三。《晉書》卷五四有傳。本志史、子部尚有陸機四部著述。《日本國見在書目録》著録《吴章》一卷，陸機撰。《舊唐志》著録《吴章》一卷，《新唐志》著録《吴章篇》一卷，皆不署撰者。《宋志》無載，亡佚。

《小學篇》一卷。晉下邳内史王義撰。

王義：其他事迹不可考。本志本部尚有其著述一部。《顔氏家訓·書證》稱："唯王義之《小學章》，獨皁旁作車，縱復俗行，不宜追改《六韜》、《論語》、《左傳》也。"《日本國見在書目録》著録《小學篇》一卷，王義之撰。兩《唐志》皆著録《小學篇》王羲之撰，然考《晉書・王羲之傳》，其未作過下邳内史，亦無撰《小學篇》之記載。《宋志》無載，亡佚。清任大椿、顧震福，民國龍璋有輯本。

《少學》九卷。楊方撰。

兩《唐志》著録楊方《少學集》十卷，《宋志》無載，亡佚。

《始學》一卷。

不署撰者。兩《唐志》無載，亡佚。

《勸學》一卷。蔡邕撰。有司馬相如《凡將篇》，班固《太甲篇》、《在昔篇》，崔瑗《飛龍篇》，蔡邕《聖皇篇》、《黄初篇》、《吴章篇》，蔡邕《女史篇》，合八卷；又《幼學》二卷，朱育撰；《始學》十二卷，吴郎中項峻撰；又《月儀》十二卷。亡。

《後漢書》卷六〇下《蔡邕傳》載，其所著詩、賦、論、議、《獨斷》、《勸學》等，凡百四篇，傳於世。兩《唐志》著録蔡邕《勸學篇》一卷，《宋志》無載，亡佚。清任大椿、馬國翰、黄奭、顧震福、王仁俊，民國龍璋有輯本。 司馬相如（？—前 118）：字長卿，蜀郡成都（今四川成都）人。少好讀書，以資爲郎，事景帝爲武騎常侍。因《子虛賦》得武帝賞識。後奉使巴蜀，拜中郎將。病免，居茂陵。司馬相如善賦，多有名篇傳世。《史記》卷一一七、《漢書》卷五七有傳。《漢志》稱《凡將》無重字，亦《蒼頡》中正字也，而且頗有出矣。《漢書藝文志講疏》據《凡將》可考文句，認爲其與《急就》文句相似。《漢志》著録《凡將》一篇，兩《唐志》著録司馬相如《凡將篇》一卷，《宋志》無載，亡佚。清任大椿、馬國翰、黄奭、顧震福，民國龍璋有輯本。班固

（32—92）：字孟堅，扶風安陵（今陝西咸陽東）人。對於九流百家之言，無不窮究，所學無常師，不爲章句，舉大義而已。父彪卒，欲承父修前史之業，則以私改國史入獄，幸有弟超出手援救，得免。後爲蘭臺令史，遷爲郎，典校祕書。並獲准終成前所著書。和帝永元中，班固以中護軍隨竇憲征匈奴，戰敗，班固先坐免官，後入獄，死獄中。除《漢書》尚未完成外，還有《典引》、《賓戲》、文、賦等，在者四十篇。《漢書》卷一〇〇上、《後漢書》卷四〇有傳。本志史、集部尚有班固兩部著述。《漢志》未著録《太甲》、《在昔》，《漢志·六藝·小學序》中有言："臣復續揚雄作十三章，凡一百二章，無復字，六藝群書所載略備矣。"後世疑其續揚雄作，即《太甲》、《在昔》，仍需考證。兩《唐志》著録《太甲》、《在昔》各一卷，《宋志》無載，亡佚。崔瑗（77—142）：字子玉，涿郡安平（今河北安平）人，崔駰中子。鋭志好學，盡能傳其父業，明天官、曆數、《京房易傳》等。順帝時，舉茂才，遷汲令。漢安初，遷濟北相。卒年六十六。著有《南陽文學官志》、《草書勢》，以及賦、碑、銘等，凡五十七篇。《後漢書》卷五二有傳。兩《唐志》著録崔瑗《飛龍篇篆草勢合》三卷，《宋志》無載，亡佚。《聖皇篇》：兩《唐志》皆作《聖草章》一卷。《書斷》言："漢靈帝熹平年詔蔡邕作《聖皇篇》，成。"疑兩《唐志》著録有誤。《宋志》無載，亡佚。《黄初篇》：不署撰者。兩《唐志》著録《黄初章》一卷，《宋志》無載，亡佚。《吴章篇》：此處不署撰者，前著録陸機《吴章》二卷，疑二者爲一書，只是卷數不同而已。《女史篇》：《後漢書》卷六〇下載，蔡邕著有《獨斷》、《勸學》、《女訓》等，凡若干篇，傳於世。兩《唐志》無載，亡佚。《幼學》：《舊唐志》著録《初學篇》一卷，朱嗣卿撰；《新唐志》著録朱嗣卿《幼學篇》一卷。嗣卿，蓋朱育字。此書《宋志》無載，亡佚。項峻（生卒年不詳）：吴郎中。《三國志》卷五三載："大皇帝末年，命太史令丁孚、郎中項峻撰

《吴書》。孚、峻俱非史才，其所撰作不足記録。”兩《唐志》著録《始學篇》十二卷。此前著録《始學篇》一卷，不署撰者，一卷本或是十二卷的一部分，十二卷本或是一卷本的注本。《月儀》：不署撰者。其内容是每月致友人的信札。《南史》卷五九載，任昉“自製月儀，辭義甚美”。《小學考》卷一三稱晉索靖有《月儀章》，然難確認即此書。

《發蒙記》一卷。晉著作郎束皙撰。

束皙（？—300）：字廣微，陽平元城（今河北大名）人。博學多聞，被司空張華召。在著作郎任上，得觀太康二年盗發魏襄王墓所出竹書，隨疑分釋，皆有義證。後遷尚書郎，四十歲病卒。其著有《五經通論》、《發蒙記》、《補亡詩》、文集數十篇，行於世。《晉書》卷五一有傳。本志史、集部尚有束皙二部著述。史部“地理”著録束皙《發蒙記》，有注曰：“載物産之異。”與此《發蒙記》有何關聯，待考。此書兩《唐志》無載，亡佚。元陶宗儀、清馬國翰、民國龍璋有輯本。

《啓蒙記》三卷。晉散騎常侍顧愷之撰。

顧愷之（348—409）：字長康，晉陵無錫（今江蘇無錫）人。桓温引爲大司馬參軍，後爲殷仲堪參軍。義熙初，爲散騎常侍。其有三絶：才絶，畫絶，癡絶。年六十二卒於官。所著文集及《啓矇記》行於世。《晉書》卷九二有傳。本志經、集部尚有顧愷之二部著述。《日本國見在書目録》著録《啓蒙記》一卷，晉散騎常侍顧愷之撰；兩《唐志》無載，亡佚。清馬國翰有輯本。

《啓疑記》三卷。顧愷之撰。

兩《唐志》著録《啓疑》三卷，顧愷之撰，不著録顧愷之《啓蒙記》三卷，而《晉書》本傳載《啓蒙記》，不載《啓疑記》，疑二者爲不同名之一書。

《千字文》一卷。梁給事郎周興嗣撰。

周興嗣（？—521）：字思纂，陳郡項（今河南項城東北）人。梁時拜安成王國侍郎，直華林省。後擢員外散騎郎，除新安郡丞，遷給事中，佐撰國史。普通二年（521）卒。所撰《皇帝實録》、《皇德記》、《起居注》、《職儀》等百餘卷、文集十卷，行於世。《梁書》卷四九、《南史》卷七二有傳。本志史部尚有其著述一部。《梁書》本傳稱周興嗣"次韻王羲之書《千字》"，而《宋史》卷二六六有太宗言："《千文》乃梁武得破碑鍾繇書，命周興嗣次韻而成。"疑梁時即有王、鍾二本。《日本國見在書目録》著録《千字文》一卷，周興嗣次韻撰；《舊唐志》著録《千字文》一卷，周興嗣撰；《新唐志》著録周興嗣次韻《千字文》一卷；《宋志》著録《千字文》一卷，梁周興嗣次韻；《郡齋讀書志》、《直齋書録解題》、《文獻通考》皆無載，亡佚。

《千字文》一卷。梁國子祭酒蕭子雲注。

蕭子雲（488—549）：字景喬，蘭陵（今江蘇常州）人。天監初，降爵爲子。起家祕書郎，累遷晉安王文學、丹陽尹丞。太清元年（547），爲侍中、國子祭酒。三年卒（549）。善草隸書，自言善效鍾元常、王逸少而微變字體。著有《晉書》、《東宫新記》。《梁書》卷三五、《南史》卷四二有傳。《梁書》同卷其兄《蕭子範傳》載，南平王使蕭子範製《千字文》，其辭甚美，又命記室蔡薳注釋之。《日本國見在書目録》著録《千字文》一卷，梁國子祭酒蕭子雲注；兩《唐志》著録《千字文》一卷，蕭子範撰。《小學考》卷一四稱蕭子範作《千字文》，蕭子雲注《千字文》，而《隋志》遺蕭子範作《千字文》。此書《宋志》無載，亡佚。

《千字文》一卷。胡肅注。

胡肅：不詳何人。此書兩《唐志》無載，亡佚。

《篆書千字文》一卷。

不署撰者。兩《唐志》著録《篆書千字文》一卷，《宋志》無載，亡佚。

《演千字文》五卷。

不署撰者。兩《唐志》著録《演千字文》五卷，《宋志》無載，亡佚。

《草書千字文》一卷。

不署撰者。兩《唐志》無載，亡佚。

《古今字詁》三卷。張揖撰。梁有《難字》一卷，《錯誤字》一卷，並張揖撰；《異字》二卷，朱育撰；《字屬》一卷，賈魴撰。亡。

《魏書》卷九一載江式上表，提及張揖"著《埤蒼》、《廣雅》、《古今字詁》……然其《字詁》，方之許慎篇，古今體用，或得或失矣"。《顔氏家訓·勉學》"後見《古今字詁》，此亦古之𠃨字也。積年凝滯，豁然霧解"。《舊唐志》著録《古文字詁》二卷，張揖撰；《新唐志》著録張揖《古文字訓》二卷；《宋志》無載，亡佚。清任大椿、馬國翰、黄奭、顧震福，民國龍璋有輯本。《難字》：《舊唐志》無載，《新唐志》著録張揖《雜字》一卷。沈濤《銅熨斗齋隨筆》卷三以爲《隋志》作《難字》爲是。馬國翰與姚振宗以爲《新唐志》題爲《雜字》是。《宋志》無載，亡佚。清任大椿、馬國翰，民國龍璋有輯本。《錯誤字》：姚振宗《考證》曰，《册府》卷六〇八載張揖撰《字諟》一卷。《廣韻》引《字諟》四條，不署姓名。證以《册府》所載，蓋即張揖《字諟》。其名當作《錯誤字諟》。兩《唐志》無載，亡佚。《異字》：《三國志》卷五七《虞翻傳》注引《會稽典録》稱："山陰朱育好奇字，凡所特達，依體象類，造作異字千名以上。"奇字爲六體之一，即古文而異者。姚振宗據《玉篇》、《廣韻》所引，以爲此書本名爲《異字苑》，似本志脱"苑"字。此書兩《唐志》無載，亡佚。清馬國翰、民國龍璋有輯本。《字屬》：兩《唐志》著録此書，《宋志》無載，亡佚。

《雜字解詁》四卷。魏掖庭右丞周氏撰。梁有《解文字》七卷，周成撰；《字義訓音》六卷，《古今字苑》十卷，曹侯彦撰。亡。

周氏：姚振宗《考證》引馬國翰、沈濤、錢大昕説，以爲周氏即周成，是名宦者。此書兩《唐志》無載，亡佚。清任大椿、馬國翰、顧震福，民國龍璋有輯本。《解文字》：《舊唐志》著録《解字文》七卷，周成撰；《新唐志》著録周成《解文字》七卷。姚振宗《考證》推測《解文字》七卷爲其總名，七卷中有《雜字解詁》四卷，另三卷亡佚，唐時全帙復出，故兩《唐志》著録《解文字》七卷，不著録《雜字解詁》四卷。《文選注》引《解字文》，與《舊唐志》著録相合，似其本名。本志與《新唐志》似誤倒其文。此書《宋志》無載，亡佚。曹侯彦（生卒年不詳）：沛國譙（今安徽亳州）人。《三國志》卷九《曹真傳》載，曹真五子羲、訓、則、彦、皚皆封侯，彦官拜散騎常侍侍講。庾元威《論書》曰："許慎穿鑿賈氏，乃奏《説文》；曹産（疑彦之訛）開拓許侯，爰成《字苑》。《説文》則形聲具舉，《字苑》則品類周悉。"（見《全梁文》卷六七）曹侯彦即曹彦。《字義訓音》是否爲曹彦所作，尚無確證。兩《唐志》不載此二書，亡佚。

《雜字指》一卷。後漢太子中庶子郭顯卿撰。

郭顯卿：其他事迹不詳。本志本類亦著録其《古文奇字》一卷。兩《唐志》著録郭訓《字旨篇》一卷，又《古文奇字》一卷，兩書同一作者，疑顯卿爲郭訓字。此書《宋志》無載，亡佚。

《字指》二卷。晉朝議大夫李彤撰。梁有《單行字》四卷，李彤撰；又《字偶》五卷。亡。

李彤：其他事迹不詳。本志史部尚有其著述一部。此書兩《唐志》無載，亡佚。清任大椿、馬國翰、黄奭、顧震福，民國龍璋有輯本。《單行字》：兩《唐志》無載，亡佚。《字偶》：據《册府元龜》卷六〇八載，此書亦爲李彤撰，兩《唐志》無載，亡佚。

《説文》十五卷。許慎撰。梁有《演説文》一卷，庾儼默注，亡。

《後漢書》卷七九下《許慎傳》載，其又作《説文解字》十四篇，傳於世。其子許冲《上書進〈説文〉》有曰："慎博問通文，考之於（賈）逵，作《説文解字》。六藝群言之詁，皆通其意。而天地鬼神，山川草木，鳥獸昆蟲，雜物奇怪，王制禮儀，世間人事，莫不畢載。凡十五卷，十三萬三千四百四十一字。"兩《唐志》、《宋志》皆著録《説文解字》十五卷，《四庫全書總目》卷四一著録其三十卷，其提要曰，是書成於和帝永元十二年，凡十四篇，合目録一篇爲十五篇，分五百四十部，爲文九千三百五十三，重文一千一百六十三，注十三萬三千四百四十字。推究六書之義，分部類從，至爲精密。而訓詁簡質，猝不易通。又音韻改移，古今異讀，諧聲諸字，亦每難明。宋徐鉉爲其作補注、補音、附字，每卷各分爲二，故爲三十卷。後世研究《説文解字》者頗多，段玉裁《説文解字注》、朱駿聲《説文解字定聲》、丁福保《説文解字詁林》等爲其佼佼者。此書現存最早的本子是宋刻元修十五卷本，

《書目答問補正》認爲附孫星衍、顧廣圻跋之重刻宋本較好。通行本有《四庫》本、《四部叢刊》本等。《演説文》：此書采用默注的撰述形式，前著録有徐整《孝經默注》。撰者庾儼生平事迹不詳。此書兩《唐志》無載，亡佚。清馬國翰有輯本。

《説文音隱》四卷。

不署撰者。《顔氏家訓·書證》談及一字讀音《音隱》與《説文》不同，沈濤認爲此《音隱》即《説文音隱》。見《銅熨斗齋隨筆》卷三。兩《唐志》著録《説文音隱》四卷，《宋志》無載，亡佚。清畢沅輯有《説文解字舊音》，王利器以爲即是此書輯本。

《字林》七卷。晉弦令吕忱撰。

吕忱（生卒年不詳）：字伯雍，任城（今山東濟寧）人。晉義陽王典祠令、弦令。《魏書》卷九一載，吕忱表上《字林》六卷，附托許慎《説文》，而案偶章句，隱别古籀奇惑之字，文得正隸，不差篆意。《封氏聞見記》卷二載，吕忱“更按群典搜求異字，復撰《字林》七卷，亦五百四十部，凡一萬二千八百二十四字，諸部皆依《説文》。《説文》所無者，是忱所益”。《日本國見在書目録》著録《字林》二卷，《舊唐志》著録《字林》十卷，《新唐志》著録《字林》七卷，《宋志》著録《字林》五卷，《直齋書録解題》著録《字林》五卷，太乙山僧雲勝注，《文獻通考·經籍考》著録《字林》五卷。元陶宗儀《説郛》收其一卷，《面城樓叢刊》收曾釗校增《字林》一卷，任大椿輯本名《字林考逸》。

《字林音義》五卷。宋揚州督護吴恭撰。

吴恭：其他事迹不詳。此書兩《唐志》無載，《册府元龜》卷六〇八提及吴恭撰《字林音義》五卷，亡佚。

《古今字書》十卷。

《字書》三卷。

《字書》十卷。

以上三字書皆不署撰者。《日本國見在書目録》著録《字書》二十卷，冷泉院（日本冷泉院本）；兩《唐志》著録《字書》十卷，不署撰者；《宋志》、《直齋書録解題》無載，亡佚。清任大椿、黄奭、顧震福，民國龍璋有輯本。

《字統》二十一卷。陽承慶撰。

陽承慶（生卒年不詳）：北平無終（今天津薊州）人，北魏陽尼從孫，太學博士。繼陽尼所造《字釋》數十篇，續撰爲《字統》二十卷，行於世。見《魏書》卷七二。《封氏聞見記》卷二載，《字統》"凡一萬三千七百三十四字，亦憑《説文》爲本，其論字體，時復有異"。兩《唐志》著録楊承慶《字統》二十卷，《宋志》無載，亡佚。清馬國翰、任大椿、黄奭、顧震福，民國龍璋有輯本。

《玉篇》三十一卷。陳右衛將軍顧野王撰。

"右衛將軍"原作"左衛將軍"，據《陳書》、《南史》之《顧野王傳》改。顧野王（519—581）：字希馮，吴郡吴（今江蘇蘇州）人。長而遍觀經史，精記默識，天文地理、蓍龜占候、蟲篆奇字，無所不通。梁世，除太學博士，遷中領軍臨賀王記室參軍。陳天嘉元年（560）補撰史學士，後除太子率更令，領大著作，掌國史。又遷黄門侍郎、光禄卿。卒年六十三。後贈右衛將軍。著述頗豐，有《玉篇》、《輿地志》、《符瑞圖》、《文集》等。《陳書》卷三〇、《南史》卷六九有傳。本志史部尚有顧野王一部著述。《南史》卷四二有載，簡文帝嫌《玉篇》詳略未當，使蕭愷與學士删改。《封氏聞見記》卷二載："《玉篇》三十卷，凡一萬六千九百一十六字。"這是我國第一部以楷書爲主體的字典。《四庫全書總目》卷四一著録《重修玉篇》三十卷，稱："顧野王撰，唐上元元年富春孫强增加字，宋大中祥符六年陳彭年、吴鋭、邱雍等重修。"朱彝尊《玉篇重刊本序》稱，宋"廣益者衆，而《玉篇》非顧氏舊矣"。《重修玉篇》又名《大廣益會玉篇》，有宋刊本、明内府刻本、曹寅刻本、張士俊刻本等。通行本爲《四庫》本。1987年，中華書局影印清康熙張士俊影宋澤存堂本。清末，黎庶昌、羅振玉先後在日本發現原本卷子《玉篇》殘卷，並各自集佚成書。此書留有卷目爲八、九、十八、十九、二十二、二十七，釋義完備，例證豐富；詞義不明時，還有顧野王按語。1985年，中華書局將黎、羅二本彙集影印，使讀者得見《玉篇》真容。

《字類叙評》三卷。侯洪伯撰。

侯洪伯：生平始末不詳。此書兩《唐志》、《宋志》均無載，《通志·藝文略》有著録，亡佚。

《要字苑》一卷。宋豫章太守謝康樂撰。梁有《常用字訓》一卷，殷仲堪撰；《要用字對誤》四卷，梁輕車參軍鄒誕生撰。亡。

謝康樂：生平事迹不詳。兩《唐志》著録《要用字苑》一卷，葛洪撰，疑即此書。《顔氏家訓·書證》曰："至晉世葛洪《字苑》。"本志此條似有脱誤。《常用字訓》：《顔氏家訓·書證》有載，"殷仲堪《常用字訓》亦引服虔《俗説》"。兩《唐志》無載，亡佚。民國有龍璋輯本。鄒誕生：其他事迹不詳。本志史部尚有其著述一部。《日本國見在書目録》著録《周字對語》二卷，疑"周"乃"用"字之誤，"對誤"乃"對語"之誤，疑此書當名《要用字對語》。此書兩《唐志》無載，亡佚。

《要用雜字》三卷。鄒里撰。梁有《文字要記》三卷，王義撰，亡。

鄒里：生平事迹不詳，或即鄒誕生。《要用雜字》與《要用字對誤》或爲一書，或誤以“對”字爲“雜”字，難以確定。兩《唐志》無載，亡佚。《文字要記》：兩《唐志》著録王氏撰《文字要説》一卷，疑即此書。《宋志》無載，亡佚。

《俗語難字》一卷。祕書少監王劭撰。

《史通・雜説》提及，王劭《齊志》多記當時鄙語。兩《唐志》著録《俗語難字》一卷，李少通撰。或書名相同，或即此書而誤題撰人。《宋志》無載，亡佚。

《雜字要》三卷。密州行參軍李少通撰。

李少通（生卒年不詳）：趙郡平棘（今河北趙縣）人，北魏冀州司馬李公緒子，少有學行。與房玄齡父房彦謙友善。見《北史》卷三三、《隋書》卷六六。本志本類尚有其一部著述。兩《唐志》有《難字要》三卷，不署撰者，疑即此書，而誤“雜”爲“難”。此書《宋志》無載，亡佚。

《文字整疑》一卷。

不署撰者。兩《唐志》無載，亡佚。

《正名》一卷。

不署撰者。《日本國見在書目録》有《正名要録》二卷，司馬知羊撰，頗似此書。此書兩《唐志》無載，亡佚。

《文字集略》六卷。梁文貞處士阮孝緒撰。

庾元威《論書》稱阮孝緒撰《古今文字》三卷。見《全梁文》卷六七。《一切經音義》卷七六解釋“醍醐”，提及《文字集略》。《日本國見在書目録》著録《文字集略》六卷，阮孝緒撰；兩《唐志》著録此書爲一卷；《宋志》無載，亡佚。清任大椿、馬國翰、黄奭、顧震福、王仁俊，民國龍璋有輯本。

《今字辯疑》三卷。李少通撰。

《日本國見在書目録》有《今字弁疑》三卷，李少通撰，當即此書。兩《唐志》無載，亡佚。

《異字同音》一卷。梁有《釋字同音》三卷，宋散騎常侍吉文甫撰。

不署撰者。《日本國見在書目録》有《異體同音議字》一卷、《異形同字》一卷、《同音遺訓》一卷、《釋字》一卷，皆不署撰者。不知其間是否有與此書有關聯者。兩《唐志》無載，亡佚。吉文甫：其他事迹不詳。據《册府元龜》卷六〇八載，吉文甫撰《釋字同音》三卷，又有《異字同音》一卷。兩《唐志》不載此書，亡佚。

《字宗》三卷。薛立撰。

薛立：生平事迹不詳。兩《唐志》無載，亡佚。

《文字譜》一卷。梁有《古今文字序》一卷，劉歊撰；《文字統略》一卷，焦子明撰。亡。

不署撰者。兩《唐志》無載，亡佚。劉歊（488—519）：歊（xiāo），字士光，平原（今山東平原附近）人。幼聰慧，及長，博學有文才。不娶不仕，隱居山林，與山水書籍相娛。梁天監十八年（519）卒，謚貞節處士。《梁書》卷五一、《南史》卷四九有傳。此書兩《唐志》無載，亡佚。焦子明：生平事迹不詳。此書兩《唐志》無載，亡佚。

《文字辯嫌》一卷。彭立撰。

彭立：生平事迹不詳。兩《唐志》著録此書，《宋志》無載，亡佚。

《辯字》一卷。戴規撰。

戴規：生平事迹不詳。《日本國見在書目録》有《韻林》二卷，戴規撰；又有《字樣》一卷，戴行方撰。行方似戴規之字，《字樣》有可能是《辯字》之異名。兩《唐志》著録此書，《宋志》無載，亡佚。

《雜字音》一卷。

不署撰者。兩《唐志》無載，亡佚。

《借音字》一卷。

不署撰者。《日本國見在書目録》有《借音》三卷；《借音》一卷，釋道高撰；又有《新抄借音》五卷。三者與此書有何關聯，待考。兩《唐志》不載此書，亡佚。

《音書考源》一卷。

不署撰者。兩《唐志》無載，亡佚。

《聲韻》四十一卷。周研撰。

周研：生平事迹不詳。《小學考》卷二九載，陸法言《切韻序》提及周思言《音韻》，思言疑即研之字。此書兩《唐志》無載，亡佚。

《聲類》十卷。魏左校令李登撰。

李登：其他事迹不詳。《魏書》卷九一載，吕静仿故左校令李登《聲類》之法作《韻集》五卷。《隋書》卷七六載："末有李登《聲類》、吕静《韻集》，始判清濁，纔分宫羽，而全無引據，過傷淺局，詩賦所須，卒難爲用。"《封氏聞見記》卷二載："魏時有李登者撰《聲類》十卷，凡一萬一千五百二十字，以五聲命字，不立諸部。"兩《唐志》著録此書，《宋志》無載，亡佚。清任大椿、馬國翰、章宗源、黄奭、顧震福，民國龍璋有輯本。

《韻集》十卷。

不署撰者。兩《唐志》無載，亡佚。

《韻集》六卷。晉安復令吕静撰。

吕静（生卒年不詳）：任城（今山東濟寧）人，吕忱之弟。《日本國見在書目録》著録《韻集》五卷，吕静撰，兩《唐志》亦著録此書爲五卷，《宋志》無載，亡佚。清任大椿、馬國翰、黄奭、顧震福、陳鱣，民國龍璋有輯本。

《四聲韻林》二十八卷。張諒撰。

張諒：生平事迹不詳。兩《唐志》著録《四聲部》三十卷，張諒撰。《宋志》無載，亡佚。

《韻集》八卷。段弘撰。

段弘：生平事迹不詳。此書兩《唐志》無載，亡佚。

《群玉典韻》五卷。梁有《文章音韻》二卷，王該撰；又《五音韻》五卷。亡。

不署撰者。兩《唐志》無載，亡佚。王該：生平事迹不詳。《日本國見在書目録》著録《文章四聲譜》一卷，不知是否與此書有關聯。兩《唐志》無載，亡佚。《五音韻》：不署撰者。《小學考》

卷二九以爲此書亦爲王該所撰。兩《唐志》無載，亡佚。

《韻略》一卷。陽休之撰。

陽休之（509—582）：字子烈，右北平無終（今天津薊州）人。少勤學，魏莊帝立，解褐員外散騎常侍郎，累遷太常少卿、征虜將軍、中散大夫。元象初，封新泰縣開國伯。齊受禪，除散騎常侍，修起居注。别封始平縣開國男。後三領中書監，封燕郡王。周武平齊，爲訥言中大夫、太子少保，進位上開府，除和州刺史。隋開皇二年（582）罷任，卒，年七十四。有文集、《幽州人物志》行於世。《北齊書》卷四二、《北史》卷四九有傳。兩《唐志》著録陽休之《韻略》一卷，《宋志》無載，亡佚。清任大椿、馬國翰、黄奭、顧震福、王仁俊，民國龍璋有輯本。

《修續音韻决疑》十四卷。李槩撰。

李槩（生卒年不詳）：字季節，趙郡平棘（今河北趙縣）人。少好學，然性倨傲，略無少長禮。爲齊文襄大將軍府行參軍。後除殿中侍御史，修國史，爲太子舍人。卒于并州功曹參軍。撰《戰國春秋》及《音譜》，並行於世。《北史》卷三三有傳。本志經、史部尚有其三部著述。《顔氏家訓·音辭》有載，李季節著《音韻决疑》時有錯失。王利器以爲“音韻”乃“音譜”之誤。《日本國見在書目録》著録《音譜决疑》十卷，齊太子舍人李節撰，又有《音譜决疑》二卷，李槩撰。兩《唐志》無載，亡佚。

《纂韻鈔》十卷。

不署撰者。姚振宗推測此書爲某人鈔節隋潘徽之《韻纂》而成。兩《唐志》無載，亡佚。

《四聲指歸》一卷。劉善經撰。

劉善經（生卒年不詳）：河間（今河北河間）人。博物洽聞，善詞筆。先後任著作郎、太子舍人。著有《酬德傳》、《諸劉譜》及《四聲指歸》，並行於世。《隋書》卷七六有傳。《日本國見在書目録》著録此書，兩《唐志》無載，亡佚。

《四聲》一卷。梁太子少傅沈約撰。

《梁書》卷一三載，沈約又撰《四聲譜》。《南史》卷四八載，沈約論四聲，妙有詮辯，而諸賦亦往往與聲韻乖。《封氏聞見記》卷二載，沈約文詞精拔，盛解音律，遂撰《四聲譜》。此書兩《唐志》無載，亡佚。

《四聲韻略》十三卷。夏侯詠撰。

夏侯詠：生平事迹不詳。本志史部尚有其一部著述。陸法言《切韻叙》稱，夏侯該《韻略》，疑"該"爲"詠"之誤。兩《唐志》著録夏侯詠《四聲韻略》十三卷，《宋志》無載，亡佚。

《音譜》四卷。李槩撰。

《小學考》卷二九稱，陸法言《切韻叙》所言李季節《音譜》即爲此書。兩《唐志》無載，亡佚。

《韻英》三卷。釋静洪撰。

釋静洪：生平事迹不詳。《新唐志》著録唐玄宗《韻英》五卷，下有注曰："天寶十四載撰，詔集賢院寫付諸道采訪使，傳佈天下。"姚振宗疑即因此《韻英》而重修之。此書兩《唐志》無載，亡佚。

《通俗文》一卷。服虔撰。

《顔氏家訓·書證》據此書引蘇林、張揖語，而此二人皆爲魏人；又“《通俗》反音甚會近俗”，而鄭玄以前全不解反語。對《通俗文》爲服虔作，提出質疑。阮孝緒稱《通俗文》謂李虔所造。《日本國見在書目録》著録《通俗章》一卷，服虔撰，又有《通俗文》一卷，不署撰者。兩《唐志》著録《續通俗文》二卷，李虔撰。故洪亮吉、馬國翰推測此書始爲服虔所作，後由李虔續爲二卷。姑備一説。《宋志》無載，亡佚。清任大椿、臧庸、馬國翰、黄奭、顧懷三、顧震福，民國龍璋有輯本。

《訓俗文字略》一卷。後齊黄門郎顔之推撰。

《證俗音字略》六卷。梁有《詁幼》二卷，顔延之撰；《廣詁幼》一卷，宋給事中荀楷撰。亡。

顔之推（531—597？）：字介，琅邪臨沂（今山東臨沂）人。博覽群書，無不該洽。梁湘東王蕭繹自立，以其爲散騎侍郎，奏舍人事。後因爲周軍所破，投奔齊文宣帝，除黄門侍郎。齊亡入周，爲御史上士。隋開皇中，太子召爲學士，尋以疾終。有文集三十卷，撰《家訓》二十篇，並行於世。《梁書》卷五〇、《北齊書》卷四五、《北史》卷八三有傳。本志史、子部尚有其著述三部。《日本國見在書目録》著録《證俗音字略》一卷，顔敏楚撰。據《北齊書》卷八三載，顔之推在齊有二子，長曰思魯，次曰湣楚。《舊唐志》著録《證俗音略》一卷，顔湣楚撰，《筆墨法》一卷，不署撰者。《新唐志》著録顔之推《筆墨法》一卷，張推《證俗音》三卷，顔湣楚《證俗音略》一卷。《宋志》著録顔之推《證俗音字》四卷，又《字始》三卷。《崇文總目》著録“《正俗文字》四卷，齊黄門侍郎顔之推撰。正時俗文字之謬，援諸書爲據，凡三十五目”。史載不一，疑《筆法》、《字始》皆爲篇名，“張推”

爲“顏之推”之誤。姚振宗以爲《顏氏家訓》之《書證》、《音辭》兩篇，可能是此書之大略。《直齋書録解題》、《郡齋讀書志》不載此書，亡佚。《詁幼》：兩《唐志》著録顏延之《詁幼文》三卷，《宋志》無載，亡佚。清馬國翰、民國龍璋有輯本。荀楷：生平事迹不詳。兩《唐志》不載《廣詁幼》，載《詁幼文》三卷，疑其包括《詁幼》和《廣詁幼》。姚振宗疑“詁”、“詰”皆爲“誥”之誤，即《庭誥》之異名。姑備一説。

《文字音》七卷。晉蕩昌長王延撰。梁有《纂文》三卷，亡。

王延：生平事迹不詳。本志本類尚有其著述一部。兩《唐志》著録王延《雜文字音》七卷，《宋志》無載，亡佚。《纂文》：不署撰者。《宋書》卷六四載，何承天删減併合《禮論》，以類相從，與《前傳》、《雜語》、《纂文》等並傳於世。兩《唐志》著録何承天《纂文》三卷，《宋志》無載，亡佚。清任大椿、馬國翰、茆泮林、黄奭、顧震福、王仁俊，民國龍璋有輯本。

《翻真語》一卷。王延撰。

此書内容可能是從佛書翻譯而出。兩《唐志》無載，亡佚。

《真言鑒誡》一卷。

不署撰者。釋家以佛氏語爲真言，此書抑或譯其可爲鑒誡者。本志子部“雜家類”著録釋家典籍，有《真言要集》十卷。《宋志》不載此書，亡佚。

《字書音同異》一卷。

不署撰者。兩《唐志》無載，亡佚。

《叙同音義》三卷。

不署撰者。兩《唐志》有《叙同音》三卷，亦不署撰者，不知是否即此書。《宋志》無載，亡佚。

《河洛語音》一卷。王長孫撰。

王長孫：生平事迹不詳。北魏太和十九年（495）六月，“詔不得以北俗之語於朝廷，若有違者，免所居官”。此書的撰述，可能與魏孝文帝推行漢化有關。見《魏書》卷七下、卷二一下。兩《唐志》不載此書，亡佚。

《國語》十五卷。

《國語》十卷。

兩書皆不署撰者。其内容應相同或相近，都是講鮮卑語。兩《唐志》無載，亡佚。

《鮮卑語》五卷。

不署撰者。兩《唐志》無載，亡佚。

《國語物名》四卷。後魏侯伏侯可悉陵撰。

似以鮮卑語記物名。兩《唐志》無載，亡佚。

《國語真歌》十卷。

不署撰者。兩《唐志》無載，亡佚。

《國語雜物名》三卷。侯伏侯可悉陵撰。

其内容應是對《國語物名》的擴充。兩《唐志》無載，亡佚。

《國語十八傳》一卷。

不署撰者。兩《唐志》無載，亡佚。

《國語御歌》十一卷。

不署撰者。疑爲鮮卑語御用之歌。兩《唐志》無載，亡佚。

《鮮卑語》十卷。

不署撰者。與前著録《鮮卑語》應有相通處。兩《唐志》無載，亡佚。

《國語號令》四卷。

不署撰者。《北齊書》卷二四有載，孫搴能通鮮卑語，兼宣傳號令，當煩劇之任，大見賞重。本志篇叙有曰："後魏初定中原，軍容號令，皆以夷語。後染華俗，多不能通，相傳教習，謂之國語。"兩《唐志》不載此書，亡佚。

《國語雜文》十五卷。

不署撰者。兩《唐志》無載，亡佚。

《鮮卑號令》一卷。周武帝撰。

兩《唐志》不載此書，亡佚。

《雜號令》一卷。

不署撰者。兩《唐志》無載，亡佚。

《古文官書》一卷。後漢議郎衛敬仲撰。

衛敬仲：名衛宏。《舊唐志》著録衛宏《詔定古文官書》一卷，《新唐志》著録衛宏《詔定古文字書》一卷。《藝文類聚》卷四九“太常”條，引衛宏《古文官書》。《漢書》卷八八注引衛宏《詔定古文尚書序》，段玉裁以爲“尚”爲“官”之誤。《宋志》不載此書，亡佚。清任大椿、馬國翰、顧震福，民初龍璋、費廷璜有輯本。

《古今奇字》一卷。郭顯卿撰。

郭顯卿：或名郭訓。《漢志》顔師古注曰：“古文謂孔子壁中書，奇字即古文而異者也。”兩《唐志》皆著録《古文奇字》二卷，郭訓撰。《宋志》無載，亡佚。清顧震福、民國龍璋有輯本。

《六文書》一卷。

不署撰者。《日本國見在書目録》著録《六文字》一卷，可能即此書。兩《唐志》無載，亡佚。

《四體書勢》一卷。晉長水校尉衛恒撰。

衛恒：字巨山，河東安邑（今山西運城）人。先後任太子舍人、尚書郎、祕書監、黄門郎。因父衛瓘爲楚王所構，遇害。後贈長水校尉，謚蘭陵世貞子。撰《四體書勢》。《晉書》卷三六有傳。兩《唐志》著録衛恒《四體書勢》一卷，《宋志》無載。元陶宗儀《説郛》收《四體書勢》一卷，清馬國翰有輯本，嚴可均《全晉文》卷三〇有《四體書勢》文。

《雜體書》九卷。釋正度撰。

釋正度：據梁釋慧皎《高僧傳》載，正度乃僧佑弟子，其他事迹不詳。兩《唐志》著録正度《雜字書》八卷，《宋志》無載，亡佚。

《古今八體六文書法》一卷。

不署撰者。《漢志》注引韋昭曰："八體，一曰大篆，二曰小篆，三曰刻符，四曰蟲書，五曰摹印，六曰署書，七曰殳書，八曰隸書。"《南史》卷七三載，有會稽謝善勳能爲八體六文。《北史》卷三四載，江式稱其亡祖奉獻五世傳掌之書，古篆八體之法。兩《唐志》著録《古今八體六文書法》一卷，《宋志》無載，亡佚。

《古今篆隸雜字體》一卷。蕭子政撰。

《日本國見在書目録》著録《古今篆隸文體》一卷，蕭子良撰。《文選》卷四三《北山移文》"鶴書赴隴"下有注引蕭子良《古今篆隸文體》。《封氏聞見記》卷二載："南齊蕭子良撰古文之書五十二種……皆狀其體勢而爲之名。雖義涉浮淺，亦書家之前流也。"疑此書爲蕭子良作。兩《唐志》著録蕭子雲《五十二體書》一卷。《宋志》無載，亡佚。

《古今文等書》一卷。

不署撰者。《日本國見在書目録》有《古今字》一卷，不知是否即此書，兩《唐志》無載，亡佚。

《篆隸雜體書》二卷。

不署撰者。兩《唐志》無載，亡佚。

《文字圖》二卷。

不署撰者。姚振宗據梁庾元威《論書》(《全梁文》卷六七)，認爲宋齊梁時，圖古今文字者有宗炳、王融、韋仲、謝善勛、庾元威五家，此書屬此類，然不知出自何家。兩《唐志》無載，亡佚。

《古今字圖雜録》一卷。祕書學士曹憲撰。

此書似取《文字圖》雜録成編。兩《唐志》不載此書，而著録曹憲《文字指歸》四卷，這兩書有何關聯，待考。此書亡佚。

《婆羅門書》一卷。梁有《扶南胡書》一卷。

不署撰者。鄭樵《通志・七音略》曰："切韻之學起自西域，舊所傳十四字貫一切音，文省而義博，謂之婆羅門書，然猶未了，其後又得三十六字母，而音韻之道始備。"兩《唐志》無載，亡佚。《扶南胡書》：不署撰者。扶南，南海古國，盛時擁有湄公、湄南二河下游諸地。胡書當指扶南通行文字。《顔氏家訓・省事》載，近世有兩人，朗悟士也，鮮卑語、胡書（鮮卑文字）略得梗概。《日本國見在書目録》有《翻胡語》七卷。此書兩《唐志》不載，亡佚。

《外國書》四卷。

不署撰者。姚振宗據慧皎《高僧傳》載，法護隨師至西域，游歷諸國，外國異言三十六種書，法護皆遍學，貫綜訓詁音義字體，無不備識。以爲此書即法護從外國傳録的三十六種書。此書兩《唐志》無載，亡佚。

《秦皇東巡會稽刻石文》一卷。

不署撰者。據《史記》卷六《秦始皇本紀》載，秦統一後，始皇多次出巡，在所到之處刻石，頌秦德。三十七年，始皇巡行至會稽，在此刻石。此書即會稽刻石之文。《漢志・六藝》著録《奏事》二十篇，下有注曰："秦時大臣奏事及刻石名山文也。"此書也可能是《奏事》之一部分。兩《唐志》無載，亡佚。

《一字石經周易》一卷。梁有三卷。

錢大昕《十駕齋養新餘録》卷中言，“一字”爲漢刻，由蔡邕所書，只有隸體。此石經又稱熹平石經。詳情可參見《後漢書》卷六《靈帝本紀》、卷六〇下《蔡邕傳》。兩《唐志》有《今字石經易篆》三卷，《宋志》無載，亡佚。

《一字石經尚書》六卷。梁有《今字石經鄭氏尚書》八卷，亡。

《舊唐志》著録《今字石經尚書》五卷，《新唐志》著録《今字石經尚書本》五卷，《宋志》無載，亡佚。清馬國翰有輯本《石經尚書》一卷。《今字石經鄭氏尚書》：兩《唐志》著録《今字石經鄭玄尚書》八卷，《宋志》無載，亡佚。

《一字石經魯詩》六卷。梁有《毛詩》二卷，亡。

此書兩《唐志》無載，亡佚。清馬國翰有輯本《石經魯詩》一卷。《毛詩》：兩《唐志》著録《今字石經毛詩》三卷，《宋志》無載，亡佚。

《一字石經儀禮》九卷。

兩《唐志》著録《今字石經儀禮》四卷，《宋志》無載，亡佚。清馬國翰有輯本《石經儀禮》一卷。

《一字石經春秋》一卷。梁有一卷。

兩《唐志》著録《今字石經左傳經》十卷，《宋志》無載，亡佚。一卷：疑“一”爲“十”之誤。

《一字石經公羊傳》九卷。

兩《唐志》著録《今字石經公羊傳》九卷，《宋志》無載，亡佚。清馬國翰有輯本《石經公羊傳》一卷。

《一字石經論語》一卷。梁有二卷。

兩《唐志》著録《今字石經論語》二卷，蔡邕注，《宋志》無載，亡佚。清馬國翰有輯本《石經論語》一卷。

《一字石經典論》一卷。

《三國志》卷三載，太和四年春二月，以文帝《典論》刻石，立於廟門外。《洛陽伽藍記》稱："魏文帝作《典論》六碑，至太和十七年猶有四存。"本志子部著録魏文帝《典論》五卷。此《一字石經典論》兩《唐志》無載，亡佚。

《三字石經尚書》九卷。梁有十三卷。

《三字石經尚書》五卷。

錢大昕《十駕齋養新餘録》卷中言，"三字"，爲魏正始年間所刻，有古文、篆、隸三體。兩《唐志》著録《三字石經尚書古篆》三卷，《宋志》無載，亡佚。清馬國翰有輯本《三字石經尚書》一卷。

《三字石經春秋》三卷。梁有十二卷。

兩《唐志》著録《三字石經左傳古篆書》十三卷，《宋志》無載，亡佚。清馬國翰有輯本《三字石經春秋》一卷。

右一百八部，四百四十七卷。通計亡書，合一百三十五部，五百六十九卷。

一百八部：實爲一百一十部。一百三十五部：實爲一百四十部。

孔子曰[1]："必也正名乎？"名謂書字[2]。"名不正則言不順，言不順則事不成。"説者以爲書之所起，起自黄帝、蒼頡[3]。比類象形謂之文，形聲相益謂之字，著於竹帛謂之書。故有象形、諧聲、會意、轉注、假借、處事六義之别[4]。古者童子示而不誑[5]，六年教之數與方名[6]。十歲入小學，學書計[7]。二十而冠[8]，始習先王之道，故能成其德而任事。然自蒼頡訖于漢初，書經五變：一曰古文，即蒼頡所作。二曰大篆，周宣王時史籀所作[9]。三曰小篆，秦時李斯所作。四曰隸書，程邈所作[10]。五曰草書，漢初作。秦世既廢古文，始用八體，有大篆、小篆、刻符、摹印、蟲書、署書、殳書、隸書[11]。漢時以六體教學童[12]，有古文、奇字、篆書、隸書、繆篆、蟲鳥[13]，并藁書、楷書、懸針、垂露、飛白等二十餘種之勢[14]，皆出於上六書[15]，因事生變也。魏世又有八分書[16]，其字義訓讀，有《史籀篇》、《蒼頡篇》、《三蒼》、《埤蒼》、《廣蒼》等諸篇章，《訓詁》、《說文》、《字林》、《音義》、《聲韻》、《體勢》等諸書[17]。自後漢佛法行於中國，又得西域胡書，能以十四字貫一切音[18]，文省而義廣，謂之婆羅門書。與八體六文之義殊别[19]。今取以附體勢之下。又後魏初定中原，軍容號令，皆以夷語。後染華俗，多不能通，故録其本言，相傳教習，謂之國語。今取以附音韻之末。又後漢鐫刻七經[20]，著於石碑，皆蔡邕所書。魏正始中[21]，又立三字石經[22]，相承以爲七經正字。後魏之末，齊神武執政[23]，自洛陽徙于鄴都，行至河陽[24]，值岸崩，遂没于水。其得至鄴者，不盈太半。至隋開皇六年，又自鄴京載入長安，置于祕書内省，議欲補緝，立于國學。尋屬隋亂，事遂寢廢，營造之司，因用爲柱礎。貞觀初[25]，祕書監臣魏徵[26]，始收聚之，十不存一。其相承傳拓之本，猶在祕府，并秦帝刻石，附於此篇，以備小學。

[1] 孔子曰：見《論語・子路》。

[2] 書字：文字。

[3] 黄帝：傳説中的五帝之一。少典之子，據軒轅之丘，故號軒轅氏。敗炎帝於阪泉，又與蚩尤戰於逐鹿之野，斬殺之，爲諸侯尊爲天子。參見《史記》卷一《五帝本紀》。蒼頡：又作倉頡，傳説中始創文字的人。韓非《五蠹》曰："古者蒼頡之作書也，自環者謂之私，背私者謂之公。"

[4] 象形：畫成其物，隨體詰詘，日、月是也。諧聲，又作形聲，以事爲名，取譬相成，江、河是也。會意，比類合誼，以見指撝，武、信是也。轉注，建類一首，同意相受，考、老是也。假借，本無其字依聲托事，令、長是也。處事，又作指事，視而可見，察而見意，上、下是也。六義，即指以上六種造字條例。

[5] 誑（kuáng）：欺騙、迷惑。

[6] 方名：東、西、南、北四方的名稱。

[7] 書計：文字與籌算。

[8] 冠：帽子。古代男子二十歲行成人禮，結髮戴冠。

[9] 周宣王（？—前782）：周厲王之子，名静。即位後任用賢臣，北伐玁狁，南征荆蠻、淮夷、徐戎，舊史稱其爲中興之主。史籀，本序中史籀爲周宣王時太史。《漢志》著録《史籀》十五篇，下有注曰："周宣王太史作大篆十五篇，建武時亡六篇矣。"班固並未明確太史之姓名爲史籀。王國維以爲"籀"與"讀"古音義相同，史籀實非人名。見《觀堂集林》卷五《史籀篇證序》。

[10] 程邈：身爲秦吏，相傳是隸書的創始者。《漢志》顔師古注稱，小篆爲秦始皇使程邈所作，又稱隸書亦程邈所獻。

[11] 刻符：刻於符節上的文字。摹印，將小篆稍加變化，字形屈曲縝密，本用於璽文，後也用於一般印章。蟲書，即書旛信者。署書，凡一切封檢題字皆爲署書。殳書，古者文既記笏，武亦書殳，凡兵器之題識，爲殳書。

[12] 六體：或指六種造字條例，或指六種字體。

[13] 繆篆：《漢志》顔師古注曰，“繆篆謂其文屈曲纏繞，所以摹印章也”，同摹印。蟲鳥，《漢志》顔師古注曰，“蟲書謂爲蟲鳥之形，所以書幡也”，同蟲書。

[14] 藁書：即草書。懸針：王愔《文字志》曰，懸針，小篆體也。字必垂畫細末，細末纖直如懸針，故謂之懸針。垂露：亦作垂落。王愔《文字志》曰，垂露書，如懸針而勢不遒勁，阿那若濃露之垂，故謂之垂露。見《初學記》卷二一。飛白：相傳蔡邕所創。筆劃露白，似枯筆所寫。

[15] 六書：亦指六種造字條例。

[16] 八分書：一漢字書體。字體似隸書而體勢多波磔（左撇右捺），相傳秦王次仲所造。

[17] 訓詁：此於音義、聲韻、體勢均爲書名，因其下有“等諸書”。

[18] 十四字：即十四字音，是通行於東漢至六朝間的一種梵、漢字音對照方法。

[19] 六文：在此指六種字體。

[20] 七經：後漢熹平四年（175）所刻《易》、《詩》、《書》、《儀禮》、《春秋》、《公羊》、《論語》七經。

[21] 正始：三國時魏齊王曹芳年號，公元 240—248 年。

[22] 三字石經：又名三體石經。《水經注·穀水》言，漢立石經於太學。魏正始中又刻古文、篆、隸三字石經。《北史·江式傳》稱，魏邯鄲淳建三字石經於漢碑西。

[23] 齊神武（496—547）：高歡，字賀六渾，渤海蓨（今河北景縣）人。魏孝静帝朝執政，武定五年（547）崩於晉陽。齊文宣帝天保初，追崇爲獻武帝，廟號太祖。後主天統元年（565），改謚神武帝，廟號高祖。《北齊書》卷一、《北史》卷六有傳。

[24] 河陽：今河南孟縣。

[25] 貞觀：唐太宗年號，公元 627—649 年。

[26] 魏徵（580—643）：字玄成，魏州曲城（今山東萊州東北）人。先在唐太子建成麾下，唐太宗即位後，爲諫議大夫，封鉅鹿縣男。敢直諫，得太宗器重。以祕書監參豫朝政，後進左光禄大夫、鄭國公，拜特進，知門下省。貞觀十七年（643）卒，贈司空、相州都督，謚文貞。貞觀初，受詔總加撰定周、隋、梁、陳、齊史，多所損益，隋史序論皆其所作。又作《類禮》二十篇。《舊唐書》卷七一、《新唐書》卷九七有傳。

凡六藝經緯六百二十七部，五千三百七十一卷。通計亡書，合九百五十部，七千二百九十卷。

六百二十七部：實爲六百四十五部。九百五十部：實爲一千七十五部。

《傳》曰[1]："玉不琢，不成器；人不學，不知道[2]。"古之君子，多識而不窮[3]，畜疑以待問[4]；學不踰等[5]，教不陵節[6]；言約而易曉，師逸而功倍；且耕且養，三年而成一藝。自孔子没而微言絶，七十子喪而大義乖，學者離群索居，各爲異説。至于戰國，典文遺棄，六經之儒，不能究其宗旨，多立小數[7]，一經至數百萬言。致令學者難曉，虚誦問答[8]，脣腐齒落而不知益[9]。且先王設教，以防人欲，必本於人事，折之中道[10]。上天之命，略而罕言，方外之理，固所未説。至後漢好圖讖，晉世重玄言[11]，穿鑿妄作，日以滋生。先王正典，雜之以妖妄，大雅之論，汩之以放誕[12]。陵夷至于近代，去正轉疎，無復師資之法[13]。學不心解，專以浮華相尚，豫造雜難[14]，擬爲讎對，遂有芟角、反對、互從等諸翻競之説[15]。馳騁煩言，以紊彝叙[16]，譊譊成俗[17]，而不知變，此學者之蔽也。班固列六藝爲九種，或以緯書解經，合爲十種。

[1]《傳》曰：《禮記·學記》語。

[2] 道：此指儒家思想、學説。

[3] 不窮：無窮盡。

[4] 畜：積貯。

[5] 踰等：超越等級。

[6] 陵節：超出程式。

[7] 小數：小技能。

[8] 虛誦：無實際意義的誦讀。

[9] 唇腐齒落：衰老的表象。

[10] 中：符合。

[11] 玄言：精微玄妙之言，一般指佛、道教之義理。

[12] 汩（gǔ）：沉淪。

[13] 師資：可以效法或引以爲戒的人或事。

[14] 豫：同與，參與。

[15] 芟（shān）角：割除、角逐。翻競：翻，改變狀態、反覆；競，競争。反覆争論。

[16] 彝敘：日常規律。

[17] 譊譊（náo）：喧嚷争辯之聲。

史部

正 史

《史記》一百三十卷。目録一卷。漢中書令司馬遷撰。

司馬遷（約前 145—前 90），字子長，漢左馮翊夏陽（今陝西韓城）人。從小深受其父太史令司馬談的影響，從師董仲舒、孔安國，後又漫游大江南北，爲撰寫《史記》（漢時稱《太史公書》）奠定了雄厚的學識基礎。因李陵之禍遭受腐刑，後爲中書令，忍辱完成《太史公書》。《史記》卷一三〇、《漢書》卷六二有傳。《漢志》著録《太史公》百三十篇，班固注曰，十篇有録無書。又著録《司馬遷賦八篇》。《史記》是我國第一部紀傳體通史，“紀以包舉大端，傳以委曲細事，表以譜列年爵，志以總括遺漏……”（見《史通・二體》）以後的正史皆基本上沿襲了這一體例。《史記》有本紀十二、表十、書八、世家三十、列傳七十，共一百三十篇，記載了從傳説的黄帝至漢武帝太初年間近三千年的歷史。魏張晏曰：“遷没之後，亡《景紀》、《武紀》、《禮書》、《樂書》、《律書》、《漢興以來將相年表》、《日者列傳》、《龜策列傳》、《傅靳蒯成列傳》。元成之間，褚先生補闕，作《武帝紀》、《三王世家》、《龜策》、《日者列傳》，言辭鄙陋，非遷本意也。”（《史記》卷一三〇裴駰《集解》）近代學者余嘉錫以爲，補《太史公書》者，除褚少孫之外，尚有馮商、劉向、劉歆、揚雄、馮衍、史岑諸人。《景紀》，馮商所爲；《武紀》，兩晉間人所爲；《禮書》，後人所補；《樂書》，後人據傳聞之辭以補之；《兵書》（實爲《律書》），鄉里妄人所爲；

《漢興以來將相年表》，疑爲馮商所爲；《日者列傳》，褚少孫作；《三王世家》，褚少孫所補；《龜策列傳》，不一定出於褚少孫；《傅靳蒯成列傳》，劉氏父子、揚雄、馮商亦可能爲之作。本志著録的《史記》注有三種：《史記》八十卷，宋裴駰注；《史記音義》十二卷，宋徐廣注；《史記音》三卷，梁鄒誕生撰。唐代有數種《史記》注，而《新唐志》著録的司馬貞《史記索隱》三十卷、張守節《史記正義》三十卷，與宋裴駰《史記集解》是流傳至今最重要的《史記》三家注。清代研究史學者多涉及《史記》，如趙翼、錢大昕等，其間較深入探求者當屬梁玉繩，撰成《史記志疑》。二十世紀日本學者瀧川資言著《史記彙注考證》，可謂《史記》注釋之集大成者。另，清王仁俊輯有《史記佚文》一卷。現存最早附有三家注的《史記》是宋建安黄善夫家塾刻本，通行本有清武英殿本、商務印書館百衲本、中華書局點校本。

《史記》八十卷。宋南中郎外兵參軍裴駰注。

裴駰：河東聞喜（今山西聞喜）人，裴松之之子，宋南中郎參軍。所作《史記集解》與其父所著文論及《晉紀》並行於世。事見《宋書》卷六四、《南史》卷三三。本志集部尚有裴駰著述一部。《史記集解》是現存《史記》三家注之一。裴駰搜集七十餘家注釋，以徐廣《史記音義》爲主，“采經傳百家並先儒之説，豫是有益，悉皆抄內”，並下己意，可謂集前人注《史記》之大成。此書現存最早的本子是宋紹興淮南路轉運司刻宋元明初遞修本（一百三十卷），通行本是還包括唐司馬貞《索隱》、張守節《正義》的三家注《史記》，有武英殿本、商務印書館百衲本、中華書局點校本等。

《史記音義》十二卷。宋中散大夫徐野民撰。

徐野民：即徐廣，見本志經部“詩類”。此書爲徐廣參酌多人注釋而成。兩《唐志》皆著録《史記音義》十三卷,《宋志》無載，亡佚。

《史記音》三卷。梁輕車録事參軍鄒誕生撰。

鄒誕生：見本志經部“小學類”。此書兩《唐志》有載,《舊唐志》作《史記音義》。《宋志》無載，亡佚。

《古史考》二十五卷。晉義陽亭侯譙周撰。

譙周：見本志經部“論語類”。《三國志》本傳載其爲陽城亭侯。兩《唐志》將此書録入史部“雜史類”,《宋志》無載，亡佚。清章宗源、黄奭各輯《古史考》一卷。

《漢書》一百一十五卷。漢護軍班固撰，太山太守應劭集解。

班固：見本志經部“小學類”。《漢書》包括十二紀、八表、十志、七十列傳，凡一百篇，後人析爲一百二十卷。記漢高祖劉邦元年至王莽地皇四年，二百三十年的歷史。班固在其父班彪續《史記》之作《後傳》六十五篇的基礎上撰《漢書》，後因受竇憲牽連，死於獄中。當時八表和《天文志》尚未寫就，後由其妹班昭等補作完成。東漢有應劭、服虔爲《漢書》作注。以後陸續爲《漢書》作注者衆，其間影響較大者有唐顔師古，他彙集隋以前二十三家注釋，撰成《漢書注》。又有清王先謙，所作《漢書補注》，徵引與參訂的著述多至六十七家，而且考證翔實。現存《漢書》多附顔師古注，最早的本子是北宋刻遞修本，通行本有武英殿本、金陵書局本、中華書局點校本等。應劭：字仲遠，或作仲瑗，汝南南頓（今河南項城北）人。少篤學，博覽多聞。靈帝時舉孝廉。中平六年（189），拜太山太守。建安二年（197），著《漢官禮儀故事》，撰《風俗通》等，凡著述百三十六篇，又集解《漢書》，皆傳於時。後卒於鄴。《後漢書》卷四八有傳。本志史、子部尚有應劭四部著述。

《漢書集解音義》二十四卷。應劭撰。

顏師古以爲此書非應劭所作，是晉初臣瓚總集諸家音義附以己見撰成，凡二十四卷，分二帙，而後人不審，乃謂其爲應劭等所作《漢書集解》。見《漢書叙例》。此書兩《唐志》有載，《宋志》無載，亡佚。

《漢書音訓》一卷。服虔撰。

服虔：見本志經部“春秋類”。此書兩《唐志》有載，《宋志》無載，亡佚。

《漢書音義》七卷。韋昭撰。

韋昭：見本志經部“詩類”。此書兩《唐志》有載，《宋志》無載，亡佚。

《漢書音》二卷。梁尋陽太守劉顯撰。

劉顯（481—543）：字嗣芳，沛郡相（今安徽濉溪）人。幼聰敏，及長，博涉多通。天監初舉秀才，累遷尚書儀曹郎、尚書左丞，除國子博士，後爲尋陽太守。大同九年（543），加戎昭將軍。是年，卒於夏口。《梁書》卷四〇、《南史》卷五〇有傳。此書兩《唐志》無載，亡佚。

《漢書音》二卷。夏侯詠撰。

夏侯詠：見本志經部“小學類”。此書兩《唐志》皆著録夏侯泳撰《漢書音》二卷，《宋志》無載，亡佚。

《漢書音義》十二卷。國子博士蕭該撰。

蕭該（535？—610？）：南蘭陵（今江蘇常州）人。梁封其爲攸侯。性篤學，通《詩》、《書》、《春秋》、《禮記》大義，尤精《漢書》。開皇初，賜爵山陰縣公，拜國子博士。撰《漢書音義》、《文選音義》，皆爲當時所崇。《隋書》卷七五、《北史》卷八二有傳。本志史、集部尚有蕭該二部著述。此書兩《唐志》、《日本國見在書目録》皆有著録，然顏師古《漢書注》未提及此書，《宋志》經部“小學類”著録此《漢書音義》三卷。清臧庸輯《漢書音義》三卷。

《漢書音》十二卷。廢太子勇命包愷等撰。

包愷（生卒年不詳）：字和樂，東海（今江蘇連雲港西南）人。明五經，又從王仲通受《史記》、《漢書》。大業中，爲國子助教，與蕭該同爲當時《漢書》學者之宗匠，數千人從其學。《隋書》卷七五、《北史》卷八二有傳。兩《唐志》著録皆作包愷撰《漢書音》十二卷，《宋志》無載，亡佚。勇：即楊勇，隋文帝長子，開皇元年（581）立爲太子，二十年（600）廢爲庶人。

《漢書集注》十三卷。晉灼撰。

晉灼（生卒年不詳）：河南郡（今河南洛陽）人，晉尚書郎。此書是晉灼集服虔、應劭等注釋爲一部，凡十四卷，又頗以意增益，時辯前人當否，號曰《漢書集注》。此書雖存，不至江左，南方學者皆未見之。見《漢書叙例》。兩《唐志》著録《漢書集注》十四卷，而《新唐志》又别出晉灼《漢書音義》十七卷。姚振宗推測當爲《漢書集注》之别本。

《漢書注》一卷。齊金紫光禄大夫陸澄撰。

陸澄（425—494）：字彦淵，吴郡吴（今江蘇蘇州）人。少好學博覽，無所不知。仕宋，官至御史中丞。入南齊，累遷國子祭酒。隆昌元年（494），以老疾，轉光禄大夫，加散騎常侍，未拜。是年，卒，謚靖子。《南齊書》卷三九、《南史》卷四八有傳。本志史、子部尚有陸澄六部著述。下《漢疏》條下後又有“梁有陸澄注《漢書》一百二卷，亡”之記載，兩《唐志》皆著録陸澄《漢書新注》一卷，二者關係如何，待考。《宋志》無載，亡佚。

《漢書續訓》三卷。梁平北諮議參軍韋稜撰。

韋稜（生卒年不詳）：字威直，京兆杜陵（今陝西西安東南）人。以書史爲業，博聞强記。起家安成王府行參軍，官至光禄卿。《梁書》卷一二、《南史》卷五八有傳。此書兩《唐志》著録《漢書續訓》二卷，《宋志》無載，亡佚。

《漢書訓纂》三十卷。陳吏部尚書姚察撰。

姚察（533—606）：字伯審，吴興武康（今浙江湖州）人。梁時官至尚書駕部郎。陳時以通直散騎常侍報聘於周，使還，累遷吏部尚書，領著作如故。入隋，詔授祕書監，别敕成梁、陳二史。大業二年（606），終於東都。所著《漢書訓纂》及《説林》、《玉璽》文集等並行於世。梁、陳二史雖未畢功，但其生前以體例誡約子思廉，最終得以完成。《陳書》卷二七、《南史》卷六九有傳。本志史、集部尚有姚察五部著述。此書兩《唐志》皆有著録，《宋志》無載，亡佚。

《漢書集解》一卷。姚察撰。

此書本傳未提及，兩《唐志》無載，亡佚。

《論前漢事》一卷。蜀丞相諸葛亮撰。

諸葛亮（181—234）：字孔明，琅邪陽都（今山東沂南）人。

早孤，及長，自比於管仲、樂毅。得徐庶賞識薦與劉備，任軍師中郎將。劉備即帝位，以丞相録尚書事，假節，領司隸校尉。建興元年（223）封武鄉侯，十二年（234）卒於軍中，時年五十四。謚忠武侯。《三國志》卷三五有傳。此書《舊唐志》無載，《新唐志》著録諸葛亮《論前漢事》一卷，又《音》一卷。《宋志》無載，亡佚。

《漢書駁議》二卷。晉安北將軍劉寶撰。

劉寶（？—301）：字道真，高平（今山東金鄉西北）人。晉中書郎，歷任太子中庶子、安北將軍等職。侍皇太子講《漢書》，別有《駁議》。見《漢書叙例》。此書兩《唐志》有載，《宋志》無載，亡佚。

《定漢書疑》二卷。姚察撰。

《陳書》卷二七《姚察傳》記劉臻竊於姚察公館，訪《漢書》疑事十餘條，並爲剖析，皆有經據。劉臻對其親近人言："名下定無虚士。"姚振宗疑此書即爲劉臻所訪十餘條。兩《唐志》無載，亡佚。

《漢書叙傳》五卷。項岱撰。

項岱：生平事迹不詳。此書《舊唐志》著録《漢書叙傳》五卷，《新唐志》著録《漢書叙傳》八卷。本志集部提及梁有項氏注《幽通賦》三卷。《漢書・叙傳》爲《漢書》末卷，其中録有《幽通賦》，疑五卷本爲他人析出别行者。

《漢疏》四卷。梁有《漢書》孟康音九卷，劉孝標注《漢書》一百四十卷，陸澄注《漢書》一百二卷，梁元帝注《漢書》一百一十五卷，並亡。

不署撰者。此書兩《唐志》無載，亡佚。孟康（生卒年不詳）：字公休，安平廣宗（今河北安平）人。魏散騎侍郎，歷任弘農太守、渤海太守、散騎常侍、中書令，封廣陵亭侯。見《三國志》卷一六裴注引《魏略》、《漢書叙例》。兩《唐志》著録孟康《漢書音義》九卷，《宋志》無載，亡佚。劉孝標（462—521）：名峻，原名法武，字孝標，平原（今山東平原南）人。好學，自課讀書，往往終夜不寐。天監初，入西省典校祕書。因性不能隨衆浮沉，故不爲高祖所用。居東陽，吴、會人士多從其學。普通二年（521）卒，門人謚曰玄靖先生。《梁書》卷五〇、《魏書》卷四三、《南史》卷四九、《北史》卷三九有傳。本志史、子、集部尚有劉孝標四部著述。此書兩《唐志》無載，亡佚。陸澄注《漢書》：《史通・補注》言及陸澄注《漢書》，"掇衆史之異同，補前書之所闕，若裴松之《三國志》，陸澄、劉昭兩《漢書》之類是也"。"陸澄所注班史，多引司馬遷之書，若此缺一言，彼增半句，皆采摘成注，標爲異説。"兩《唐志》無載，亡佚。梁元帝：見本志大序。梁簡文帝《答湘東王書》曰："注《漢》工夫轉有次第，思見此書，有甚饑惄。"見《廣弘明集》卷二七。即指此《漢書注》。此書兩《唐志》無載，亡佚。

《東觀漢記》一百四十三卷。起光武記注至靈帝，長水校尉劉珍等撰。

劉珍（？—126）：一名寶，字秋孫，南陽蔡陽（今湖北棗陽西南）人。少好學。永初中，爲謁者僕射。受詔校定東觀五經、諸子傳記、百家藝術。永寧元年（120），受詔參與撰建武以來名臣傳。延光四年（125），拜宗正，轉年遷衛尉，卒官。著誄、頌等七篇，又撰《釋名》。《後漢書》卷八〇上有傳。《史通・古今正史》曰："詔史官謁者僕射劉珍及諫議大夫李尤雜作記，表，名臣、節士、儒林、外戚諸傳，起自建武，訖乎永初。"《日本國見在書目録》稱：“本朝見在百四十二卷。”《舊唐志》著録《東觀漢記》一百二十七卷，劉珍撰；《新唐志》著録劉珍等《東觀漢記》一百二十六卷，又《録》一卷。《宋志》“别史”著録劉珍等《東觀漢記》八卷。《直齋書録解題·傳記》著録《東觀漢記》十卷，漢謁者僕射劉珍、校書郎劉騊駼等撰。《四庫全書總目》卷五〇著録《東觀漢記》二十四卷，提要曰：“唐章懷太子注范曄《後漢書》，此書遂微，北宋時尚有殘本四十三卷，南宋僅存鄧禹、吴漢等九人傳。”四庫館臣認爲姚之駰所輯《後漢書補逸》疏漏頗多，僅據《永樂大典》各韻所載，參考諸書，補其闕疑，所增者幾十之六，並有所勘正，輯成永樂大典本《東觀漢記》二十四卷，即今流傳之本。另有清王仁俊輯《東觀漢記》一卷，陶棟《東觀漢記》二卷、《拾遺》二卷。

《後漢書》一百三十卷。無帝紀，吴武陵太守謝承撰。

謝承（生卒年不詳）：字偉平，會稽山陰（今浙江紹興）人。孫權内弟。博學洽聞，嘗所聞見，終身不忘。拜五官郎中，後遷武陵太守。撰《後漢書》百餘卷。事見《三國志》卷五〇。本志史部尚有謝承一部著述。侯康曰：“姚之駰謂謝書極博，蔚宗過爲删除，其説甚當。蓋謝之勝范在此，而其不及范之精嚴亦在此矣。”見《補三國藝文志》。此書《舊唐志》著録一百三十三卷，《新唐志》著録謝承《後漢書》一百三十卷，又有《録》一卷。《宋志》無載，亡佚。清有姚之駰、汪文臺、黄奭、王仁俊輯本。

《後漢記》六十五卷。本一百卷，梁有，今殘缺。晉散騎常侍薛瑩撰。

薛瑩（？—282）：字道言，沛郡竹邑（今安徽宿州北）人。初爲祕府中書郎。孫皓初，領太子少傅。後爲左國史，遷光禄勳。天紀四年（280），晉伐皓，造請降文。至洛陽，爲散騎常侍。太康三年（282），卒。著書八篇，名《新議》。見《三國志》卷五三。兩《唐志》皆著録《後漢記》一百卷，《宋志》無載，亡佚。清有姚之駰、汪文臺、黄奭輯本。

《續漢書》八十三卷。晉祕書監司馬彪撰。

司馬彪（？—306）：字紹統，河内温縣（今河南温縣）人。少篤學不倦，博覽群籍。初拜騎都尉。泰始中，爲祕書郎，轉丞。注《莊子》，作《九州春秋》、《續漢書》，又條《古史考》中凡百二十二事爲不當。惠帝末年卒，時年六十餘。《晉書》卷八二有傳。本志史、子、集部尚有司馬彪四部著述。《史通·古今正史》曰司馬彪“討論衆書，綴其所聞，起之光武，終於孝獻，爲紀志傳凡八十篇，號曰《續漢書》”。兩《唐志》皆有著録，《新唐志》則又有《録》一卷。《宋志》無載，亡佚。清有姚之駰、汪文臺輯本。

《後漢書》十七卷。本九十七卷，今殘缺。晉少府卿華嶠撰。

華嶠（？—293）：字叔駿，平原高唐（今山東禹城西南）人。才學深博，少有令聞。累官散騎常侍、典中書著作，領國子博士，侍中。元康初，封樂鄉侯。以《漢記》煩穢，起於光武，終於孝獻，撰成《後漢書》九十七卷，其中十典尚未完成。元康三年（293）卒，追贈少府，謚曰簡。《晉書》卷四四有傳。本志集部尚有其一部著述。《文心雕龍·史傳》稱此書“準當”。《史通·古今正史》稱，推魏晉作編年、紀傳史書者所長，“華氏居最，而遭晉室東徙，三唯一存”。兩《唐志》著録華嶠《後漢書》三十一卷，《宋志》無載，亡佚。清有姚之駰、汪文臺、黄奭、王仁俊、杜文瀾輯本。

《後漢書》八十五卷。本一百二十二卷，晉祠部郎謝沈撰。

謝沈：見本志經部“尚書類”。此書兩《唐志》皆著録謝沈

《後漢書》一百二卷、《後漢書外傳》十卷，《宋志》無載，亡佚。清有姚之駰、汪文臺、黄奭輯本。

《後漢南記》四十五卷。本五十五卷，今殘缺。晉江州從事張瑩撰。

張瑩：生平事迹不詳。《世説新語·文學》第二條、《言語》第七條注皆引《漢南記》，李善注干寶《晉紀總論》引張瑩《漢南記》。兩《唐志》皆著録《漢南記》五十八卷，《宋志》無載，《説郛》存一卷六節，未注出處。

《後漢書》九十五卷。本一百卷，晉祕書監袁山松撰。

袁山松（？—401）：陳郡陽夏（今河南太康）人。少有才名，博學文章，著《後漢書》百篇。官爲吴郡太守。隆安五年（401），孫恩作亂，守滬瀆，城陷被害。《晉書》卷八三有傳。《舊唐志》著録此書一百二卷，《新唐志》著録此書一百一卷，《録》一卷。《宋志》無載，亡佚。清有姚之駰、汪文臺、黄奭、杜文瀾輯本。

《後漢書》九十七卷。宋太子詹事范曄撰。

范曄（398—445）：字蔚宗，順陽（今河南淅川）人。少好學，博涉經史，善爲文章，能隸書，曉音律。始爲高祖相國掾，後入補尚書外兵郎，召爲祕書丞，遷尚書吏部郎。元嘉元年（424），降爲宣城太守，不得志，乃删衆家《後漢書》爲一家之作。後遷左衛將軍、太子詹事。二十二年（445），以謀反罪被誅。《宋書》卷六九、《南史》卷三三有傳。本志集部尚有其一部著述。兩《唐志》著録范曄《後漢書》九十二卷，又《後漢書論贊》五卷。《郡齋讀書志》卷五著録范曄《後漢書》九十卷、志三十卷，章懷太子李賢注。《宋志》與其同。今流傳本《後漢書》九十卷。四庫館臣稱，此書歷代相傳無所亡佚，只因不同時期對其卷數有所分合而已。見《四庫全書總目》卷四五。清王先謙、錢大昭、沈欽韓、惠棟，近代楊樹達對此書多有研究。此書現存最早的有宋紹興刻宋元遞修本、王叔邊本，通行本有武英殿本、中華書局點校本等。

《後漢書》一百二十五卷。范曄本，梁剡令劉昭注。

劉昭（生卒年不詳）：字宣卿，平原高唐（今山東禹城）人。幼聰敏，七歲通《老》、《莊》義，既長，勤學善屬文。天監初，起家奉朝請，後歷任征北將軍、尚書倉部郎、無錫令、通直郎，出爲剡令，卒官。劉昭集《後漢書》同異以注范曄書，《集注後漢》一百八十卷。又有《幼童傳》十卷、文集十卷。《梁書》卷四九、《南史》卷七二有傳。本志史部尚有其著述一部。兩《唐志》著録劉昭補注《後漢書》五十八卷，《新唐志》又有劉熙注范曄《後漢書》一百二十二卷。章宗源以爲此卷數與范曄紀傳九十二卷加續志三十卷卷數相合，“熙”乃“昭”之誤。《直齋書録解題》卷四著録《後漢志》三十卷，曰劉昭所注，乃司馬彪《續漢書》之八志，其與范曄紀、傳自别爲一書。乾興初，孫奭建議校勘，只言補亡補缺，將劉昭注、司馬彪之續志與范曄書合併，而不著其爲司馬彪書。但使司馬、劉二家書與范曄《後漢書》一併傳留至今。此書現存最早的本子爲宋紹興刻宋元遞修本、王叔邊本，通行本有武英殿刻本、中華書局點校本等。

《後漢書音》一卷。後魏太常劉芳撰。

劉芳：見本志經部“詩類”。此書《舊唐志》無載，《新唐志》著録《後漢書音》一卷，《宋志》無載，亡佚。

《范漢音訓》三卷。陳宗道先生臧競撰。

臧競：生平事迹不詳。《雲笈七籤》卷五《唐茅山昇真王先生傳》作臧矜。兩《唐志》著録《後漢書音》三卷，臧兢撰，《宋志》無載，亡佚。

《范漢音》三卷。蕭該撰。

此書兩《唐志》著録《後漢音》三卷，《宋志》無載，亡佚。

《後漢書贊論》四卷。范曄撰。

此書兩《唐志》著録《後漢書論贊》五卷，《宋志》無載，疑其論贊已綴各卷末矣。

《漢書纘》十八卷。范曄撰。梁有蕭子顯《後漢書》一百卷，王韶《後漢林》二百卷，韋闡《後漢音》二卷，亡。

兩《唐志》之"雜史類"著録范曄《後漢書纘》十三卷，《宋志》無載，亡佚。蕭子顯：見本志經部"孝經類"。此書兩《唐志》無載，亡佚。王韶：生平事迹不詳。姚振宗疑此書即梁王規集《後漢》衆家異同，所注《續漢書》二百卷。見《梁書》卷四一。韋闡（生卒年不詳）：京兆杜陵（今陝西西安）人。爲建寧令，位通直郎。見《南史》卷五八。此書兩《唐志》無載，亡佚。

《魏書》四十八卷。晉司空王沈撰。

王沈（？—266）：字處道，太原晉陽（今山西太原）人。好書，善屬文，與荀顗、阮籍共撰《魏書》。高貴鄉公稱其爲文籍先生。向晉文帝密告高貴鄉公將攻之，以功封安平侯。累官守尚書令，加給事中，轉驃騎將軍，録尚書事等。泰始二年（266）卒，謚曰元。轉年，贈司空。《晉書》卷三九有傳。本志集部尚有其一部著述。《史通·古今正史》言王沈曾參與撰定魏史之事，"其後王沈獨就其業，勒成《魏書》四十四卷。其書多爲時諱，殊爲實録"。《宋書》的《五行志》和《律曆志》説王沈《魏書》缺志。章宗源據《水經注》引《魏書・郡國志》，以爲《魏書》僅缺《五行》、《律曆》而已。此書兩《唐志》皆有著録，《宋志》無載，亡佚。

《吴書》二十五卷。韋昭撰。本五十五卷，梁有，今殘缺。

韋昭：見本志經部"詩類"。《史通・古今正史》稱吴少帝時敕韋昭、薛瑩等訪求往事，相與記述。因其間多有變故，最後由韋昭獨終其書，定爲五十五卷。此書兩《唐志》皆有著録，《舊唐志》列於"僞史類"，《新唐志》列於"正史類"，《宋志》無載，亡佚。

《吴紀》九卷。晉太學博士環濟撰。晉有張勃《吴録》三十卷，亡。

環濟：見本志經部"禮類"。兩《唐志》"編年類"著録環濟《吴紀》十卷，《宋志》無載，亡佚。張勃：《史記・伍子胥傳》的《集解》引張勃語。《索隱》則曰："張勃，晉人，吴鴻臚嚴之子，作《吴録》，裴氏注引之是也。"兩《唐志》"雜史類"著録此書，《宋志》無載，亡佚。《説郛》存一卷，清杜文瀾、王謨、葉昌熾有輯本。

《三國志》六十五卷。叙録一卷，晉太子中庶子陳壽撰，宋太中大夫裴松之注。

陳壽（233—297）：字承祚，巴西安漢（今四川南充北）人。少好學，從師譙周。仕蜀，爲觀閣令史。蜀平，除佐著作郎，出補陽平令。撰《蜀相諸葛亮集》，奏之。撰《魏吴蜀三國志》，凡六十五篇，時人稱其善叙事，有良史之才。後數歲，起爲太子中庶子，未拜。元康七年（297），病卒。又撰《古國志》、《益都耆舊傳》等傳世。《晉書》卷八二有傳。本志史部尚有其一部著述。《文心雕龍・史傳》曰："唯陳壽三《志》文質辨洽，荀、張比之於遷、固，非妄譽也。"《舊唐志》"正史類"著録《魏國志》三十卷，"僞史類"著録《吴國志》二十一卷、《蜀國志》十五卷。《新唐志》"正史類"著録陳壽《魏國志》三十卷、《蜀國志》十五卷、《吴國志》二十一卷，並裴松之注。《宋志》著録陳壽《三國志》六十五卷，裴松之注。裴松之：見本志經部"禮類"。《四庫全書總目》卷四五提及裴松之注《三國志》，雜引諸書，亦時下己意。"凡六朝舊籍今所不傳者，尚一一見其大略，又多首尾完具，不似《水經注》、《文選》皆剪裁割裂之文，故考證之家取材不竭，轉相引據者反多於陳壽本書焉。"《三國志》現存最早的本子有宋刻本，通行本有武英殿本、商務印書館百衲本、中華書局點校本等。

《魏志音義》一卷。盧宗道撰。

盧宗道：生平事迹不詳。此書兩《唐志》無載，亡佚。

《論三國志》九卷。何常侍撰。

何常侍：闕名。姚振宗以爲是何琦（292？—373？），字萬倫。好古博學，以琴書自娱，屢徵不起。公車再徵通直散騎侍郎、散騎常侍。著《三國評論》等，行於世。年八十二卒。《晉書》卷八八有傳。此書兩《唐志》無載，亡佚。

《三國志評》三卷。徐衆撰。梁有《三國志序評》三卷，晉著作佐郎王濤撰，亡。

徐衆（生卒年不詳）：咸康中爲黄門郎，建元初進侍中。見《全晉文》卷一三一。兩《唐志》"雜史類"著録徐衆《三國評》三卷，《宋志》無載，亡佚。王濤（生卒年不詳）：字茂略，堂邑（今江蘇南京北）人。有才筆，歷任著作郎、無錫令。見《晉書》卷七一。本志集部尚有其一部著述。《新唐志》"雜史類"著録王濤《三國志序評》三卷，《宋志》無載，亡佚。

《晉書》八十六卷。本九十三卷，今殘缺。晉著作郎王隱撰。

王隱（生卒年不詳）：字處叔，陳郡陳（今河南淮陽）人。博學多聞，受父遺業，對西晉舊事多所研究。太興初，召爲著作郎，令撰晉史。後坐事免官，在庾亮的幫助下撰成《晉書》。其雖好著述，但文辭鄙陋，雜錯不倫。年七十餘，卒於家。《晉書》卷八二有傳。《日本見在書目録》著録王隱《晉書》七十六卷，兩《唐志》皆著録此書八十九卷，《宋志》無載，亡佚。清畢沅、王謨、黄奭、湯球、王仁俊、陶棟有輯本。

《晉書》二十六卷。本四十四卷，訖明帝，今殘缺。晉散騎常侍虞預撰。

虞預（285？—340）：本名茂，字叔寧，會稽餘姚（今浙江餘姚）人。累官祕書丞、著作郎，封平康縣侯，遷散騎侍郎，除散騎常侍。以年老歸，卒於家。著《晉書》四十餘卷、《會稽典録》二十篇、《諸虞傳》十二篇，傳於世。《晉書》卷八二有傳。本志史、集部尚有其二部著述。兩《唐志》著録虞預《晉書》五十八卷，《宋志》無載，亡佚。清湯球、黄奭有輯本。

《晉書》十卷。未成，本十四卷，今殘缺。晉中書郎朱鳳撰，訖元帝。

朱鳳（生卒年不詳）：據《晉書》卷五二《華譚傳》載："太興初，爲祕書監時，晉陵朱鳳、吴郡吴震並學行清修，老而未調，譚皆薦爲著作佐郎。"此書兩《唐志》皆有著録，《宋志》無載，亡佚。清湯球、黄奭有輯本。

《晉中興書》七十八卷。起東晉。宋湘東太守何法盛撰。

何法盛：生平事迹不詳。《南史》卷三三載，何法盛竊高平郄紹所作《晉中興書》，據爲己有。《陳書》卷三四載，何之元謂：

“唯何法盛《晉書》變帝紀爲帝典，既云師古，在理爲優。”《史通・古今正史》曰：“至宋湘東太守何法盛始勒成一家，首尾該備。”兩《唐志》著録何法盛《晉中興書》八十卷，《宋志》無載，《説郛》存一卷，清湯球、黄奭、王仁俊、陶棟有輯本。

《晉書》三十六卷。宋臨川内史謝靈運撰。

謝靈運：見本志經部“大序”。兩《唐志》著録此書爲三十五卷，《宋志》無載，亡佚。清湯球、黄奭有輯本。

《晉書》一百一十卷。齊徐州主簿臧榮緒撰。

臧榮緒（415—488）：東莞莒（今山東莒縣）人。純篤好學，不爲官。括東西晉爲一書，紀、録、志、傳百一十卷。篤愛五經，著《拜五經序論》。自號被褐先生，永明六年卒。《南齊書》卷五四、《南史》卷七六有傳。本志史部尚有其一部著述。《舊唐書》卷六六載，房玄齡受詔重修《晉書》，奏請以臧榮緒《晉書》爲主，參考諸家，甚爲詳洽。此書兩《唐志》皆有著録，《宋志》無載，亡佚。清湯球、黄奭、王仁俊、陶棟有輯本。

《晉書》十一卷。本一百二卷，梁有，今殘缺。蕭子雲撰。

蕭子雲：見本志經部“小學類”。兩《唐志》皆著録此書爲九卷，《宋志》無載，亡佚。清湯球、黄奭有輯本。

《晉史草》三十卷。梁蕭子顯撰。梁有鄭忠《晉書》七卷，沈約《晉書》一百一十一卷，庾銑《東晉新書》七卷，亡。

蕭子顯：見本志經部“孝經類”。兩《唐志》“編年類”著録《晉史草》三十卷，蕭景暢撰。蕭子顯字景陽，疑“暢”爲“陽”之誤。《宋志》無載，亡佚。清湯球、黄奭有輯本。鄭忠：生平事迹不詳。所撰《晉書》兩《唐志》無載，亡佚。沈約：見本志經部“論語類”。《梁書》卷一三記沈約著《晉書》一百一十卷。《史通·采撰》曰：“沈氏著書好誣先代，晉則故造奇説。”此書兩《唐志》無載，亡佚。庾銑：潁川（今河南境内）人。善屬文，見賞豫章王，引至大司馬記室參軍。見《南齊書》卷五二。《東晉新書》兩《唐志》無載，亡佚。

《宋書》六十五卷。宋中散大夫徐爰撰。

徐爰：見本志經部“易類”。《宋書》卷九四載，元嘉中，使何承天草創國史，又使山謙之、蘇寶生踵成之。大明六年（462），由徐爰完成。兩《唐志》著録此書爲四十二卷，《宋志》無載，亡佚。

《宋書》六十五卷。齊冠軍録事參軍孫嚴撰。

孫嚴：生平事迹不詳。《舊唐志》著録孫嚴《宋書》四十六卷，《新唐志》著録孫嚴《宋書》五十八卷，《宋志》無載，亡佚。

《宋書》一百卷。梁尚書僕射沈約撰。梁有宋大明中所撰《宋書》六十一卷，亡。

沈約《宋書自序》稱其被敕撰《宋書》，永明六年（488）二月完成。所記始自義熙肇號，終於昇明三年（479），本紀、列傳合志、表七十卷。《史通·古今正史》則曰：“爲紀十，志三十，列傳六十，合百卷，名曰《宋書》。”《四庫全書總目》卷四五言及《宋書》的卷數記載有異同，以爲此書非沈約原本之舊，已經後人分割編次。兩《唐志》、《宋志》皆著録《宋書》一百卷，今本亦爲一百卷。此書現存最早的本子爲宋刻元明遞修本，通行本有武英殿本、百衲本、中華書局點校本。大明中所撰《宋書》，疑即前列徐爰所撰《宋書》。

《齊書》六十卷。梁吏部尚書蕭子顯撰。

《梁書》卷三五記載，蕭子顯著《齊書》六十卷。《史通·古今正史》言,《齊書》起昇明之年，盡永元之代。爲紀八、志十一、列傳四十，合成五十九篇。《郡齋讀書志》卷五言，江淹已作十志，沈約又有紀，子顯自表别修。《四庫全書總目》卷四五稱,《齊書》至唐已佚一卷，宋以後又多有缺失。此書兩《唐志》著録六十卷,《宋志》著録五十九卷，今流傳本亦爲五十九卷。現存最早的本子爲宋刻元明遞修本，通行本有武英殿本、商務印書館百衲本、中華書局點校本等。

《齊紀》十卷。劉陟撰。

劉陟（生卒年不詳）：爲學士，曾與杜之偉鈔撰群書，各爲題目。見《陳書》卷三四、《南史》卷七二。《舊唐志》著録劉陟《齊書》八卷,《新唐志》著録劉陟《齊書》十三卷,《宋志》無載，亡佚。

《齊紀》二十卷。沈約撰。梁有江淹《齊史》十三卷，亡。

《梁書》卷一三《沈約傳》載其撰《齊紀》二十卷。《日本國見在書目録》著録沈約《齊書》二十卷，兩《唐志》“編年類”著録沈約《齊紀》二十卷,《宋志》無載，亡佚。江淹（444—505）：字文通，濟陽考城（今河南蘭考）人。宋時，起家南徐州從事，轉奉朝請。齊永明初，遷驃騎將軍，掌國史。後以祕書監兼衛尉、吏部尚書。梁天監元年（502），爲散騎常侍、左衛將軍，封醴陵侯。四年（505），卒，謚曰憲伯。著《齊史》十志。《梁書》卷一四、《南史》卷五九有傳。本志集部尚有其一部著述。此書兩《唐志》已無載，亡佚。

《梁書》四十九卷。梁中書郎謝吴撰，本一百卷。

謝吴：生平事迹不詳。《史通·古今正史》稱，《梁史》在梁武帝時，沈約與周興嗣、鮑行卿、謝昊相承撰録。錢大昕《十駕齋養新餘録》卷中稱："吴與昊字形相涉，未知孰是。"《舊唐志》著録謝昊、姚察等《梁書》三十四卷，《新唐志》著録謝昊、姚察《梁書》三十四卷，《宋志》無載，亡佚。

《梁史》五十三卷。陳領軍、大著作郎許亨撰。

許亨（517—570）：字亨道，高陽新城（今河北高陽）人。博通群書，多識前代舊事。入陳，爲中散大夫，領羽林監，遷太中大夫，領大著作，知梁史事。太建二年（570）卒，時年五十四。初撰《齊書》並志五十卷，遇戰亂亡失，後撰《梁史》五十八卷。《陳書》卷三四、《南史》卷六〇有傳。據《隋書》卷五八《許善心傳》載，許亨所撰已成《梁史》者凡五十八卷，其子善心所續成者合爲七十卷。此五十三卷《梁史》，不知是許亨，還是許善心所作，大概皆爲殘本。兩《唐志》無載，亡佚。

《梁書帝紀》七卷。姚察撰。

據《陳書》卷二七《姚察傳》載，梁、陳二史本多是察所撰，其中序論及紀、傳有所闕者，臨亡之時，仍以體例誡約子思廉，思廉泣涕奉行。隋大業初，虞世基奏思廉踵成梁、陳二代史，自爾以來，稍就補續。《史通·古今正史》稱，貞觀初，其子思廉爲著作郎，奉詔撰成二史，於是憑其舊稿，加以新録，彌歷九載，方始畢功，定爲《梁書》五十卷，行於世。此書當爲姚思廉撰《梁書》之藍本，兩《唐書》已無載，亡佚。

《通史》四百八十卷。梁武帝撰。起三皇，訖梁。

梁武帝：見本志經部“易類”。《梁書》卷三《武帝紀》載，武帝“又造《通史》，躬制贊序，凡六百卷”。《史通·六家》言梁武帝“敕其群臣，上自太初，下終齊室，撰成《通史》六百二十卷。……大抵其體皆如《史記》，其所爲異者，唯無表而已”。兩《唐志》著録此書爲六百二卷。《宋志》無載，亡佚。

《後魏書》一百三十卷。後齊僕射魏收撰。

魏收（506—572）：字伯起，鉅鹿下曲陽（今河北晉州市西）人。齊天保元年（550）除中書令，兼著作郎，封富平縣子。二年，詔撰魏史。五年（554）秋，完成紀、傳，十一月完成十志。太寧元年（561）加開府，河清二年（563）兼僕射，天統元年（565）除左光禄大夫，武平三年（572）卒，贈司空、尚書左僕射，謚文貞。有集七十卷。《魏書》卷一〇四、《北齊書》卷三七、《北史》卷五六有傳。北魏初，鄧彦海編寫《代紀》十餘卷，後崔浩等采編年體撰魏史，太和十一年（487）李彪始用紀傳體續撰。北齊天保二年（551），高洋命魏收撰《魏史》。《史通·古今正史》言魏收所撰《魏史》，“上自道武，下終孝靖，紀、傳與志凡百三十卷。收諂齊氏，於魏室多不平。既黨北朝，又厚誣江左。……世薄其書，號爲穢史”。兩《唐志》、《宋志》皆著録《後魏書》一百三十卷。其實《魏書》自宋初業已殘缺，《直齋書録解題》卷四稱：“今紀闕二卷，傳闕二十二卷，又三卷不全，志闕《天象》二卷。”《增訂四庫簡明目録標注》卷五曰：“《書録解題》又稱，《太宗紀》補以魏澹書，《天文志》補以張太素書。今本又缺卷十二《孝静帝紀》、卷十三《皇后傳》，不知以何書補亡。以《太平御覽》所引魏澹書校之，疑亦取魏澹書也。”今本《魏書》一百一十四卷，現存最早的本子爲宋刻元明遞修本，通行本有武英殿本、百衲本、中華書局點校本等。

《後魏書》一百卷。著作郎魏彦深撰。

魏彦深（580—645）：名澹，字彦深，鉅鹿下曲陽（今河北晉州西）人。博涉經史，善屬文。曾與魏收等同修《五禮》，又參與修撰《御覽》，書成，除殿中郎中、中書舍人。入隋，爲太子舍人。注《庾信集》，又撰《笑苑》、《詞林集》。數年，遷著作郎，受詔别撰《魏史》，自道武下及恭帝，爲十二紀、七十八傳，加史論、目録，合九十二卷。六十五歲，卒。《北齊書》卷二三、《隋書》卷五八、《北史》卷五六有傳。本志子部尚有其一部著述。《日本國見在書目録》著録《後魏書》百卷，隋著作郎魏彦撰（疑脱“深”字）。兩《唐志》著録魏澹《後魏書》一百七卷，《宋志》著録魏澹《後魏書紀》一卷，下有注“本七卷”，疑“七”前脱“一百”二字。《崇文總目》稱：“世以收史爲主，故澹書亡闕，今纔《紀》一卷存。”此書亡佚。

《陳書》四十二卷。訖宣帝，陳吏部尚書陸瓊撰。

陸瓊（537—586）：字伯玉，吴郡吴（今江蘇蘇州）人。太建中，累遷太子中庶子，領大著作，撰國史。遷吏部尚書。至德四年（586）卒，詔贈領軍將軍。有集二十卷，行於世。本志史部尚有其一部著述。《史通・古今正史》稱《陳史》“其武、文二帝紀爲顧野王、傅縡所修。太建初，中書郎陸瓊續撰諸篇，事傷煩雜”。此書兩《唐志》無載，亡佚。

《周史》十八卷。未成。吏部尚書牛弘撰。

牛弘：見本志經部“大序”。《史通・古今正史》稱：“隋開皇中，祕書監牛弘追撰《周紀》十有八篇，略叙紀綱，仍皆抵忤。”兩《唐志》無載，亡佚。

右六十七部，三千八十三卷。通計亡書，合八十部，四千三十卷。

八十部：實際是八十一部。

古者天子諸侯，必有國史，以紀言行，後世多務，其道彌繁。夏殷已上，左史記言，右史記事，周則太史、小史、内史、外史、御史，分掌其事，而諸侯之國，亦置史官。又《春秋國語》引周志、鄭書之説，推尋事迹，似當時記事，各有職司[1]，後又合而撰之，總成書記。其後陵夷衰亂，史官放絶，秦滅先王之典，遺制莫存。至漢武帝時，始置太史公，命司馬談爲之，以掌其職。時天下計書，皆先上太史，副上丞相，遺文古事，靡不畢臻。談乃據《左氏》、《國語》、《世本》[2]、《戰國策》[3]、《楚漢春秋》[4]，接其後事，成一家之言。談卒，其子遷又爲太史令，嗣成其志。上自黄帝，訖于炎漢，合十二本紀、十表、八書、三十世家、七十列傳，謂之《史記》。遷卒以後，好事者亦頗著述，然多鄙淺，不足相繼。至後漢扶風班彪[5]，綴後傳數十篇，并譏正前失。彪卒，明帝命其子固，續成其志。以爲唐、虞、三代，世有典籍，史遷所記，乃以漢氏繼於百王之末，非其義也。故斷自高祖[6]，終於孝平[7]、王莽之誅，爲十二紀、八表、十志、六十九傳，潛心積思，二十餘年。建初中[8]，始奏表及紀傳，其十志竟不能就。固卒後，始命曹大家續成之[9]。先是明帝召固爲蘭臺令史[10]，與諸先輩陳宗[11]、尹敏[12]、孟冀等[13]，共成《光武本紀》。擢固爲郎，典校祕書。固撰後漢事，作列傳載記二十八篇。其後劉珍、劉毅[14]、劉陶[15]、伏無忌等[16]，相次著述東觀，謂之《漢記》。及三國鼎峙，魏氏及吴，並有史官。晉時，巴西陳壽删集三國之事，唯魏帝爲紀，其功臣及吴、蜀之主，並皆爲傳，仍各依其國，部類相從，謂之《三國志》。壽卒後，梁州大中正范穎表奏其事[17]，帝詔河南尹、洛陽令，就壽家寫之。自是世有著述，皆擬班、馬，以爲正史，作者尤廣。一代之史，至數十家。唯《史記》《漢書》，師法相傳，並有解釋。《三國志》及范曄《後漢》，雖有音注，既近世之作，並讀之可知。梁時，明《漢書》有劉顯、韋稜，陳時有姚察，隋代有包愷、蕭該，並爲名家。《史記》傳者甚微。今依其世代，聚而編之，以備正史。

[1] 職司：即職務。

[2]《世本》：詳見本志本部“譜系類”。

[3]《戰國策》：詳見本志本部“雜史類”。

[4]《楚漢春秋》：詳見本志本部“雜史類”。

[5] 班彪（2—58）：字叔皮，扶風安陵（陝西咸陽東北）人。更始事變，作《王命論》。永平中爲郎，篤志於博學，以著述爲業。有感漢太初以後，闕而不録，繼采前史遺事，傍貫異聞，作後傳數十篇。建武三十年（58）卒。所著賦、論、書、記、奏事合九篇。《漢書》卷一〇〇、《後漢書》卷四〇上有傳。

[6] 高祖：即漢高祖劉邦（前 256—前 195），字季，沛縣豐邑（今江蘇沛縣）人。秦末起兵反秦，最終擊敗項羽，建立漢王朝，在位十二年。《史記》卷八、《漢書》卷一有傳。

[7] 孝平（前 9—6 年）：即漢平帝劉衎，字樂，在位五年。《漢書》卷一二有傳。

[8] 建初：東漢章帝年號，公元 76—84 年。

[9] 曹大家（45？—117？）：即班昭，字惠班，一名姬，扶風安陵（今陝西咸陽東北）人，扶風曹世叔妻，博學高才。兄班固著《漢書》，其八表及《天文志》未及竟而卒，和帝詔班昭就東觀藏書閣踵而成之。帝數召其入宫，令皇后等師事之，號曰曹大家。作《女誡》七篇，又有賦、頌、銘、書等十六篇。七十餘歲卒。《後漢書》卷八四有傳。

[10] 明帝（28—75）：即東漢明帝劉莊，公元57—75年在位。《後漢書》卷二有傳。

[11] 陳宗（生卒年不詳）：曾任睢陽令，其他事迹不詳。見《後漢書》卷四〇上。

[12] 尹敏（生卒年不詳）：字幼季，南陽堵陽（今河南方城東）人。先後學《尚書》、《毛詩》、《春秋穀梁傳》、《春秋左氏傳》。建武初，拜郎中，辟大司空府。後三遷長陵令。永平十一年，除郎中，遷諫議大夫。《後漢書》卷七九上有傳。

[13] 孟冀（生卒年不詳）：《後漢書》作孟異，官拜司隸從事，其他事迹不詳。見《後漢書》卷四〇上。

[14] 劉毅（生卒年不詳）：建初二年（77），封平望侯。有才學，永寧中鄧太后召劉毅與謁者劉珍著《中興以下名臣列士傳》。《後漢書》卷八〇上有傳。

[15] 劉陶（？—185）：字子奇，一名偉，潁川潁陽（今河南許昌西南）人。明《尚書》、《春秋》，作《中文尚書》。封中陵鄉侯，後又拜諫議大夫。中平二年（185），下獄死。著書數十萬言，又有《反韓非》、《復孟軻》、賦、書、記等。《後漢書》卷五七有傳。

[16] 伏無忌（生卒年不詳）：琅邪東武（今山東諸城）人。襲不其侯，並傳家學，博學多識。順帝時，爲侍中、屯騎校尉。永和元年（136），受詔校定中書五經等。元嘉中，受詔與崔寔等共撰《漢記》，又采集古今，删著事要，作《伏侯注》（亦名《古今注》）。見《後漢書》卷二六。

[17] 范穎（生卒年不詳）：《晉書》卷八二作范頵（jūn）。《晉書》載梁州大中正、尚書郎范頵等上表曰："臣等案：故治書侍御史陳壽作《三國志》，辭多勸誡，明乎得失，有益風化，雖文艶不若相如，而質直過之，願垂采録。"於是詔下河南尹、洛陽令，就家寫其書。

古　史

《紀年》十二卷。汲冢書，并《竹書同異》一卷。

據《晉書》卷五一《束晳傳》載，太康初年，汲郡人不準盜魏襄王墓，得竹書數十車，其《紀年》十三篇，記夏以來至周幽王爲犬戎所滅，以事接之，三家分晉，仍述魏事至安釐王之二十年，所載與《春秋》皆多相應。晉杜預《春秋左傳集解後序》提及“《紀年》起自夏、殷”。劉宋裴駰《史記集解》在《夏本紀》《殷本紀》中引《汲冢紀年》語，唐劉知幾亦有引用。兩《唐志》著録《紀年》十四卷，下有注曰“汲冢書”。《宋志》著録《竹書》三卷，荀勖、和嶠編。而晁公武《郡齋讀書志》、陳振孫《直齋書録解題》、馬端臨《文獻通考》皆不載此書。今傳《竹書紀年》二卷，並題沈約注。歷代學者多考證今本《竹書紀年》已非晉舊本，疑爲明代人僞造。詳見《四庫全書總目》卷四七、錢大昕《十駕齋養新録》卷一三、姚際恒《古今僞書考》。今傳本現存最早的本子爲明萬曆年間刻本，通行本爲《四部叢刊》本、《四部備要》本等。《竹書同異》：待考。兩《唐志》無載，亡佚。

《漢紀》三十卷。漢祕書監荀悦撰。

荀悦（148—209）：字仲豫，潁川潁陰（今河南許昌）人。所見篇牘，一覽即多能誦記，尤好著述。累遷祕書監、侍中。獻帝令其依《左傳》體以爲《漢紀》三十篇，又著《崇德》、《正論》

及諸論數十篇。建安十四年（209）卒，年六十二。《後漢書》卷六二有傳。本志史部尚有其一部著述。此書序有曰，凡《漢紀》十二世，十一帝，通王莽二百四十年。荀悦約集舊書，撮序表志，總爲帝紀。凡在《漢書》者大略粗舉，爲三十卷，數十餘萬言。《史通·六家》言："至孝獻帝，始命荀悦撮其書爲編年體，依《左傳》著《漢紀》三十篇。自是每代國史，皆有斯作。"兩《唐志》、《宋志》、《四庫全書總目》卷四七皆著録《漢紀》三十卷。此書現存最早的本子爲與《後漢紀》合刻的明嘉靖黄姬水刻本，通行本爲《四部叢刊》本等。

《後漢紀》三十卷。袁彦伯撰。

袁彦伯：即袁宏，見本志經部"孝經類"。袁宏自序言："始見張璠所撰書，其言漢末之事差詳，故復探而益之。"《史通·古今正史》曰："晉東陽太守袁宏抄撮漢氏後書，依荀悦體，著《後漢紀》三十篇。世言漢中興史者，唯范、袁二家而已。"兩《唐志》、《宋志》及《四庫全書總目》卷四七皆著録《後漢紀》三十卷。此書現存最早的本子爲與《漢紀》合刻的明嘉靖黄姬水刻本，通行本爲《四部叢刊》本等。

《後漢紀》三十卷。張璠撰。

張璠：見本志經部"易類"。裴松之注《三國志》卷四《三少帝紀》稱，張璠撰《後漢紀》雖似未成，辭藻可觀。《史通·二體》曰："荀悦、張璠，丘明之黨也；班固、華嶠，子長之流也。"兩《唐志》皆著録此書，《宋志》無載，亡佚。清汪文臺、黄奭有輯本。

《獻帝春秋》十卷。袁曄撰。

袁曄（生卒年不詳）：字思光，廣陵（今江蘇揚州東北）人。

作《獻帝春秋》。見《三國志》卷五七裴松之注。兩《唐志》著録《漢獻帝春秋》十卷,《宋志》無載，亡佚。《説郛》存一卷，清黄奭輯一卷。

《魏氏春秋》二十卷。孫盛撰。

孫盛（生卒年不詳）：字安國，太原中都（今山西平遥西北）人。博學，善言名理，篤學不倦，手不釋卷。起家佐著作郎，與桓温平蜀，賜爵安懷縣侯。後因功進封吴昌縣侯，累遷祕書監，加給事中。年七十二卒。著《魏氏春秋》、《晉陽秋》，並有詩、賦、論、難數十篇。《晉書》卷八二有傳。本志史部、集部尚有其著述二部。兩《唐志》著録《魏武春秋》二十卷,《宋志》無載，亡佚。《説郛》存《魏春秋》一卷，清黄奭輯《魏春秋》一卷。

《魏紀》十二卷。左將軍陰澹撰。

陰澹（生卒年不詳）：晉敦煌太守。永寧初，張軌以宋配、陰充、氾瑗、陰澹爲股肱謀主。見《晉書》卷八六、卷九四。兩《唐志》著録陰澹《魏紀》十二卷,《宋志》無載，亡佚。

《漢魏春秋》九卷。孔舒元撰。

孔舒元：即孔衍，見本志經部“禮類”。兩《唐志》“雜史類”著録孔衍《漢春秋》十卷、《後漢春秋》六卷、《後魏春秋》九卷（疑“後”爲衍文）。《宋志》無載，亡佚。

《晉紀》四卷。陸機撰。

陸機：見本志經部“詩類”。《史通・本紀》曰：“陸機《晉書》，列紀三祖，直序其事，竟不編年。年既不編，何紀之有？”兩《唐志》著録《晉帝紀》四卷,《宋志》無載，亡佚。清湯球、黄奭有輯本。

《晉紀》二十三卷。干寶撰。訖愍帝。

干寶：見本志經部“易類”。《文選》卷四九《晉紀論武帝革命》中，李善引何法盛言：“干寶撰《晉紀》，起宣帝迄愍帝五十三年，評論切中，咸稱善之。”《史通·古今正史》稱《晉紀》“自宣帝訖湣帝五十三年，凡二十三卷。簡略直而能婉，甚爲當時所稱”。《史通·二體》稱：“干寶著書盛譽丘明，而深抑子長。”兩《唐志》著録《晉紀》二十二卷，干寶撰，又著録《晉紀》六十卷，干寶撰，劉協注。《宋志》無載，亡佚。清湯球、黄奭、陶棟有輯本。

《晉紀》十卷。晉前軍諮議曹嘉之撰。

曹嘉之（生卒年不詳）：或作曹嘉。《三國志》卷二〇記載，曹彪子曹嘉，正元元年（254）封爲常山真定王。裴松之稱，嘉入晉，封高邑公。元康中，爲國子博士，後爲東莞太守。引王隱《晉書》所載吏部郎李重啓提及曹嘉。《北堂書鈔》卷五八亦引李重啓，則作曹嘉之。故曹嘉即曹嘉之。《世説新語》之《方正》、《賞譽》注及《文選·思舊賦》注皆提及曹嘉之《晉紀》。兩《唐志》著録《晉紀》十卷，《宋志》無載，亡佚。清湯球、黄奭有輯本。

《漢晉陽秋》四十七卷。訖愍帝。晉滎陽太守習鑿齒撰。

習鑿齒（317—384）：字彦威，襄陽（今湖北襄陽）人。少有志氣，博學洽聞，以文筆著稱。爲桓温辟爲從事，累遷别駕，又爲滎陽太守。著《漢晉春秋》，起漢光武終於晉愍帝，凡五十四卷。朝廷欲徵習鑿齒使典國史，不久卒。《晉書》卷八二有傳。本志史、集部尚有其二部著述。《史通·探賾》曰：“鑿齒以魏爲僞國者，蓋定邪正之途，明順逆之理耳。”兩《唐志》著録《漢晉春秋》五十四卷，《宋志》無載，亡佚。清黄奭、湯球、王仁俊有輯本。

《晉紀》十一卷。訖明帝。晉荆州别駕鄧粲撰。

鄧粲（生卒年不詳）：長沙人。少以高潔著名，不應州郡辟命。後應荆州刺史桓冲之請爲别駕，因病篤歸家。著《元明紀》十篇，注《老子》，並行於世。《晉書》卷八二有傳。兩《唐志》著録此書，《宋志》無載，亡佚。清湯球、黄奭有輯本。

《晉陽秋》三十二卷。訖哀帝。孫盛撰。

《史通·直書》言："孫盛不平，竊撰遼東之本。以兹避禍，幸獲兩全。足以驗世途之多隘，知實録之難遇耳。"《日本國見在書目録》著録《晉陽秋》三十卷，訖哀帝，孫盛撰。《舊唐志》著録《晉陽春秋》二十二卷，鄧粲撰；《新唐志》著録孫盛《晉陽秋》二十二卷，又著録鄧粲《晉陽秋》三十二卷。《宋志》著録《晉陽秋》三十卷，孫盛撰。《玉海》卷四一載："《晉陽秋》孫盛撰，《隋志》本二十二卷，今止存宣帝一卷、懷帝下一卷、唐人所書康帝一卷，餘亡。"清湯球、黄奭有輯本。

《晉紀》二十三卷。宋中散大夫劉謙之撰。

劉謙之（生卒年不詳）：彭城吕（今江蘇徐州北）人。好學，撰《晉紀》二十卷。義熙末，爲始興相，破徐道期，進平廣州，爲振威將軍、廣州刺史。後爲中散大夫。見《宋書》卷五〇《劉康祖傳》。兩《唐志》著録《晉紀》二十卷，《宋志》無載，亡佚。清湯球、黄奭有輯本。

《晉紀》十卷。宋吴興太守王韶之撰。

王韶之（380—435）：字休泰，琅邪臨沂（今山東臨沂）人。好史籍，博涉多聞。初爲謝琰行參軍，私撰《晉安帝陽秋》，時人謂其宜居史職，即除著作佐郎，使續後事，訖義熙九年（413）。元嘉十年（433），爲祠部尚書，加給事中。十二年（435），爲吴興太守，其年卒。有文集行世。《宋書》卷六〇、《南史》卷二四有傳。本志史、集部尚有其三部著述。兩《唐志》著録王韶之《崇安紀》十卷（安帝年號爲隆安，《唐志》避“隆”，故作“崇”），《宋志》無載，亡佚。清黄奭有輯本。

《晉紀》四十五卷。宋中散大夫徐廣撰。

《宋書》卷五五《徐廣傳》載，義熙十二年（416），徐廣撰《晉紀》成，凡四十六卷，表上之。兩《唐志》著録《晉紀》四十五卷，《宋志》無載，亡佚。清黄奭有輯本。

《續晉陽秋》二十卷。宋永嘉太守檀道鸞撰。

檀道鸞（生卒年不詳）：字萬安，高平金鄉（今山東金鄉）人。位國子博士，永嘉太守。撰《續晉陽秋》二十卷。《南史》卷七二有傳。《史通·雜説》曰：“道鸞不揆淺才，好出奇語，所謂欲益反損，求妍更媸者矣。”《舊唐志》著録《晉陽秋》二十卷，檀道鸞注；《新唐志》著録檀道鸞《晉陽秋》二十卷。章宗源考證，《舊唐志》之“注”爲“續”之誤，《新唐志》脱“續”。《宋志》無載，《説郛》存檀道鸞《續晉陽秋》一卷，清湯球輯《續晉陽秋》一卷。

《續晉紀》五卷。宋新興太守郭季産撰。

郭季産：宋前廢帝時，領軍王玄謨有所親故吏郭季産。見《宋書》卷五七《蔡興宗傳》。其他事迹不詳。兩《唐志》著録此書爲《晉續紀》五卷，《宋志》無載，亡佚。

《宋略》二十卷。梁通直郎裴子野撰。

裴子野：見本志經部“禮類”。《梁書》卷三〇《裴子野傳》載，齊永明末，沈約所撰《宋書》既行，子野更删撰爲《宋略》

二十卷，其叙事評論多善，約見而歎曰："吾弗逮也。"《史通·雜説》曰："裴幾原删略《宋史》定爲二十篇，芟煩撮要實有其力，而所録文章頗傷蕪穢。"兩《唐志》、《宋志》著録此書，《崇文總目》、《郡齋讀書志》、《直齋書録解題》、《文獻通考》無載，宋代以後此書亡佚。

《宋春秋》二十卷。梁吴興令王琰撰。

王琰（生卒年不詳）：《法苑珠林·敬佛篇》提及太原王琰，於交阯賢法師所受五戒，以觀音令供養，遂奉還揚都。其他事迹不詳。本志史部尚有王琰一部著述。《新唐志》著録王琰《宋春秋》二十卷，《宋志》無載，亡佚。

《齊春秋》三十卷。梁奉朝請吴均撰。

吴均（469—520）：字叔庠，吴興故鄣（今浙江湖州）人。好學有俊才，梁武帝召其爲待詔著作，後遷奉朝請。上表求撰《齊春秋》，書成奏之。梁武帝以爲不實，坐免職。使撰《通史》，草本紀、世家已畢，列傳未就。普通元年（520）卒。注范曄《後漢書》九十卷，著《齊春秋》三十卷、《廟記》十卷等，又有文集二十卷。《梁書》卷四九、《南史》卷七二有傳。本志史、集部尚有其二部著述。《史通·編次》稱："吴均《齊春秋》乃以鬱林爲紀，事不師古，何滋章之甚與。"《舊唐志》著録《齊春秋》三卷，《新唐志》著録《齊春秋》三十卷，《宋志》無載，亡佚。《説郛》存一卷，清黄奭輯《齊春秋》一卷。

《齊典》五卷。王逸撰。

王逸：當即王逡之（亦作王逡），見本志經部"禮類"。兩《唐志》"儀注類"著録王逸《齊典》四卷，《宋志》無載，亡佚。

《齊典》十卷。

不署撰者。《南齊書》卷五二、《南史》卷七二皆載豫章熊襄著《齊典》，並引其自序言此書又名《河洛金匱》。兩《唐志》"雜史類"著録熊襄《十代記》十卷，《宋志》無載，亡佚。

《三十國春秋》三十一卷。梁湘東世子蕭方等撰。

蕭方等（528—549）：字實相，南蘭陵（今江蘇常州）人，梁元帝蕭繹長子。少聰敏，有俊才。求征伐不受令的河東王，拜爲都督，軍敗溺亡，贈侍中、中軍將軍、揚州刺史，謚忠壯世子。元帝即位，改謚武烈世子。注范曄《後漢書》未就，所撰《三十國春秋》行於世。《梁書》卷四四、《南史》卷五四有傳。《史通·稱謂》曰："至蕭方等始存諸國名謚，僭帝者皆稱之以王……變通其理，事在合宜，小道可觀，見於蕭氏者矣。"《舊唐志》"編年類"、《新唐志》"僞史類"、《宋志》"編年類"皆著録蕭方等《三十國春秋》三十卷，《郡齋讀書志》、《直齋書録解題》、《文獻通考》皆無載，宋以後亡佚。

《戰國春秋》二十卷。李槩撰。

李槩：見本志經部"小學類"。《北史》卷三三載，李公緒弟槩著《戰國春秋》行於世。《魏書》卷六七載崔鴻撰《十六國春秋》上表奏之，稱"自晉永寧以後，雖所在稱兵，競自尊樹，而能建邦命民成爲戰國者，十有六家"。疑李槩亦記十六國事。此書又列於"霸史類"，爲是。列於此類，當屬重出。《舊唐志》"編年類"、《新唐志》"僞史類"著録此書，《宋志》無載，亡佚。

《梁典》三十卷。劉璠撰。

劉璠（510—568）：字寶義，沛國沛（今江蘇沛縣）人。少好讀書，兼善文筆。仕梁，爲蕭循府長史，加蜀郡太守。入周，官至内史中大夫，封平陽縣子。天和三年（568）卒，時年五十九。著《梁典》三十卷，未及刊定，臨終囑其子休徵："能成我志，其在此書乎！"經休徵治定繕寫，行於世。《周書》卷四二、《北史》卷七〇有傳。《周書·劉璠傳》卷末，史臣曰："劉璠學思通博，有著述之譽，雖傳疑傳信，頗有詳略，而屬辭比事，足爲清典，蓋近代之佳史歟。"此書兩《唐志》皆有著録，《宋志》無載，亡佚。清陶棟有輯本。

《梁典》三十卷。陳始興王諮議何之元撰。

何之元（？—593）：廬江灊（今安徽霍山東北）人。好學有才。陳太建八年，除始興王叔陵中衛府功曹參軍，不久遷諮議參軍。至叔陵誅，即屏絶人事，專心著述。以爲梁氏肇自武皇，終於敬帝，其興亡之運，盛衰之迹，足以垂鑒戒，定褒貶。究其始終，起齊永元元年，迄於王琳遇獲，七十五年行事，草創爲三十卷，號曰《梁典》。《陳書》卷三四、《南史》卷七二有傳。此書兩《唐志》皆有著録，《宋志》無載，亡佚。清陶棟有輯本。

《梁撮要》三十卷。陳征南諮議陰僧仁撰。

陰僧仁：生平事迹不詳。此書兩《唐志》有著録，《宋志》無載，亡佚。

《梁後略》十卷。姚最撰。

姚最（536？—603？）：原作姚勛，據《周書》、《北史》其本傳改。字士會，吴興武康（今浙江德清）人。博通經史，尤好著述。年十九隨父入關，始受家業學醫。隋文帝時，除太子門大夫，襲爵北絳郡公。轉爲蜀王楊秀友，秀有異謀，最竟坐誅，時年六十七。撰《梁後略》十卷，行於世。《周書》卷四七、《北史》卷九〇有傳。本志史、子部尚有其三部著述。《日本國見在書目録》著録《梁後略》十卷，姚最撰；兩《唐志》著録姚最《梁昭後略》十卷；《宋志》無載，亡佚。

《梁太清紀》十卷。梁長沙蕃王蕭韶撰。

蕭韶（生卒年不詳）：字德茂，南蘭陵中都里（今江蘇常州西北）人。初封上甲縣都鄉侯，太清初爲舍人。城陷奉詔西奔。改繼宣武王，封長沙王，遂官郢州刺史。蕭韶爲《太清紀》，其諸議論，多謝吴爲之。《南史》卷五一有傳。兩《唐志》著録蕭韶《梁太清紀》十卷，《宋志》"傳記類"著録蕭韶《太清紀》十卷，《崇文總目》亦載此書，《郡齋讀書志》、《直齋書録解題》無載，此書宋以後亡。

《淮海亂離志》四卷。蕭世怡撰。叙梁末侯景之亂。

蕭世怡（？—568）：名泰，以字行，南蘭陵中都里（今江蘇常州西北）人。大同元年（535），封豐城縣侯，除給事中，轉太子洗馬。侯景亂，被執，不久逃至江陵，後奔齊。尋歸周，拜使持節、驃騎大將軍、開府儀同三司，封義興郡公，授蔡州刺史。天和三年卒。《周書》卷四二、《南史》卷五二、《北史》卷二九有傳。這三史《蕭世怡傳》均未提及蕭世怡撰此書。《周書》卷四二《蕭圓肅傳》則載蕭圓肅撰《淮海亂離志》四卷，行於世。《史通》之《補注》、《雜説》中提及《淮海亂離志》，皆稱爲蕭大圜作。《舊唐志》"編年類"、《新唐志》"雜史類"著録《淮海亂離志》四卷，蕭大圓撰（"圜"與"圓"通）。《宋志》無載，亡佚。

《齊紀》三十卷。紀後齊事。崔子發撰。

崔子發（生卒年不詳）：博陵安平（今河北安平）人。北齊時以通經進仕。入隋，與牛弘、蘇威等並召諸儒，論新禮降殺輕重。見《北史》卷八一《儒林傳序》、《隋書》卷四九《牛弘傳》。本志集部尚有其一部著述。此書兩《唐志》無載，亡佚。

《齊志》十卷。後齊事。王劭撰。

王劭：見本志經部“孝經序”。《隋書》卷六九載，王劭初撰《齊志》，爲編年，二十卷，復爲《齊書》紀傳，一百卷，或文辭鄙野，或不軌不物，駭人視聽，大爲有識所嗤鄙。《史通·古今正史》稱王劭“少仕鄴中，多識故事，乃憑述起居注，廣以異聞，造編年書，號曰《齊志》，十有六卷”。《雜説中》則稱“王劭國史，至於論戰争，述紛擾，賈其餘勇，彌見所長”。兩《唐志》“編年類”著録王劭《北齊志》十七卷，《新唐志》“正史類”又著録王劭《齊志》十七卷，似爲重出。《宋志》無載，亡佚。

右三十四部，六百六十六卷。

自史官放絶，作者相承，皆以班、馬爲準。起漢獻帝，雅好典籍，以班固《漢書》文繁難省，命潁川荀悦作《春秋左傳》之體，爲《漢紀》三十篇。言約而事詳，辯論多美，大行於世。至晉太康元年[1]，汲郡人發魏襄王冢[2]，得古竹簡書，字皆科斗[3]。發冢者不以爲意，往往散亂。帝命中書監荀勗[4]、令和嶠[5]，撰次爲十五部，八十七卷。多雜碎怪妄，不可訓知，唯《周易》、《紀年》，最爲分了。其《周易》上下篇，與今正同。《紀年》皆用夏正建寅之月爲歲首[6]，起自夏、殷、周三代王事，無諸侯國别。唯特記晉國，起自殤叔[7]，次文侯[8]、昭侯[9]，以至曲沃莊伯[10]，盡晉國滅。獨記魏事，下至魏哀王[11]，謂之“今王”，蓋魏國之史記也。其著書皆編年相次，文意大似《春秋經》。諸所記事，多與《春秋》、《左氏》扶同[12]。學者因之，以爲《春秋》則古史記之正法，有所著述，多依《春秋》之體。今依其世代，編而叙之，以見作者之别，謂之古史。

[1] 太康：晉武帝司馬炎年號，公元280—289年。

[2] 汲郡人：指發魏襄王墓的不準。汲郡，今河南衛輝。魏襄王，名嗣，公元前334—319年在位。見《史記》卷四四。

[3] 科斗：亦作科斗文、科斗書。我國古代文字之一種，其字形以頭粗尾細如蝌蚪而得名。

[4] 荀勖（？—289）：字公會，潁川潁陰（今河南許昌）人。仕魏，辟大將軍曹爽掾。文帝時，賜爵關内侯，轉從事郎，領記室。晉武帝受禪，封濟北郡公。拜中書監，加侍中，領著作。後領祕書監，與張華依劉向《别録》，整理記籍。及得汲郡冢中古文竹書，受詔撰次之，以爲《中經》，列在祕書。太康十年（289）卒，贈司徒，謚曰成。《晉書》卷三九有傳。本志史、集部著録其三部著述。

[5] 和嶠（？—292）：字長輿，汝南西平（今河南西平西）人。襲父爵上蔡伯，起家太子舍人。爲給事黄門侍郎，遷中書令。太康末，爲尚書。惠帝時，拜太子少傅，加散騎常侍、光禄大夫。元康二年（292）卒，贈金紫光禄大夫。《晉書》卷四五有傳。

[6] 夏正：農曆正月的省稱，夏以正月爲歲首。建寅：夏以寅月爲歲首，寅月即農曆正月。

[7] 殤叔：晉穆侯二十七年卒，其弟殤叔自立，太子仇出奔。四年，仇率其徒攻殺殤叔。公元前785—前781年在位。見《史記》卷三九。

[8] 文侯：晉穆侯子，名仇，公元前781—前746年在位。見《史記》卷三九。

[9] 昭侯：晉文侯子，名伯。其元年，封文侯弟成師於曲沃，號爲桓叔。七年，昭侯被潘父弑。公元前745—前739年在位。見《史記》卷三九。

[10] 曲沃莊伯：桓叔子，名鱓，晉孝侯八年代桓叔，是爲曲沃莊伯。十五年殺孝侯。晉哀侯二年（前 716），莊伯卒。見《史記》卷三九。

[11] 魏哀王：魏襄王子，公元前 318—前 294 年在位。《史記集解》引荀勖語，以爲今王當爲魏襄王，非哀王。

[12] 扶同：相扶、相同。

雜　史

《周書》十卷。汲冢書，似仲尼删書之餘。

余嘉錫以爲是書自《隋書》稱汲冢，然《晉書》之《荀勖傳》、《束晳傳》載汲冢書無《周書》，《漢志》乃有《周書》七十一篇，與今本合。見《增訂四庫簡明目録標注》史部四。許慎作《説文》、馬融注《論語》、鄭玄注《周禮》皆引《周書》，亦可證《周書》不出於汲冢。此書即《漢志》所著録之《周書》七十一篇，顔師古注曰，劉向云周時誥誓號令也，蓋孔子所論百篇之餘也。今存者四十五篇矣。本志稱《周書》爲汲冢書，誤。《舊唐志》著録《周書》八卷，孔晁注；《新唐志》著録《汲冢周書》十卷、孔晁注《周書》八卷；《宋志》"尚書類"著録《汲冢周書》十卷，晉太康中，於汲郡得之，孔晁注；"别史類"著録《汲冢周書》十卷。此書今稱《逸周書》十卷七十一篇，現存最早的本子爲元至正刻本，通行本有《叢書集成》本、《四部備要》本等。

《古文瑣語》四卷。汲冢書。

《晉書》卷五一《束晳傳》載，汲冢竹書中有《瑣語》十一篇，諸國卜夢妖怪相書也。兩《唐志》著録《古文鎖語》四卷，《宋志》無載，亡佚。清馬國翰、洪頤煊、王仁俊有輯本。

《春秋前傳》十卷。何承天撰。

《春秋前雜傳》九卷。何承天撰。

何承天：見本志經部“禮類”。《宋書》卷六四載，《前傳》、《雜語》、《纂文》並傳於世。兩《唐志》著録何承天《春秋前傳》十卷，又著録《春秋前傳雜語》十卷，疑此即《春秋前雜傳》。《宋志》無載，亡佚。

《春秋後傳》三十一卷。晉著作郎樂資撰。

樂資：生平事迹不詳。《史通·六家》稱，晉著作郎樂資乃追采二史，撰爲《春秋後傳》。其書始以周貞王續魯哀公後，至王赧入秦。又以秦文王之繼周，終於二世之滅，合成三十卷。兩《唐志》著録樂資《春秋後傳》三十卷，《宋志》無載，亡佚。清王謨《漢魏遺書鈔》中有數條此書之佚文。

《戰國策》三十二卷。劉向録。

劉向：見本志經部“尚書類”。當時此書名稱繁多，劉向以爲其内容是戰國時游士輔所用之國爲之策謀，宜爲《戰國策》，其所記爲繼春秋以後訖楚漢之起二百四十五年間之事。見《七略别録》。《漢書》卷六二《司馬遷傳贊》稱：“春秋之後，七國並争，秦兼諸侯，有《戰國策》。”《史通·六家》稱《戰國策》“其篇有東西二周，秦、齊、燕、楚、三晉、宋、衛、中山，合十二國，分爲三十三卷”。《漢志》“春秋家”著録《戰國策》三十三篇，兩《唐志》著録劉向《戰國策》三十二卷。《宋志》“縱横家”著録高誘注《戰國策》三十三卷。流傳至今的《戰國策》多有注。現存最早的本子爲高誘注的宋紹興刻本，通行本爲《四部叢刊》本、《叢書集成》本等。

《戰國策》二十一卷。高誘撰注。

高誘（生卒年不詳）：涿郡涿（今河北涿州）人。建安中，曹操辟爲司空掾，除東郡濮陽令，遷監河東。見高誘《淮南子注》自序。本志子部尚有其二部著述。《日本國見在書目録》著録《戰國策》三十二卷，劉向撰，高誘注；兩《唐志》著録《戰國策》三十二卷，高誘注；《宋志》子部著録高誘注《戰國策》三十三卷；《崇文總目》曰，高誘注本二十卷，今缺第一、第五，第十一至二十，止存八卷。曾鞏校定序曰，《崇文總目》存者八卷，今存者十篇。《四庫全書總目》卷五一曰，有誘注者僅二卷至四卷，六卷至十卷，與《崇文總目》八篇合。又最末三十二、三十三兩卷合前八卷，與曾鞏序十篇合。而其餘二十卷則皆宋姚宏所補注。以後又有南宋鮑彪注《戰國策》十卷，元吴師道有《戰國策》校注十卷，清吴曾祺《戰國策補注》三十三卷，又有日人横田惟孝《戰國策正解》十卷等。此書現存最早的本子爲宋紹興刻本，通行本有《四部叢刊》本、《叢書集成》本等。

《戰國策論》一卷。漢京兆尹延篤撰。

延篤（？—167）：字叔堅，南陽犨（河南魯山東南）人。少受《左氏傳》，又從馬融受業，博通經傳記百家之言。舉孝廉，爲平陽侯相。桓帝時以博士徵，拜議郎，著作東觀，稍遷侍中，又遷京兆尹。後以病免歸，教授家巷。永康元年卒於家。論解經傳，多所駁正，服虔以爲折中。所作詩、論、銘、書等，凡二十篇。《後漢書》卷六四有傳。兩《唐志》著録此書，《宋志》無載，亡佚。

《楚漢春秋》九卷。陸賈撰。

陸賈（前240？—前170）：楚（包括今湖南、湖北、安徽、江蘇、浙江及重慶等地）人。以客從漢高祖定天下，居左右，常使諸侯。因受命賜趙佗印，功成，拜太中大夫。諸吕專權，以病免。立孝文帝，鼎力助之。後以壽終。《史記》卷九七、《漢書》卷四三有傳。本志子部尚有其一部著述。班彪曰："漢興定天下，太中大夫陸賈記録時功，作《楚漢春秋》九篇。"見《後漢書》卷四〇下。《史記集解序》之《索隱》曰《楚漢春秋》"漢太中大夫楚人陸賈所撰，記項氏與漢高祖初起及説惠文間事"。《舊唐志》著録《楚漢春秋》二十卷，疑誤。《新唐志》著録《楚漢春秋》九卷，《宋志》無載，亡佚。清洪頤煊、茆泮林、黄奭有輯本。

《古今注》八卷。伏無忌撰。

伏無忌（生卒年不詳）：瑯琊東武（今山東諸城附近）人。伏勝後裔。傳家學，博學多識。永和元年（136）受詔與議郎黄景校定中書五經、諸子百家、藝術。元嘉中，桓帝復詔伏無忌等共撰《漢紀》。又自采集古今，删著事要，號曰《伏侯注》。章懷太子注曰："其書上自黄帝，下盡漢質帝，爲八卷，見行於今。"見《後漢書》卷二六。《舊唐志》史部"雜史類"著録伏無忌《古今注》八卷，《新唐志》子部"雜家類"著録伏侯《古今注》三卷，《宋志》無載，亡佚。清馬國翰、茆泮林、黄奭有輯本。

《越絶記》十六卷。子貢撰。

子貢（前520—前456）：即端木賜，字子貢，衛（今河南北部、河北南部）人。孔子弟子。孔子稱其爲瑚璉（宗廟之貴器）。其出，存魯，亂齊，破吴，强晉而霸越。卒於齊。《史記》卷六七有傳。兩《唐志》著録《越絶書》十六卷，子貢撰。《宋志》"霸史類"著録《越絶記》十五卷，注曰或云子貢所作。《崇文總目》著録《越絶記》十五卷，子貢或曰子胥之書也。宋趙希弁則稱或以爲子貢所作，或疑似子胥所作，皆無所據。見《讀書附志》。《四庫全書總目》卷六六著録《越絶書》十五卷，不署撰者。提要經考證，認爲此書爲後漢初會稽袁康所作，同郡吴平所定。此書現存最早的本子爲明嘉靖刻本，通行本有《四部叢刊》本、《四部備要》本等。

《吴越春秋》十二卷。趙曄撰。

趙曄：見本志經部“詩類”。《後漢書》卷七九下載，趙曄著《吴越春秋》。《郡齋讀書志》卷六曰《吴越春秋》十二卷：“吴起泰伯，盡夫差；越起無餘，盡勾踐。内吴外越，本末咸備。”《增訂四庫簡明目録標注》史部九曰，《吴越春秋》“元徐天祜注，《隋志》作十二卷，今佚二卷，《漢魏叢書》本並爲六卷，彌失其初”。此書現存最早的本子爲元大德刻本《吴越春秋》十卷，趙曄撰，徐元祜注。通行本有十卷本的《四部叢刊》本、《四部備要》本，六卷本的《叢書集成》本等。

《吴越春秋削繁》五卷。楊方撰。

楊方：見本志經部“論語類”。《晉書》卷六八載楊方更撰《吴越春秋》行於世。兩《唐志》著録《吴越春秋削煩》五卷，《宋志》無載，亡佚。

《吴越春秋》十卷。皇甫遵撰。

皇甫遵：生平事迹不詳。兩《唐志》皆著録此書，《宋志》“别史類”著録此書。《崇文總目》稱此書乃爲皇甫遵合趙曄與楊方二家之書，考定而注之。見《崇文總目》卷二“雜史”。宋以後亡佚。

《吴越記》六卷。

不署撰者。《日本國見在書目録》著録《吴越記》七卷，兩《唐志》著録《吴越記》六卷。《經義考》卷二七五“擬經類”有張遐《吴越春秋外紀》，姚振宗疑此書即《吴越記》，撰者爲後漢張遐。《宋志》不載此書，亡佚。

《南越志》八卷。沈氏撰。

沈氏：即沈懷遠，沈懷文弟，吴興武康（今浙江湖州）人。爲始興王劉濬征北長流參軍，後坐事徙廣州。前廢帝世，流徙者並聽歸本，歸家。官至武康令。撰《南越志》及《懷文文集》，並行於世。見《宋書》卷八二、《南史》卷三四。兩《唐志》、《宋志》"地理類"皆著録沈懷遠《南越志》五卷。《直齋書録解題》卷八著録此書爲七卷，並稱"此五嶺諸書之最在前者"。《玉海》卷一六稱《南越志》五卷"載三代至晉南越疆域事迹"。此書宋以後亡佚。

《小史》八卷。

不署撰者。宋晁載之《續談助》抄《殷芸小説》所引《小史》一條。殷芸梁人，可以推測《小史》撰於梁以前。兩《唐志》不載此書，亡佚。

《漢靈獻二帝紀》三卷。漢侍中劉艾撰。殘缺，梁有六卷。

劉艾：原作劉芳，據《後漢書》卷九、兩《唐志》改。《後漢書·獻帝紀》載，興平元年（194），使侍中劉艾，出讓有司。據《後漢書》七二《董卓傳》知其曾爲董卓長史，其他事迹不詳。兩《唐志》著録劉艾《漢靈獻二帝紀》六卷，《宋志》無載，亡佚。

《山陽公載記》十卷。樂資撰。

後漢獻帝於延康元年（220）十月遜位，爲山陽公，魏青龍二年（234）三月薨，以漢天子禮葬於禪陵。其孫劉康繼位。晉永嘉中，山陽公劉秋被胡賊殺，國除。見《後漢書》卷九、《晉書》卷五。《舊唐志》著録《山陽義紀》樂資撰，《新唐志》著録樂資

《山陽公載記》十卷，《宋志》無載，亡佚。

《漢末英雄記》八卷。王粲撰。殘缺，梁有十卷。

王粲：見本志經部“尚書類”。《舊唐志》著録《漢末英雄記》十卷，王粲等撰；《新唐志》著録王粲《漢書英雄記》十卷。《四庫全書總目》卷六〇著録《漢末英雄記》一卷，此乃王世貞雜抄諸書而成，並非王粲原作，其書久佚。

《九州春秋》十卷。司馬彪撰，記漢末事。

《晉書》卷八二載司馬彪“泰始中，爲祕書郎轉丞，作《九州春秋》”。《史通·六家》曰：“當漢氏失馭，英雄角力。司馬彪又録其事，因爲《九州春秋》，州爲一篇，合爲九卷。尋其體統，亦近代之《國語》也。”《直齋書録解題》卷五曰：“漢末州郡之亂，司冀、徐、兖、青、荆、揚、凉、益、幽，凡盜賊僭叛皆記之。”兩《唐志》皆著録此書爲九卷，《宋志》“别史類”、“霸史類”皆著録此書十卷，明《世善堂藏書目録》卷上著録《九州春秋》九卷。《説郛》存一卷，清黄奭有輯本。

《魏武本紀》四卷。梁并曆五卷。

不署撰者。《舊唐志》“編年類”著録《魏武本紀》三卷，“雜史類”著録《魏武本紀年曆》五卷；《新唐志》“編年類”著録《魏武本紀》四卷，“雜史類”著録《魏武本紀年曆》五卷；《宋志》無載，亡佚。

《魏尚書》八卷。孔衍撰。梁十卷，成。

孔衍：見本志經部“禮類”。《史通·六家·尚書家》提及孔衍所作，“由是有《漢尚書》、《後漢尚書》、《漢魏尚書》（疑“漢”爲衍文），凡爲二十六卷”。《舊唐志》著録孔衍《漢尚書》十卷、

《後漢尚書》六卷、《後漢尚書》十四卷（此當《魏尚書》十卷），《新唐志》著録孔衍《漢尚書》十卷、《後漢尚書》六卷、《後魏尚書》十四卷（此當《魏尚書》十卷），《宋志》無載，亡佚。梁十卷成："成"字疑爲衍文。

《魏晉世語》十卷。晉襄陽令郭頒撰。

郭頒：生平事迹不詳。《世説新語·方正》注曰："郭頒西晉人，時世相近，爲《魏晉世語》，事多詳覈。"《三國志》卷四裴松之注稱，郭頒晉之令史，出爲官長，"撰《魏晉世語》，蹇乏宫商，最爲鄙劣，以時有異事，故頗行於世。干寶、孫盛等多采其言以爲《晉書》，其中虚錯如此者，往往而有之"。兩《唐志》著録郭頒《魏晉代説》十卷，《宋志》無載，亡佚。《説郛》存一卷。

《魏末傳》二卷。梁又有《魏末傳》并《魏氏大事》三卷，亡。

不署撰者。《三國志》卷二八有注曰："臣松之以爲《魏末傳》所言，率皆鄙陋。"兩《唐志》不載此書，亡佚。《魏末傳》并《魏氏大事》三卷，當是二書合帙者。

《吕布本事》一卷。毛范撰。

毛范：生平事迹不詳。兩《唐志》不載此書，亡佚。

《晉諸公贊》二十一卷。晉祕書監傅暢撰。

傅暢（？—330）：字世道，北地泥陽（今陝西銅川）人。少有重名，以選入侍講東宫，爲祕書監。没入石勒，爲大將軍司馬。咸和五年（330）卒。作《晉諸公叙贊》二十二卷，又爲《公卿故事》九卷。《晉書》卷四七有傳。本志史、集部尚有其二部著述。兩《唐志》著録此書，《宋志》無載，亡佚。清黄奭、傅以禮有輯本。

《晉後略記》五卷。晉下邳太守荀綽撰。

荀綽（生卒年不詳）：字彦舒，潁川潁陰（今河南許昌）人。博學有才能，撰《晉後書》十五篇，傳於世。永嘉末，爲司空從事參軍。没入石勒，爲參軍。《晉書》卷三九有傳。本志史、集部尚有其二部著述。《舊唐志》著録《晉後略記》五卷，《新唐志》著録《晉後略》五卷，《宋志》著録荀綽《晉略》九卷，《崇文總目》、《郡齋讀書志》、《直齋書録解題》、《玉海》皆不載此書，亡佚。清黄奭有輯本。

《晉書鈔》三十卷。梁豫章内史張緬撰。

張緬（490—531）：字元長，范陽方城（今河北固安南）人。起家祕書郎，出爲淮南太守。少勤學，手不釋卷，尤明後漢及晉代衆家。累遷北中郎諮議參軍、寧遠長史，出爲豫章内史。中大通三年（531），遷侍中，未拜，卒，時年四十二。詔贈侍中，加貞威將軍。爲《後漢紀》四十卷、《晉抄》三十卷、文集五卷。《梁書》卷三四、《南史》卷五六有傳。本志史部尚有其著述一部。《史通·雜説中》曰："張緬抄撮《晉史》，不求異同，而備揭此言，不從沙汰，罪又甚矣。"兩《唐志》皆著録此書，《宋志》無載，亡佚。

《晉書鴻烈》六卷。張氏撰。

疑此書亦張緬所抄，附於《晉書鈔》之後者。

《宋中興伐逆事》二卷。

不署撰者。記宋孝武帝伐元凶劭之事迹。兩《唐志》"故事類"著録《中興伐逆事》二卷，《宋志》無載，亡佚。

《宋拾遺》十卷。梁少府卿謝綽撰。

謝綽（生卒年不詳）：陳郡陽夏（今河南太康）人。天監初，爲廷尉卿，終少府卿。有《宋拾遺》十卷。見《全梁文》卷五九。本志集部尚有其著述一部。《史通・書事》曰："裴松之補陳壽之闕，謝綽拾沈約之遺。"兩《唐志》著録謝綽《宋拾遺録》十卷，《宋志》無載，亡佚。

《左史》六卷。李槩撰。

李槩：見本志經部"小學類"。《新唐志》著録李槩《左史》六卷，《宋志》無載，亡佚。

《魏國統》二十卷。梁祚撰。

梁祚（402—488）：北地泥陽（今陕西銅川）人。篤志好學，善《公羊春秋》、鄭氏《易》。辟祕書中散，稍遷祕書令。撰并陳壽《三國志》，名曰《國統》，又作《代都賦》，頗行於世。年八十七卒。《魏書》卷八四、《北史》卷八一有傳。《舊唐志》著録梁祚《國紀》十卷，《新唐志》著録梁祚《魏書國紀》十卷，《宋志》無載，亡佚。

《梁帝紀》七卷。

不署撰者。疑此書爲"正史類"著録之姚察《梁書帝紀》七卷之重出。兩《唐志》"編年類"著録《皇帝紀》七卷，《宋志》無載，亡佚。

《梁太清録》八卷。

不署撰者。《史通・雜説中・周書》原注曰："其王褒、庾信等事，又多見蕭韶《太清紀》、蕭大圜《淮海亂離志》、裴政《太清實録》、杜臺卿《齊紀》。"《隋書》卷六六載，裴政著《承聖降録》十卷;《北史》卷七七載，裴政作《承聖實録》十卷。梁元帝於太清六年（552）改元，爲承聖，裴政所作可稱《太清實録》，亦可稱《承聖實録》，有可能是此書，但没有確鑿的證據很難認定。兩《唐志》著録《梁太清實録》八卷，亦不署撰者。《宋志》無載，亡佚。

《梁承聖中興略》十卷。劉仲威撰。

劉仲威（527—569）：南陽涅陽（今河南鎮平）人。少有志氣，頗涉文史。梁承聖中爲中書侍郎。入齊，終於鄴中。《陳書》卷一八、《南史》卷五〇有傳。此書兩《唐志》無載，亡佚。

《梁末代紀》一卷。

不署撰者。此書兩《唐志》“編年類”有著録,《宋志》無載，亡佚。

《梁皇帝實録》三卷。周興嗣撰。記武帝事。

周興嗣：見本志經部“小學類”。《梁書》卷四九載周興嗣“所撰《皇帝實録》、《皇德記》等百餘卷”。《舊唐志》“起居注類”著録《梁皇帝實録》三卷,《新唐志》“實録類”著録《梁皇帝實録》二卷,《宋志》無載，亡佚。

《梁皇帝實録》五卷。梁中書郎謝吴撰。記元帝事。

《舊唐志》“起居注類”在周興嗣《梁皇帝實録》三卷後，有“又三卷”，未署撰者。《新唐志》“實録類”著録謝昊《梁皇帝實録》二卷,《宋志》無載，亡佚。

《棲鳳春秋》五卷。臧嚴撰。

臧嚴（生卒年不詳）：字彦威，東莞莒（今山東莒縣）人。初爲安成王侍郎，累遷湘東王宣惠輕車府參軍，兼記室。又爲鎮南諮議參軍，卒官。其多所諳記，尤精《漢書》，有文集十卷。《梁書》卷五〇、《南史》卷一八有傳。兩《唐志》“編年類”著録此書，《宋志》無載，亡佚。

《陳王業曆》一卷。陳中書郎趙齊旦撰。

趙齊旦（519—565）：名知禮，天水隴西（今甘肅隴西）人。涉獵文史，深得高祖倚重。侯景平，授中書侍郎，封始平縣子。天嘉元年（560），進爵爲伯，遷右衛將軍，領前軍將軍。六年（565）卒，時年四十七，謚曰忠。《陳書》卷一六、《南史》卷六八有傳。兩《唐志》著録《王業曆》二卷，趙弘禮撰（“弘”乃“知”之誤），《宋志》無載，亡佚。

《史要》十卷。漢桂陽太守衛颯撰。約《史記》要言，以類相從。

衛颯（生卒年不詳）：字子産，河内修武（今河南修武）人。家貧好學。王莽時，仕郡歷州宰。建武二年（26），辟大司徒鄧禹府，後除桂陽太守。二十五年（49），徵還，欲爲少府，有疾，以桂陽太守歸家，終於家。《後漢書》卷七六有傳。兩《唐志》著録衛颯《史記要傳》十卷，《宋志》無載，亡佚。

《典略》八十九卷。魏郎中魚豢撰。

魚豢（生卒年不詳）：京兆（今陝西西安周邊）人，其他事迹不詳。《史通·古今正史》曰：“魏時京兆魚豢私撰《魏略》，事止明帝。”《史通·題目》稱魚豢撰魏史“巨細畢載，蕪累甚多，而俱榜之以略，考名責實，奚其爽歟”。《廿二史考異》卷一五有曰：“魚豢《魏略》今已不存，其諸傳標目，多與它史異。”《舊唐志》“雜史類”著録《典略》五十卷，“正史類”著録《魏略》三十八卷;《新唐志》“雜史類”著録《魏略》五十卷(此與《舊唐志》著録之《典略》當爲一書),《宋志》無載,亡佚。《説郛》存魚豢《三國典略》一卷,清王仁俊輯《魏略》一卷。

《史漢要集》二卷。晉祠部郎王蔑撰。抄《史記》,入《春秋》者,不録。

王蔑:生平事迹不詳。兩《唐志》著録此書,《宋志》無載,亡佚。

《三史略》二十九卷。吴太子太傅張温撰。

張温(193—230):字惠恕,吴郡吴(今江蘇蘇州)人。初頗得孫權倚重,以輔義中郎將使蜀,蜀亦重其才,故遭孫權猜忌,後病卒。《三國志》卷五七有傳。兩《唐志》著録《三史要略》三十卷,《宋志》無載,亡佚。

《史記正傳》九卷。張瑩撰。

此書兩《唐志》有載,《宋志》無載,亡佚。

《後漢略》二十五卷。張緬撰。

《梁書》卷三四載張緬“抄《後漢》衆家異同,爲《後漢紀》四十卷”。《舊唐志》“雜史類”著録《後漢書略》二十五卷;《新唐志》“雜史類”著録《後漢書略》二十五卷,“編年類”著録張緬《後漢略》二十七卷,二者當有一爲重出;《宋志》無載,亡佚。

《漢皇德紀》三十卷。漢有道徵士侯瑾撰。起光武,至冲帝。

侯瑾(生卒年不詳):字子瑜,敦煌(今甘肅敦煌)人。篤學,州郡累召,公車有道徵,稱病不到。按《漢紀》撰中興以後行事,爲《皇德傳》三十篇,行於世。人尊之爲侯君。《後漢書》卷四〇下有傳。兩《唐志》"編年類" 著録此書,《宋志》無載，亡佚。

《洞紀》四卷。韋昭撰。記庖犧已來，至漢建安二十七年。

韋昭：見本志經部 "詩類"。《三國志》卷六五韋昭獄中上辭曰："囚昔見世間有古曆注，其所記載既多虚無，在書籍者復錯謬。囚尋按傳記，考合異同，采摭耳目所及，以作《洞紀》，起自庖犧，至於秦漢，凡爲三卷。當作黄武以來，别作一卷，事尚未成。"《舊唐志》著録《洞紀》九卷,《新唐志》著録《洞紀》四卷,《宋志》無載，亡佚。

《續洞紀》一卷。臧榮緒撰。

兩《唐志》不載此書,《玉海》卷四七載，臧榮緒《續洞紀》一卷。《宋志》亦無載，亡佚。

《帝王世紀》十卷。皇甫謐撰。起三皇，盡漢、魏。

皇甫謐（215—282）：字士安，幼名静，安定朝那（今寧夏固原東南）人。從鄉人席坦受書，勤力不怠。以著述爲務，自號玄晏先生。武帝頻下詔徵爲議郎、著作郎，皆不起。太康三年（282）卒，時年六十八。所著《帝王世紀》、《年曆》等並重於世。《晉書》卷五一有傳。本志史、子、集部尚有其七部著述。《日本國見在書目録》著録皇甫謐《帝王世紀》三十卷，兩《唐志》著録皇甫謐《帝王代紀》十卷,《宋志》著録皇甫謐《帝王世紀》九卷。《玉海》卷四七載："晉正始初，安定皇甫謐撰，以《漢紀》殘缺，始博案經傳，旁觀百家，著《帝王世紀》並《年曆》合十二篇，起太昊迄漢獻帝。" 清宋翔鳳稱此書唐以後亡。《説郛》存一卷，清宋翔鳳、顧觀光、王仁俊有輯本。

《帝王世紀音》四卷。虞綽撰。

虞綽（562—615）：字士裕，會稽餘姚（今浙江餘姚）人。博學有俊才，仕陳，爲太學博士。隋大業初，爲祕書學士，與虞世南等撰《長洲玉鏡》等書十餘部。後因楊玄感而徙且末，逃亡被執，坐斬，時年五十四。《隋書》卷七六、《北史》卷八三有傳。此書兩《唐志》無載，亡佚。

《帝王本紀》十卷。來奥撰。

來奥：生平事迹不詳。本志史部尚有其一部著述。兩《唐志》著録此書，《宋志》無載，亡佚。

《續帝王世紀》十卷。何茂材撰。

何茂材：生平事迹不詳。《日本國見在書目録》著録《續帝王紀》十卷，何茂林撰；《舊唐志》著録《續帝王代紀》十卷，何集撰；《新唐志》著録何茂林《續帝王代紀》十卷；《宋志》無載，亡佚。

《十五代略》十卷。吉文甫撰。起庖犧，至晉。

吉文甫：見本志經部"小學類"。兩《唐志》著録此書，《宋志》無載，亡佚。

《帝王要略》十二卷。環濟撰。紀帝王及天官、地理、喪服。

環濟：見本志經部"禮類"。兩《唐志》"雜史類"著録環濟《帝王略要》十二卷，《宋志》無載，亡佚。

《周載》八卷。東晉臨賀太守孟儀撰。略記前代，下至秦。本三十卷，今亡。

孟儀：生平事迹不詳。兩《唐志》著録孟儀注《周載》三十卷,《宋志》無載，亡佚。

《漢書鈔》三十卷。晉散騎常侍葛洪撰。

葛洪：見本志經部“禮類”。《晉書》卷七二載，葛洪又鈔五經史漢百家之言、方伎雜事三百一十卷。《新唐志》著録葛洪《漢書鈔》三十卷,《宋志》無載，亡佚。

《拾遺録》二卷。僞秦姚萇方士王子年撰。

王子年：名嘉。見本志經部“讖緯類”。《晉書》卷九五載，王子年又著《拾遺録》十卷，其記多詭怪。《史通・雜述》稱：“王子年之《拾遺》全構虚辭，用驚愚俗，其爲弊之甚者也。”兩《唐志》著録王嘉《拾遺録》三卷,《宋志》“小説類”有署王嘉所著，但不是此書，而是蕭綺之《王子年拾遺記》。

《王子年拾遺記》十卷。蕭綺撰。

蕭綺：生平事迹不詳。《郡齋讀書志》卷九稱,《王子年拾遺記》百二十篇，載伏羲以來異事，前世奇詭之説。書逸不完，綺拾掇殘闕，輯而叙之。《增訂四庫簡明目録標注》卷一四稱《拾遺記》“原本十九卷，百二十篇，經亂佚闕，梁蕭綺掇拾殘文，編爲十卷，並爲序録。録即論贊之别名也”。兩《唐志》“雜史類”著録《拾遺記》十卷，蕭綺録。而《宋志》“小説類”著録《王子年拾遺記》十卷，則署晉王嘉撰，其實此即蕭綺所撰。此書現存最早的本子爲明萬曆《漢魏叢書》本，通行本有《四庫》本等。

《華夷帝王世紀》三十卷。楊曄撰。

楊曄：生平事迹不詳。兩《唐志》著録楊曄《華夷帝王記》三十七卷,《宋志》無載，亡佚。

《正史削繁》九十四卷。阮孝緒撰。

阮孝緒：見本志經部“小學類”。兩《唐志》著録阮孝緒《正史削繁》十四卷，《宋志》無載，亡佚。

《童悟》十二卷。

不署撰者。兩《唐志》“儀注類”著録《童悟》十三卷，疑此書有便於童蒙，助其穎悟之作用。《宋志》無載，亡佚。

《帝王世録》一卷。甄鸞撰。

甄鸞：《周書》無傳，生平事迹不詳。《四庫全書總目》卷一〇七《五經算術》提要稱：“北周甄鸞精於步算，仕北周，爲司隸校尉、漢中郡守。”據本志“曆數類”著録《七曜本起》三卷，後魏甄叔遵撰；而《新唐志》“曆算類”著録甄鸞《七曜本起曆》五卷，可知甄鸞字叔遵。本志子部尚有其六部著述。兩《唐志》、《宋志》皆不載是書，亡佚。

《先聖本紀》十卷。劉縚撰。

劉縚（生卒年不詳）：縚（tāo），字言明，平原高唐（今山東禹城西南）人。好學，通三《禮》。大同中，爲尚書祠部郎，不久即去職，不再仕。《梁書》卷四九、《南史》卷七二有傳。兩《唐志》著録此書，《宋志》無載，亡佚。

《年曆帝紀》三十卷。姚恭撰。

姚恭：生平事迹不詳。《唐志》著録姚恭《年曆帝紀》二十六卷，《宋志》無載，亡佚。

《帝王諸侯世略》十一卷。

不署撰者。此書《唐志》無載，亡佚。

《王霸記》三卷。潘傑撰。

潘傑：生平事迹不詳。此書兩《唐志》無載，亡佚。

《歷代記》三十二卷。

不署撰者。兩《唐志》著録《歷代記》三十卷，庾和之撰。《宋志》無載，亡佚。

《隋書》六十卷。未成。祕書監王劭撰。

《隋書》卷六九載，王劭撰《隋書》八十卷，多録口勑，又采迂怪不經之語及委巷之言，以類相從，爲其題目，無足稱者，遂使隋代文武名臣列將善惡之迹，堙没無聞。《北史》卷三五論王劭撰史："好詭怪之説，尚委曲之談，文詞鄙穢，體統煩雜，直愧南、董，才無遷、固，徒煩翰墨，不足觀采。"《史通·載文》稱："唯王劭撰齊、隋二史，其所取也，文皆詣實，理多可信，至於悠悠飾詞，皆不之取。"《舊唐志》"雜史類"、《新唐志》"正史類"著録王劭《隋書》八十卷，《宋志》無載，亡佚。

右七十二部，九百一十七卷。通計亡書，七十三部，九百三十九卷。

七十二部：實際是七十一部。七十三部：實際是七十二部。

自秦撥去古文，篇籍遺散。漢初，得《戰國策》，蓋戰國游士記其策謀。其後陸賈作《楚漢春秋》，以述誅鋤秦、項之事。又有《越絶》，相承以爲子貢所作。後漢趙曄，又爲《吴越春秋》。其屬辭比事，皆不與《春秋》、《史記》、《漢書》相似，蓋率爾而作[1]，非史策之正也。靈、獻之世[2]，天下大亂，史官失其常守。博達之士，愍其廢絶，各記聞見，以備遺亡。是後群才景慕，作者甚衆。又自後漢已來，學者多鈔撮舊史，自爲一書，或起自人皇[3]，或斷之近代，亦各其志，而體制不經。又有委巷之説[4]，迂怪妄誕[5]，真虚莫測。然其大抵皆帝王之事，通人君子[6]，必博采廣覽，以酌其要，故備而存之，謂之雜史。

[1] 率爾：輕率的樣子。

[2] 靈：漢靈帝劉宏（156—189），漢章帝之玄孫。年十二，桓帝崩，無子，迎其即帝位。中平六年（189）崩，在位二十一年。《後漢書》卷八有傳。獻，漢獻帝劉協（181—234），靈帝子。董卓廢少帝，立協爲帝，時年九歲。延康元年（220），曹丕自稱帝，建魏，廢帝爲山陽公，東漢亡。在位三十年。《後漢書》卷九有傳。

[3] 人皇：三皇（天皇、地皇、人皇）之一，傳説中遠古部落的酋長。

[4] 委巷：僻陋曲折的小巷。

[5] 迂怪：迂闊荒誕。

[6] 通人：指學識淵博的人。

霸　史

《趙書》十卷。一曰《二石集》，記石勒事。僞燕太傅長史田融撰。

《二石傳》二卷。晉北中郎參軍王度撰。

《二石僞治時事》二卷。王度撰。

田融：生平事迹不詳。王度（生卒年不詳）：太原（今山西太原）人。仕石虎，爲中書著作郎。見《全晉文》卷一四八。《史通·古今正史》載，後趙石勒命其臣徐光、鄭愔等撰《上黨記》、《起居注》、《趙書》，其後又令王蘭、陳宴等相次撰述。至石虎並令刊削，使勒功業不傳。其後燕太傅長史田融、宋尚書庫部郎郭仲産、北中郎參軍王度追撰二石事，集爲《鄴都記》、《趙記》等書。《史通·雜説》之自注曰，田融《趙史》謂勒爲前石，虎爲後石。石勒字世龍，據襄國稱趙，太興二年（319）僭即王位，咸和八年（333）死，在位十五年。見《晉書》卷一〇四、《魏書》卷九五。《舊唐志》著録田融《趙石記》二十卷、《二石記》二十卷，王度、隋劇等撰《二石僞事》六卷；《新唐志》著録田融《趙石記》二十卷，又《二石記》二十卷，王度、隨劇《二石僞事》六卷，《二石書》十卷。疑《二石記》與《趙石記》爲一書重出，"隋（隨）劇"似"陸劇"之誤。此書《宋志》無載，亡佚。清湯球輯王度《二石傳》一卷、田融《趙書》一卷。

《漢之書》十卷。常璩撰。

常璩（291？—361？）：璩（qú），字道將，江原（今四川崇州）人。李勢時官至散騎常侍。見《四庫全書總目》卷六六。《史通·古今正史》曰："蜀初號曰成，後改稱漢。李勢散騎常侍常璩撰《漢書》十卷。後入晉祕閣，改爲《蜀李書》。"《顏氏家訓·書證》稱"《蜀李書》一名《漢之書》"。兩《唐志》著録常璩《蜀李書》九卷，《新唐志》又有《漢之書》十卷。《宋志》無載，亡佚。清湯球輯《蜀李書》一卷。

《華陽國志》十二卷。常璩撰。梁有《蜀平記》十卷，《蜀漢僞官故事》一卷，亡。

《直齋書録解題》卷五稱《華陽國志》"志巴蜀地理、風俗、人物及公孫述、劉焉、劉璋和先、後主以及李特等事迹。末卷爲《序志》，云肇自開闢，終乎永和三年"。《舊唐志》著録此書三卷（疑"三"前脱"十"），《新唐志》著録此書十三卷，《宋志》著録此書爲十二卷。《增訂四庫簡明目録標注》卷六稱，《四庫全書總目》著録《華陽國志》十二卷，附録一卷，"世所行何鏜、吴琯本不足，以影寫宋本補足，並附以張佳胤所補一卷"。此書現存最早的本子爲明嘉靖張佳胤刻本，通行本爲《四庫本》、《四部叢刊》本、《叢書集成》本等。《蜀平記》、《蜀漢僞官故事》皆不署撰者。丁國鈞《補晉藝文志》曰，"此書當是記桓温平李勢事"。

《燕書》二十卷。記慕容儁事。僞燕尚書范亨撰。

范亨：生平事迹不詳。慕容儁（319—360），永和五年（349）僭即燕王位，晉昇平四年（360）死，在位十一年。見《晉書》卷一一〇、《魏書》卷九五、《北史》卷九三。《史通·古今正史》稱，前燕有起居注，杜輔全録以爲《燕紀》。後燕建興元年（386），董統受詔草創後書，合三十卷，但褒述過美，有慚董、史之直。其後申秀、范亨各取前後二燕合成一史。兩《唐志》、《宋志》皆著録范亨《燕書》二十卷，然《直齋書録解題》、《郡齋讀書志》皆無載，亡佚。清湯球有輯本。

《南燕録》五卷。記慕容德事。僞燕尚書郎張詮撰。

張詮：生平事迹不詳。慕容德（336—405），字玄朗，據滑臺稱南燕，隆安四年（400）僭皇帝位，義熙元年（405）死，時年七十，在位五年。見《晉書》卷一二七、《魏書》卷九五、《北史》卷九三。《舊唐志》著録張詮《南燕書》五卷，《新唐志》著録張詮《南燕書》十卷，《宋志》無載，亡佚。清湯球有輯本。

《南燕録》六卷。記慕容德事。僞燕中書郎王景暉撰。

王景暉：生平事迹不詳。《史通·古今正史》曰："南燕有趙郡王景暉，嘗事德、超，撰二主起居注。超亡，仕於馮氏，官至中書令，仍撰《南燕録》六卷。"《舊唐志》著録《南燕録》六卷，王景暄撰，《新唐志》著録王景暉《南燕録》六卷，《宋志》無載，亡佚。清湯球有輯本。

《南燕書》七卷。游覽先生撰。

游覽先生：生平事迹不詳。此書兩《唐志》無載，亡佚。

《燕志》十卷。記馮跋事。魏侍中高閭撰。

高閭（？—502）：字閻士，漁陽雍奴（今北京）人。少好學，博綜經史。太平真君九年（448），徵拜中書博士。文明太后臨朝，賜爵安樂子，又以功進爵爲侯。世祖朝，以光禄大夫致仕，景明三年（502）卒於家。謚曰文侯。好爲文章，集詔令碑頌等百餘篇，凡三十卷。《魏書》卷五四、《北史》卷三四有傳。馮跋（？—430）：字文起。太元二十年（395），僭稱天王於昌黎，國曰燕。宋元嘉七年（430）死，在位二十二年。見《晉書》卷一二五、《魏書》卷九七、《北史》卷九三。《史通·古今正史》曰“韓顯宗記馮氏”。《魏書》卷六〇載韓顯宗撰《燕志》十卷，衛顯宗當爲此書撰者，而高閭則因監其事而署名。兩《唐志》著録《燕志》十卷，不署撰者。《宋志》無載，亡佚。清湯球有輯本。

《秦書》八卷。何仲熙撰。記苻健事。

何仲熙：生平事迹不詳。苻健（317—355），字建業，永和七年（351）僭稱天王，置百官于長安，稱秦。三十九歲死，在位四年。見《晉書》卷一一三、《魏書》卷九五。此書兩《唐志》無載，亡佚。

《秦記》十一卷。宋殿中將軍裴景仁撰，梁雍州主簿席惠明注。

裴景仁：生平事迹不詳。《宋書》卷五四載，殿中員外將軍裴景仁助戍彭城，本傖人，多悉戎荒事。（沈）曇慶使撰《秦記》十卷，叙苻氏僭僞本末，其書傳於世。《史通·古今正史》稱：“河東裴景仁又正其訛僻，删爲《秦紀》十一篇。”席惠明：生平事迹不詳。兩《唐志》著録《秦記》十一卷，裴景仁撰，杜惠明注。《宋志》無載，亡佚。清湯球有輯本。

《秦紀》十卷。記姚萇事。魏左民尚書姚和都撰。

姚和都：生平事迹不詳。《史通·古今正史》稱：“和都仕魏，爲左民尚書，又追撰《秦紀》十卷。”姚萇（329—393），字景茂。太元十一年（386）僭即皇帝位於長安，國號大秦。十八年（393）死，在位八年。見《晉書》卷一一六、《魏書》卷六五、《北史》卷六三。此書兩《唐志》無載，亡佚。清湯球有輯本。

《凉記》八卷。記張軌事。僞燕右僕射張諮撰。

張諮：生平事迹不詳。張軌（255—314），字士彦，安定烏氏（今甘肅平凉西北）人。晉愍帝拜張軌爲侍中、太尉、凉州牧、西平公。在州十三年卒，謚曰武公。見《晉書》卷八六、《魏書》卷九九。兩《唐志》著録張諮《凉記》十卷，《宋志》無載，亡佚。清湯球有輯本。

《凉書》十卷。記張軌事。僞凉大將軍從事郎劉景撰。

劉景（生卒年不詳）：即劉昞（或作昺），字延明，敦煌（今甘肅敦煌）人。隱居酒泉，不應州郡命，有受業弟子五百餘人。李暠私署，徵爲儒林祭酒、從事中郎，又遷撫夷護軍。著有《凉書》十卷、《敦煌實録》二十卷等，又注《周易》、《韓子》等。世祖平凉州，拜樂平王從事中郎。七十餘歲歸鄉，途中遇疾而卒。《魏書》卷五二、《北史》卷三四有傳。本志史部尚有其一部著述。《史通・古今正史》曰："建康太守索暉、從事中郎劉昞又各著《凉書》。"《新唐志》著録劉昞《凉書》十卷，《宋志》無載，亡佚。

《西河記》二卷。記張重華事。晉侍御史喻歸撰。

喻歸：《晉書》卷八六作"俞歸"，生平事迹不詳。張重華（327—353）：張軌重孫，字泰臨。永和二年（346）自稱持節、大都督、太尉、護羌校尉、凉州牧、西平功、假凉王。昇平末，晉詔遣侍御史俞歸拜重華護羌校尉、凉州刺史、假節。將受詔，未及而卒，時年二十七，在位十一年。晉穆帝賜謚曰敬烈。見《晉書》卷八六、《魏書》卷九九。兩《唐志》著録《西河記》二卷，署名爲段龜龍，《宋志》無載，亡佚。清張澍、湯球輯有喻歸《西河記》一卷。

《凉記》十卷。記吕光事。僞凉著作佐郎段龜龍撰。

段龜龍：生平事迹不詳。吕光（338—399）：字世明，略陽（今甘肅天水一帶）氐人。太元十年（385）九月據姑臧，自稱凉州刺史，二十一年（396）僭即天王位。晉安帝隆安三年（399）死，在位十一年。見《晉書》卷一二二、《魏書》卷九五。《史通·古今正史》曰："段龜龍記吕氏。"《新唐志》著録段龜龍《凉記》十卷，《宋志》無載，亡佚。《説郛》存一卷，名爲《凉州記》，清張澍、湯球有輯本。

《凉書》十卷。高道讓撰。

高道讓（生卒年不詳）：名謙之，渤海蓨（今河北景縣）人。專意經史，天文算曆等亦多涉及。襲父爵，釋褐奉朝請，除國子博士。以父舅氏沮渠蒙遜曾據凉土，國書漏闕，乃修《凉書》十卷，行於世。後坐事，入獄賜死，時年四十二。永安中，贈征虜將軍、營州刺史，謚曰康。《魏書》卷七七、《北史》卷五〇有傳。兩《唐志》不載此書，亡佚。

《凉書》十卷。沮渠國史。

不署撰者。《史通·古今正史》"宗欽記沮渠氏"。宗欽，字景若，金城（今甘肅蘭州）人。少好學，博綜群言，聲著河右。仕沮渠蒙遜，爲中書郎、世子洗馬。世祖平凉州，賜爵卧樹男，拜著作郎。崔浩被誅，欽亦賜死。在河西撰《蒙遜記》十卷，無足可稱。見《魏書》卷五二、《北史》卷三四。疑此書即高道讓所言國書。兩《唐志》不載此書，亡佚。

《托跋凉録》十卷。

不署撰者。錢大昕稱此書"當時記南凉事，'秃髮'即'托跋'聲之轉也"。見《廿二史考異》卷三四。秃髮烏孤，河西鮮卑人。

據涼州稱南涼，隆安元年，自稱大都督、大將軍、大單于、西平王，在位三年。見《晉書》卷一二六、《魏書》卷九九。《史通·史官建置》稱："南涼主烏孤初定霸基，欲造國紀，以其參軍郭韶爲國紀祭酒，使撰録時事。"兩《唐志》著録此書，《宋志》無載，亡佚。

《敦煌實録》十卷。劉景撰。

此書記李暠事。李暠（351—417），字玄盛，隴西狄道（今甘肅臨洮）人。隆安四年（400），據敦煌，私署大都督、大將軍、護羌校尉、秦涼二州牧、涼公。義熙十三年（417）卒，國人上謚曰武昭王。見《晉書》卷八七、《魏書》卷九九、《北史》卷一〇〇。《舊唐志》"雜傳類"著録《燉煌實録》二十卷，劉延明撰；《新唐志》"僞史類"、"雜傳記類"皆著録劉昞《燉煌實録》二十卷，其一爲重出。《宋志》無載，亡佚。《説郛》存一卷，清湯球有輯本。

《十六國春秋》一百卷。魏崔鴻撰。

崔鴻（478—525）：字彦鸞，東清河鄃（今山東平原西南）人。少好學，博綜經史。孝昌初，拜給事黄門侍郎，尋加散騎常侍、齊州大中正。卒，贈鎮東將軍、度支尚書、青州刺史。崔鴻弱冠便有著述之志，見劉淵、石勒等並因世故，跨僭一方，各有國書，未有統一，乃撰爲《十六國春秋》，勒成百卷，因其舊記，時有增損褒貶。又有《序例》、《年表》各一卷。其子子元於永安中，方將崔鴻書奏上。《魏書》卷六七、《北史》卷四四有傳。《史通·古今正史》稱崔鴻"考覈衆家，辨其異同，除煩補缺，錯綜綱紀，易其國書曰録，主紀曰傳，都謂之《十六國春秋》，勒爲一百二卷"。兩《唐志》著録崔鴻書爲一百二十卷，《宋志》、《直齋書録解題》、《郡齋讀書志》皆無載。《四庫全書總目》卷六六稱，此書亡於北宋，現存《十六國春秋》乃明屠嘉孫、項琳之僞作。《增訂四庫簡明目録標注》卷六則言，屠、項刻《十六國春秋》於萬曆中，而汲古閣家藏已有此書抄本，故此書雖爲僞託，但早於屠、項。

《纂録》一十卷。

不署撰者。兩《唐志》無載，亡佚。

《戰國春秋》二十卷。李槩撰。

本書已見本志“古史類”，此係重出。

《漢趙記》十卷。和苞撰。

和苞（生卒年不詳）：《晉書》無傳。劉曜大興土木，建宫、築陵，侍中和苞上疏諫，曜大悦，封其平輿子，領諫議大夫。見《晉書》卷一〇三。漢，即匈奴人劉元海在惠帝永興元年（304）據離石所建立的漢政權。趙，指劉元海族子劉曜在元帝大興元年（318）僭即皇帝位，國號趙，在位十年。見《晉書》卷一〇一、一〇三。《史通·古今正史》曰：“劉曜時，平輿子和苞撰《漢趙記》十篇，止當年，不終曜滅。”《舊唐志》著録《漢趙記》十卷，《新唐志》著録《漢趙記》十四卷，《宋志》著録《漢趙記》一卷，後亡佚。清湯球有輯本。

《吐谷渾記》二卷。宋新亭侯段國撰。梁有《翟遼書》二卷，《諸國略記》二卷，《永嘉後纂年記》二卷，《段業傳》一卷，亡。

段國：生平事迹不詳。吐谷渾，慕容廆之庶長兄。屬永嘉之亂，始度隴而西。其後子孫據有西零以西甘松之界，極乎白蘭數千里。其官置長史、司馬、將軍。吐谷渾年七十二卒。見《晉書》卷九七。此書兩《唐志》無載，亡佚。清張澍輯段國《沙州記》

一卷，認爲此即《吐谷渾記》。《説郛》存段國《沙州記》一卷。《翟遼書》：記零丁翟遼事。孝武帝太元八年（383）十二月，前句町王翟遼背苻堅舉兵於河南，後自號大魏天王，屯滑臺，十五年（390）敗于王師。見《晉書》卷九、《北史》卷九三。《諸國略記》、《永嘉後纂年記》：皆不署撰者。兩《唐志》無載，亡佚。《段業傳》：不署撰者。段業（？—401），京兆（今陝西西安東）人，博涉史傳，爲吕光之建康太守。隆安元年（397），自號凉州牧。三年（399），據張掖，自稱北凉王。五年（401），被沮渠蒙遜所殺。見《晉書》卷一〇、一〇一、一二九。兩《唐志》無載，亡佚。

《天啓紀》十卷。記梁元帝子諝據湘州事。

不署撰者。據史載，梁元帝無名爲蕭諝之子。梁元帝臣王琳以功封建寧縣侯，爲湘州刺史。魏克江陵，王琳將年方七歲的元帝子蕭莊迎還湘中。梁敬帝即位，蕭莊出質於北齊。王琳請莊於北齊以主梁嗣，太平二年（557）二月，即位於郢州，年號天啓，置百官。北齊許以興復，竟不果，而北齊亡。見《南史》卷五四、《北齊書》卷三二。兩《唐志》著録《天啓紀》十卷，守節先生撰。《宋志》無載，亡佚。

右二十七部，三百三十五卷。通計亡書，合三十三部，三百四十六卷。

《傳》曰："不有君子，其能國乎[1]？"自晉永嘉之亂，皇綱失馭[2]，九州君長，據有中原者甚衆。或推奉正朔[3]，或假名竊號，然其君臣忠義之節，經國字民之務[4]，蓋亦勤矣。而當時臣子，亦各記録。後魏克平諸國，據有嵩、華[5]，始命司徒崔浩，博采舊聞，綴述國史。諸國記注，盡集秘閣。尒朱之亂，並皆散亡。今舉其見在，謂之霸史。

[1]《傳》曰：見《左傳·文公十二年》。文曰，不是有了君子，難道能治理國家嗎?

[2] 皇綱：封建王朝統治天下的紀綱。

[3] 正朔：一年的第一天。古代改朝換代，新王朝要重定正朔，故此正朔表示朝代更迭。

[4] 字民：撫養百姓。

[5] 嵩華：中嶽嵩山與西嶽華山。

起居注

《穆天子傳》六卷。汲冢書。郭璞注。

郭璞：見本志經部“詩類”。束皙稱，《穆天子傳》五篇，言周穆王游行四海，見帝臺、王母。見《晉書》卷五一。荀勖言，此書記見西王母事，與《太史公記》同。汲郡收書不謹，多毀落殘缺，雖其言不典，皆是古書，頗可觀覽。見《全晉文》卷三一。兩《唐志》、《宋志》皆著録郭璞注《穆天子傳》六卷。《郡齋讀書志》卷九稱，發冢得此書，六卷八千五百一十四字。此書現存最早的本子爲明天一閣奇書本，通行本有《四部叢刊》本、《四部備要》本、《叢書集成》本等。

《漢獻帝起居注》五卷。

不署撰者。袁宏《後漢紀序》提及其撰《後漢紀》，所掇會者有《漢山陽公記》、《漢靈獻起居注》等。兩《唐志》著録此書，《宋志》無載，亡佚。

《晉泰始起居注》二十卷。李軌撰。

李軌：見本志經部“易類”。泰始，晉武帝年號，公元265—274年。泰始六年（269）七月有詔曰：“自泰始以來，大事皆撰録祕書，寫副。後有其事，輒宜綴集以爲常。”見《晉書》卷三。兩《唐志》著録此書，《宋志》無載，亡佚。清有黄奭輯本。

《晉咸寧起居注》十卷。李軌撰。

咸寧：晉武帝年號，公元275—279年。《新唐志》著録《晉咸寧起居注》二十二卷，《宋志》無載，亡佚。清有黄奭輯本。

《晉泰康起居注》二十一卷。李軌撰。

泰康：晉武帝年號，公元280—289年。兩《唐志》著録此書爲二十二卷，《宋志》無載，亡佚。清有黄奭輯本。

《晉元康起居注》一卷。梁有《永平元康永寧起居注》六卷，又有《惠帝起居注》二卷，《永嘉建興起居注》十三卷，亡。

不署撰者。元康，惠帝年號，公元291—299年。兩《唐志》不載此書，亡佚。《永平元康永寧起居注》：不署撰者。永平，晉惠帝年號，公元291年；永寧，晉惠帝年號，公元301—302年。兩《唐志》著録《晉永平起居注》八卷，李軌撰。《宋志》無載，亡佚。《惠帝起居注》：不署撰者。《宋書》卷五七載，傅亮與蔡廓書信中提及陸士衡《起居注》。陸機在晉惠帝元康年間任著作郎，此《起居注》有可能爲陸機所作。兩《唐志》無載，亡佚。清有黄奭、湯球輯本。《永嘉建興起居注》：永嘉，懷帝年號，公元307—312年；建興，愍帝年號，公元313—316年。兩《唐志》不載此書，《舊唐志》著録《晉愍帝起居注》三十卷，李軌撰。《宋志》無載，亡佚。

《晉建武大興永昌起居注》九卷。梁有二十卷。

不署撰者。建武（317）、大興（318—321）、永昌（322），皆爲晉元帝年號。兩《唐志》著録此書爲二十二卷，《宋志》無載，亡佚。清黄奭有《建武起居注》、《太興起居注》之輯本。

《晉元康起居注》一卷。

不署撰者。此當爲前書之重出。

《晉咸和起居注》十六卷。李軌撰。

咸和：晉成帝年號，公元326—334年。兩《唐志》著録此書爲十八卷，《宋志》無載，亡佚。清有黄奭輯本。

《晉咸康起居注》二十二卷。

不署撰者。咸康，晉成帝年號，公元335—342年。兩《唐志》著録《晉咸康起居注》二十二卷，李軌撰。《宋志》無載，亡佚。清黄奭有輯本。

《晉建元起居注》四卷。

不署撰者。建元，晉康帝年號，公元343—344年。兩《唐志》著録此書，《宋志》無載，亡佚。清黄奭輯《晉康帝起居注》。

《晉永和起居注》十七卷。梁有二十四卷。

不署撰者。永和，晉穆帝年號，公元345—356年。兩《唐志》著録此書二十四卷，《宋志》未載，亡佚。清有黄奭輯本。

《晉昇平起居注》十卷。

不署撰者。昇平，晉穆帝年號，公元357—361年。兩《唐志》著録此書，《宋志》無載，亡佚。

《晉隆和興寧起居注》五卷。

不署撰者。隆和（362—363）、興寧（363—365），晉哀帝年號。兩《唐志》著録此書，《舊唐志》“隆”作“崇”，爲避唐諱。《宋志》無載，亡佚。

《晉咸安起居注》三卷。

不署撰者。咸安，晉簡文帝年號，公元371—372年。兩《唐志》著録此書,《宋志》無載，亡佚。

《晉泰和起居注》六卷。梁十卷。

不署撰者。泰和，晉廢帝年號，公元366—371年。此書應列在《晉咸安起居注》之前。兩《唐志》著録《晉太和起居注》六卷,《宋志》無載，亡佚。

《晉寧康起居注》六卷。

不署撰者。寧康，晉孝武帝年號，公元373—375年，兩《唐志》著録此書,《宋志》無載，亡佚。

《晉泰元起居注》二十五卷。梁五十四卷。

不署撰者。泰元，晉孝武帝年號，公元376—396年。兩《唐志》著録《晉太元起居注》五十二卷,《宋志》無載，亡佚。

《晉隆安起居注》十卷。

不署撰者。隆安，晉安帝年號，公元397—401年。《舊唐志》著録《晉崇安起居注》十卷,《新唐志》著録《晉崇寧起居注》十卷（“寧”爲“安”之誤),《宋志》無載，亡佚。

《晉元興起居注》九卷。

不署撰者。元興，晉安帝年號，公元402—404年。兩《唐志》著録此書,《宋志》無載，亡佚。

《晉義熙起居注》十七卷。梁三十四卷，

不署撰者。義熙，晉安帝年號，公元405—418年。兩《唐志》著録《晉義熙起居注》三十四卷,《宋志》無載，亡佚。清黄奭有輯本。

《晉元熙起居注》二卷。

不署撰者。元熙，晉恭帝年號，公元 419 — 420 年。兩《唐志》有著録，《宋志》無載，亡佚。

《晉起居注》三百一十七卷。宋北徐州主簿劉道會撰。梁有三百二十二卷。

劉道會：生平事迹不詳。兩《唐志》著録此書三百二十卷，《宋志》無載，亡佚。清王仁俊輯《晉起居注》一卷，未署原撰者。

《流别起居注》三十七卷。梁有《晉宋起居注鈔》五十一卷，《晉宋先朝起居注》二十卷，亡。

不署撰者。《梁書》卷二五載，徐勉嘗以《起居注》煩雜，乃加删爲《流别起居注》六百卷，《南史》卷六〇作六百六十卷，疑此書爲徐勉所作之殘本。《新唐志》著録《流别起居注》四十七卷，《宋志》無載，亡佚。《晉宋起居注鈔》、《晉宋先朝起居注》：皆不署撰者。《新唐志》著録何始真《晉起居鈔》五十一卷、《晉起居注鈔》二十四卷，《宋志》無載，亡佚。何始真，劉宋人，見本志經部“春秋類”。

《宋永初起居注》十卷。

不署撰者。永初，宋武帝年號，公元 420—422 年。兩《唐志》著録《宋永初起居注》六卷，《宋志》無載，亡佚。

《宋景平起居注》三卷。

不署撰者。景平，宋少帝年號，公元 423—424 年。兩《唐志》著録此書，《宋志》無載，亡佚。

《宋元嘉起居注》五十五卷。梁六十卷。

不署撰者。元嘉，宋文帝年號，公元 424—453 年。《舊唐志》著録此書六十卷，《新唐志》著録此書七十一卷，《宋志》無載，亡佚。《説郛》存一卷。

《宋孝建起居注》十二卷。

不署撰者。孝建，宋孝武帝年號，公元 454—456 年。《新唐志》著録《宋孝建起居注》十七卷，《宋志》無載，亡佚。

《宋大明起居注》十五卷。梁三十四卷。又有《景和起居注》四卷，《明帝在藩注》三卷，亡。

不署撰者。大明，宋孝武帝年號，公元 457—464 年。《舊唐志》著録此書八卷，《新唐志》著録此書十五卷，《宋志》無載，亡佚。《景和起居注》：景和，宋前廢帝年號，公元 465 年。兩《唐志》無載，亡佚。《明帝在藩注》：此書當記明帝元嘉二十五年（448）封淮陽王，景和末入朝被留停都，後與心腹合謀殞廢帝事。兩《唐志》無載，亡佚。

《宋泰始起居注》十九卷。梁二十三卷。

不署撰者。泰始，宋明帝年號，公元 465—471 年。兩《唐志》不載此書，亡佚。

《宋泰豫起居注》四卷。梁有《宋元徽起居注》二十卷，《昇明起居注》六卷，亡。

不署撰者。泰豫，宋明帝年號，公元 472 年。兩《唐志》不載此書，亡佚。《宋元徽起居注》：不署撰者。元徽，宋後廢帝年號，公元 473—477 年。兩《唐志》無載，亡佚。《昇明起居注》：不署撰者。昇明，宋順帝年號，公元 477—479 年。兩《唐志》無載，亡佚。清王仁俊輯有《宋起居注》一卷。

《齊永明起居注》二十五卷。梁有三十四卷。又有《建元起居注》十二卷,《隆昌延興建武起居注》四卷,《中興起居注》四卷,亡。

不署撰者。永明，齊武帝年號，公元483—493年。《南齊書》卷五二載，王逡之撰《永明起居注》,《新唐志》著録《齊永明起居注》二十五卷,《宋志》無載，亡佚。《建元起居注》：不署撰者。建元，齊太祖年號，公元479—482年。兩《唐志》無載，亡佚。《隆昌延興建武起居注》：不署撰者。隆昌，齊鬱林王年號，公元494年；延興，齊海陵王年號，公元494年；建武，齊明帝年號，公元494—498年。兩《唐志》無載，亡佚。《中興起居注》：不署撰者。中興，齊和帝年號，公元501—502年。兩《唐志》無載，亡佚。

《梁大同起居注》十卷。

不署撰者。大同，梁武帝年號，公元535—546年。《新唐志》著録《梁大同七年起居注》十卷,《宋志》無載，亡佚。清王仁俊輯有《梁起居注》一卷、《梁天監起居注》一卷、《梁大同起居注》一卷。

《後魏起居注》三百三十六卷。

不署撰者。《魏書》卷七下載，孝文帝太和十四年“初，詔定起居注制”。卷三九載李伯尚撰《太和起居注》，卷四三載撰《世宗起居注》，卷六七載撰《高祖世宗起居注》。兩《唐志》著録《後魏起居注》二百七十六卷,《宋志》無載，亡佚。

《陳永定起居注》八卷。

不署撰者。永定，陳武帝年號，公元557—559年。《陳書》

卷一六載，“初，世祖敕（劉）師知撰《起居注》，自永定二年秋至天嘉冬，爲十卷”。兩《唐志》不載此書，亡佚。

《陳天嘉起居注》二十三卷。

不署撰者。天嘉，陳文帝年號，公元 560—566 年。兩《唐志》不載此書，亡佚。

《陳天康光大起居注》十卷。

不署撰者。天康，陳文帝年號，公元 566 年；光大，陳廢帝年號，公元 567—568 年。兩《唐志》不載此書，亡佚。

《陳太建起居注》五十六卷。

不署撰者。太建，陳宣帝年號，公元 569—582 年。兩《唐志》不載此書，亡佚。

《陳至德起居注》四卷。

不署撰者。至德，陳後主年號，公元 583—586 年。兩《唐志》不載此書，而著録《陳起居注》四十一卷，不著年號，似殘佚所餘集成一帙。

《後周太祖號令》三卷。

不署撰者。據《周書》卷一載，周太祖宇文泰原爲魏重臣，魏朝廷軍國之政皆取其決焉。魏恭帝三年崩，宇文覺受禪，尊宇文泰爲文王，廟號曰太祖。故此書所記應爲魏之號令。另，章宗源對此書入“起居類”提出質疑。兩《唐志》不載此書，亡佚。

《隋開皇起居注》六十卷。

不署撰者。開皇，隋文帝年號，公元 581—600 年。《隋書》

卷六九載，王劭入隋，爲員外散騎侍郎，修《起居注》。《新唐志》著録《隋開皇元年起居注》六卷，疑爲此書之殘本。

《南燕起居注》一卷。

不署撰者。南燕（400—410），慕容德所建政權，傳至其子慕容超乃亡。《史通·古今正史》載："南燕有趙郡王景暉嘗事德、超，撰二主《起居注》。"兩《唐志》無載，亡佚。

右四十四部，一千一百八十九卷。

四十四部：實際著録四十二部。另有亡書十二部，未載。

起居注者，録紀人君言行動止之事。《春秋傳》曰："君舉必書，書而不法，後嗣何觀[1]？"《周官》，内史掌王之命，遂書其副而藏之[2]，是其職也。漢武帝有《禁中起居注》[3]，後漢明德馬后撰《明帝起居注》[4]，然則漢時起居，似在宫中，爲女史之職[5]。然皆零落，不可復知。今之存者，有漢獻帝及晉代已來《起居注》，皆近侍之臣所録。晉時，又得汲冢書，有《穆天子傳》，體制與今起居正同，蓋周時内史所記王命之副也。近代已來，别有其職[6]，事在《百官志》。今依其先後，編而次之。其僞國起居，唯《南燕》一卷，不可别出，附之於此。

[1] 此句見《左傳·莊公二十三年》。

[2] 此句《周官》作"内史掌王命，遂貳之"。其注曰"副寫藏之"。見《周禮注疏》卷二六。

[3]《禁中起居注》：久佚。《史通·史官建置》有所提及，稱其著述，似出宫中。

[4] 明德馬后：伏波將軍馬援之女，明帝皇后。章帝建初四年

（79）崩，時年四十餘。自撰《顯宗起居注》。《後漢書》卷一〇上有傳。《明帝起居注》，久佚，《史通·史官建置》有所提及。

[5] 女史：屬天官冢宰，掌王后之禮職，掌内治之貳，以詔后治内政。見《周禮注疏》卷八。

[6] 别有其職：梁以來，祕書省著作郎掌國史，集注起居。見《隋書》卷二六。

舊　事

《漢武故事》二卷。

不署撰者。《西京雜記》卷末有曰："（葛）洪家復有《漢武帝禁中起居注》一卷、《漢武故事》二卷，世人稀有之者，今并五卷爲一秩，庶免淪没焉。"兩《唐志》"故事類"著録此書，《宋志》"故事類"著録班固《漢武故事》五卷。《郡齋讀書志》卷九"傳記類"著録《漢武故事》一卷，稱"右世言班固撰。唐張柬之《洞冥記後》云，《漢武故事》，王儉造"。《四庫全書總目》卷一四二著録《漢武故事》一卷，提要對其内容有所質疑，亦未考其所始。現存最早的本子爲明嘉靖《歷代小史》本，通行本爲《叢書集成》本、《四庫》本。

《西京雜記》二卷。

不署撰者。此書卷末有葛洪序，稱其家有劉子駿《漢書》一百卷，"試以此記考校班固所作，殆是全取劉書有小異同耳，並固所不取，不過二萬許言，今抄出爲二卷，名曰《西京雜記》"。兩《唐志》"傳記類"、"地理類"皆著録《西京雜記》二卷，葛洪撰。《宋志》"傳記類"著録葛洪《西京雜記》六卷，《郡齋讀書志》卷六著録此書二卷，《直齋書録解題》卷七著録此書六卷。《四庫全書總目》卷一四〇著録此書六卷，提要稱舊題晉葛洪撰，此實起於唐。段成式《酉陽雜俎・語資篇》云，庾信作詩用《西京雜記》事，旋自追改曰此吴均語，恐不足用。《增訂四庫簡明目録標注》卷一四著録此書六卷，稱“舊本或題漢劉歆撰，或題晉葛洪撰，實則梁吴均撰”。盧文弨《抱經堂校刊序》曰：“此書或以爲晉葛洪著，或以爲梁吴均撰，余則以此漢人所記無疑也。”此書現存最早的本子爲明萬曆本，通行本有《四庫》本、《四部叢刊》本等。

《漢魏吴蜀舊事》八卷。

不署撰者。兩《唐志》著録《漢魏吴蜀舊事》八卷，《新唐志》又有《建武故事》三卷、《永平故事》二卷，《宋志》無載，亡佚。

《晉朝雜事》二卷。

不署撰者。《梁書》卷五一《庾詵傳》載，庾詵撰有《晉朝雜事》五卷。兩《唐志》著録此書，亦不署撰者。《宋志》無載，亡佚。清黄奭有輯本。

《晉宋舊事》一百三十五卷。

不署撰者。兩《唐志》著録《晉宋舊事》一百三十卷，《宋志》無載，亡佚。

《晉要事》三卷。

不署撰者。《舊唐志》無載此書，著録《晉故事》三卷，疑即此書。《新唐志》著録《晉要事》三卷，《宋志》無載，亡佚。

《晉故事》四十三卷。

不署撰者。兩《唐志》著録《晉故事》四十三卷，《宋志》無載，亡佚。

《晉建武故事》一卷。

不署撰者。兩《唐志》著録《晉建武以來故事》三卷，《宋志》無載，亡佚。

《晉咸和咸康故事》四卷。晉孔愉撰。

孔愉（268—342）：字敬康，會稽山陰（今浙江紹興）人。惠帝時歸鄉，建興初，始出應召，爲丞相掾。因討華軼有功，封餘不亭侯，累遷尚書僕射、會稽内史，加散騎常侍。後棄官居山陰湖南侯山。咸康八年（342）卒，時年七十五，謚曰貞。《晉書》卷七八有傳。兩《唐志》著録《晉建武咸和咸康故事》四卷，《宋志》無載，亡佚。

《晉修復山陵故事》五卷。車灌撰。

車灌（生卒年不詳）：《晉書》無傳，《晉書》卷八載，永和十二年“十一月，遣兼司空、散騎常侍車灌，龍驤將軍袁真等持節如洛陽，修五陵”。《舊唐志》著録《修復山陵故事》五卷，車灌撰；《新唐志》著録車灌《晉修復山陵故事》五卷；《宋志》無載，亡佚。

《交州雜事》九卷。記士燮及陶璜事。

不署撰者。士燮，見本志經部“春秋類”。《三國志》卷四九載，士燮爲交阯太守，諸兄弟領和浦、九真、海南，並爲列郡，雄長一州。士燮董督七郡，在郡四十餘歲，黄武五年卒。陶璜：字世英，丹陽秣陵（今江蘇南京）人。父陶基爲吴交州刺史，孫皓時，璜爲使持節、前將軍、交州牧。其家族自陶基至陶綏四世五人爲交州。《晉書》卷五七有傳。兩《唐志》著録《交州雜故事》九卷，《宋志》無載，亡佚。

《晉八王故事》十卷。

不署撰者。據《晉書》卷五九載，汝南王亮、楚王瑋、趙王倫、齊王冏、長沙王乂、成都王穎、河間王顒、東海王越八王。此卷序稱："趙倫、齊冏之輩，河間、東海之徒，家國俱亡，身名並裂。"兩《唐志》著録《晉八王故事》十二卷，盧綝撰。《宋志》無載，亡佚。《説郛》存一卷，清黄奭有輯本。

《晉四王起事》四卷。晉廷尉盧綝撰。

盧綝（生卒年不詳）：范陽涿（今河北涿州）人，官爲尚書郎。見《晉書》卷四四、七一。四王乃爲齊王冏、成都王穎、河間王顒、長沙王乂。惠帝永寧元年，趙王倫篡位，四王起兵討之。兩《唐志》著録此書，《宋志》無載，亡佚。清黄奭輯盧綝《晉四王遺事》一卷。

《大司馬陶公故事》三卷。

不署撰者。記陶侃事，《晉書》卷六六有《陶侃傳》。兩《唐志》著録此書，《宋志》無載，亡佚。

《郗太尉爲尚書令故事》三卷。

不署撰者。記郗鑒事，《晉書》卷六七有《郗鑒傳》。《舊唐志》著録此書二卷，《新唐志》著録此書三卷，《宋志》無載，亡佚。

《桓玄僞事》三卷。

不署撰者。記桓玄篡位始末，見《晉書》卷一〇、九九。《舊唐志》著録《桓公僞事》二卷，應德詹撰；《新唐志》著録《桓玄僞事》二卷，不署撰者；《宋志》無載，亡佚。

《晉東宫舊事》十卷。

不署撰者。《顔氏家訓·書證》載，或問曰："《東宫舊事》何以鴟尾爲祠尾？"答曰："張敞者，吴人，不甚稽古……"由此可見，張敞應是《東宫舊事》的作者，其官侍中、尚書、吴國内史。見《宋書》卷五三。《舊唐志》著録《晉東宫舊事》十一卷，張敞撰；《新唐志》著録張敞《東宫舊事》十卷；《宋志》無載，亡佚。《説郛》存一卷。

《秦漢已來舊事》十卷。

不署撰者。兩《唐志》著録《秦漢已來舊事》八卷，《宋志》無載，亡佚。

《尚書大事》二十卷。范汪撰。

范汪：見本志經部"禮類"。《舊唐志》著録《尚書大事》二十一卷，不署撰者；《新唐志》著録范汪《尚書大事》二十一卷；《宋志》無載，亡佚。

《沔南故事》三卷。應思遠撰。

應思遠（274—326）：名應詹，汝南南頓（今河南項城附近）人。初辟公府，爲太子舍人，累遷益州刺史、領巴東監軍、光禄勳，封觀陽縣侯。咸和元年（326）卒，時年五十三，謚曰烈。《晉書》卷七〇有傳。《舊唐志》著録《江南故事》三卷，不署撰者；《新唐志》著録應詹《江南故事》三卷；《宋志》無載，亡佚。

《天正舊事》三卷。釋撰，亡名。

撰者爲僧人，闕名。《梁書》卷五六載，大寶二年（551），侯景迎豫章王蕭棟即皇帝位，改元爲天正元年。《南史》卷五三載，武陵王蕭紀大寶二年僭號於蜀，改年曰天正，暗與蕭棟同名。此書大抵記其事迹。《新唐志》著録僧亡名《天正舊事》三卷,《宋志》無載，亡佚。

《皇儲故事》二卷。

不署撰者。兩《唐志》無載，亡佚。

《梁舊事》三十卷。内史侍郎蕭大圜撰。

《周書》卷四二載，蕭大圜撰《梁舊事》三十卷。《新唐志》著録蕭大圜《梁魏舊事》三十卷,《宋志》無載，亡佚。

《東宫典記》七十卷。左庶子宇文愷撰。

宇文愷（555—612）：字安樂，代郡武川（今内蒙古武川）人。在周，以功臣子封安平郡公，好學博覽群籍。入隋，拜太子左庶子，遷將作少監。煬帝時，拜工部尚書、金紫光禄大夫。年五十八卒官，謚曰康。《周書》卷一九、《隋書》卷六八、《北史》卷六〇有傳。《隋書》卷五八載，陸爽與左庶子宇文愷等撰《東宫典記》七十卷。《舊唐志》著録《東宫典記》七十卷，宇文愷等撰;《新唐志》"儀注類"著録陸開明、宇文愷《東宫典記》七十卷;《宋志》無載，亡佚。

《開業平陳記》二十卷。

不署撰者。兩《唐志》"雜史類"著録《隋開業平陳記》十二卷，裴矩撰。《舊唐書》卷六三載，裴矩撰《開業平陳記》十二卷。《宋志》無載，亡佚。

右二十五部，四百四卷。

古者朝廷之政，發號施令，百司奉之，藏于官府，各修其職，守而弗忘。《春秋傳》曰“吾視諸故府”，則其事也[1]。《周官》[2]，御史掌治朝之法，太史掌萬民之約契與質劑[3]，以逆邦國之治。然則百司庶府[4]，各藏其事，太史之職，又總而掌之。漢時，蕭何定律令[5]，張蒼制章程[6]，叔孫通定儀法[7]，條流派别，制度漸廣。晉初，甲令已下[8]，至九百餘卷，晉武帝命車騎將軍賈充[9]，博引群儒，删采其要，增律十篇。其餘不足經遠者爲法令，施行制度者爲令，品式章程者爲故事[10]，各還其官府。搢紳之士[11]，撰而録之，遂成篇卷，然亦隨代遺失。今據其見存，謂之舊事篇。

[1]《春秋傳》曰：此句不見今本《春秋左傳注疏》卷五四。

[2]《周官》：以下文字只是《周官》的大致意思，不是原文。

[3] 約契質劑：即《周官》所言約劑，古代用作憑證的契約、文券。其包括邦國之約和萬民之約。

[4] 庶府：庶，衆多、諸。此指諸官府衙署。

[5] 蕭何（？—前 193）：沛（今江蘇沛縣）人。秦時爲沛主吏掾，數以吏事庇護劉邦。劉邦起爲沛公，爲丞督事。漢攻占咸陽，蕭何獨先入收秦丞相御史律令圖書藏之。漢五年封酇侯，爲漢丞相。孝惠二年卒，謚曰文終侯。《史記》卷五三、《漢書》卷三九有傳。律令，法令、法則。

[6] 張蒼（前 256—前 152）：陽武（今河南原陽）人，好書律曆。秦時爲御史，主柱下方書。漢時，爲常山守、代相，有功封北平侯。遷爲計相，又爲御史大夫。《史記》卷九六、《漢書》卷四二有傳。章程，章術法式。後泛指規程、條例。

[7] 叔孫通（生卒年不詳）：薛（今山東滕州）人。秦時以文學徵，爲待詔博士。降漢，拜博士，號稷嗣君。漢并天下，爲其制定儀法，拜太常，又爲太子太傅。惠帝即位，亦助其定宗廟之儀法。《史記》卷九九、《漢書》卷四三有傳。儀法，禮制、法規。

[8] 甲令：朝廷頒發的重要法令。

[9] 賈充（217—282）：字公閭，平陽襄陵（今山西襄汾）人。賈逵子，襲父爵爲侯。晉武帝受禪，有佐命功，累遷司空、尚書令、侍中。其女爲惠帝后。《晉書》卷四〇有傳。

[10] 品式：標準、法式。故事：先例，舊時的典章制度。

[11] 搢紳：古代爲官者垂紳插笏，故稱士大夫爲縉紳。

職　官

《漢官解詁》三篇。*漢新汲令王隆撰，胡廣注。*

王隆（生卒年不詳）：字文山，馮翊雲陽（今陝西淳化西北）人。王莽時，以父任爲郎，後避難河西，爲竇融左護軍。建武中，爲新汲令。所著詩賦等凡二十六篇。《後漢書》卷八〇上有傳。胡廣（91—172）：字伯始，南郡華容（今湖北鄂州）人。察孝廉，到京師，試以奏章，安帝以其爲天下第一。旬月拜尚書郎，五遷尚書僕射。胡廣事六帝，凡一履司空，再作司徒，三登太尉，又爲太傅。其所辟命，皆天下名士。熹平元年薨，時年八十二。其所作詩賦及諸解詁，凡二十二篇。《後漢書》卷四四有傳。《舊唐志》著録《漢官解故》三卷，不署撰者。《新唐志》著録王隆《漢官解詁》三卷，胡廣注。《宋志》無載，亡佚。清孫星衍、黄奭有輯本。

《漢官》五卷。*應劭注。*

《新唐志》著録應劭《漢官》五卷，《宋志》無載，亡佚。清孫星衍、黄奭有輯本，以爲此書撰者不明，其輯本皆不署撰者。

《漢官儀》十卷。*應劭撰。*

《後漢書》卷四八載，應劭綴集所聞，著《漢官禮儀故事》，凡朝廷制度、百官典式，多劭所立。《日本國見在書目録》著録

《漢官職》十卷，漢應劭撰；《舊唐志》著録《漢官儀》十卷，應劭志；《新唐志》著録《漢官儀》十卷；《宋志》著録應劭《漢官儀》一卷。《直齋書録解題》卷六著録應劭《漢官儀》一卷，曰："按《唐志》有《漢官》五卷、《漢官儀》十卷。今惟存此一卷，載三公官名及名姓、州里而已。其全書亡矣。"《説郛》存一卷，清孫星衍、黄奭、王仁俊有輯本。嚴可均有輯文，見《全後漢文》卷三四有輯文。

《漢官典職儀式選用》二卷。漢衛尉蔡質撰。梁有荀攸《魏官儀》一卷，韋昭《官儀職訓》一卷，亡。

蔡質（生卒年不詳）：字子文，陳留圉（今河南杞縣南）人。蔡邕叔父，與蔡邕同下獄，棄市。著《漢職儀》。見《後漢書》卷六〇下。《新唐志》著録蔡質《漢官典儀》一卷，《宋志》"儀注類"著録蔡質《漢官典儀》一卷。《直齋書録解題》卷六著録《漢官典儀》一卷，稱此書雜記官制及上書謁見禮式。今存一卷。至清，所存一卷亦亡，孫星衍、黄奭有輯本。荀攸（157—214）：字公達，潁川潁陰（今河南許昌）人。初拜黄門侍郎，曹操徵其爲汝南太守，入尚書。魏初建，爲尚書令。從征孫權，道卒。正始中，追謚爲敬侯。《三國志》卷一〇有傳。《三國志》卷二一載，衛覬受詔典著作，又爲《魏官儀》。《舊唐志》著録《魏官儀》一卷，荀攸撰，《新唐志》著録荀攸等《魏官儀》一卷，《宋志》無載，亡佚。韋昭：見本志經部"詩類"。《三國志》卷六五載，韋昭因獄吏上辭中稱其"又作《官職訓》及《辨釋名》各一卷"。此書兩《唐志》無載，《崇文總目》著録《官職訓》一卷，然不署撰者。後亡佚。

《晉公卿禮秩故事》九卷。傅暢撰。

《晉書》卷四七載，傅暢作《公卿故事》九卷。《舊唐志》著録《晉公卿禮秩》九卷，傅暢撰；《新唐志》著録傅暢《晉公卿禮秩故事》九卷；《宋志》無載，亡佚。清王仁俊、傅以禮、黄奭有輯本。

《晉新定儀注》十四卷。梁有徐宣瑜《晉官品》一卷，荀綽《百官表注》十六卷，干寶《司徒儀》一卷，《宋職官記》九卷，《晉百官儀服録》五卷，《大興二年定官品事》五卷，《百官品》九卷，亡。

不署撰者。兩《唐志》無載，亡佚。徐宣瑜：生平事迹不詳。《通典》卷一九《官品》稱，魏秩次多因漢制，更制九品，晉、宋、齊並因之。兩《唐志》不載《晉官品》，亡佚。荀綽：荀勖之孫，《晉書》卷三九不載其涉百官事。太康六年（285）有荀勖議百官表上奏，疑此書爲荀勖所作。此書兩《唐志》無載，亡佚。《司徒儀》：《南齊書》卷一六載，晉世王導爲司徒，右長史干寶撰《官府職儀》已具。《舊唐志》“儀注類”、《新唐志》“職官類”著録干寶《司徒儀注》五卷，《宋志》無載，亡佚。《宋職官記》：不署撰者。《宋書》有《百官志》，可窺見其内容。兩《唐志》不載此書，亡佚。《晉百官儀服録》：不署撰者。兩《唐志》無載，亡佚。《大興二年定官品事》：不署撰者。《晉書》卷六載，元帝大興二年（319）有省官之詔。兩《唐志》不載此書，亡佚。《百官品》：不署撰者。兩《唐志》無載，亡佚。

《百官階次》一卷。

不署撰者。兩《唐志》著録《百官階次》一卷，范曄撰。《南齊書》卷一六《百官志序》提及范曄“選簿梗概”。《宋志》無載，亡佚。

《齊職儀》五十卷。齊長水校尉王珪之撰。梁有王珪之《齊儀》四十九卷，亡。

王珪之（生卒年不詳）：琅邪臨沂（今山東臨沂）人，有史學，撰《齊職儀》，凡五十卷。《南齊書》卷五二、《南史》卷二四有傳。《舊唐志》著録《齊職儀》五十卷，范曄撰。此載有誤，范曄死於宋元嘉中，不可能撰《齊職儀》。《新唐志》著録王珪之《齊職儀》五十卷，《宋志》無載，亡佚。《齊儀》：兩《唐志》無載，疑爲《齊職儀》之别本。

《齊職儀》五卷。

不署撰者。兩《唐志》無載，疑爲前著録之《齊職儀》的節本。

《梁選簿》三卷。徐勉撰。

徐勉（466—535）：字脩仁，東海郯（今山東郯城）人。起家國子生。梁武帝時，拜中書侍郎，累遷散騎常侍、尚書僕射、中衛將軍。撰《選品》五卷。大同元年（535）卒，時年七十，謚曰簡肅公。《梁書》卷二五、《南史》卷六〇有傳。本志集部尚有其一部著述。兩《唐志》著録此書，《宋志》無載，亡佚。

《梁勳選格》一卷。

不署撰者。兩《唐志》無載，亡佚。

《職官要録》三十卷。陶藻撰。

陶藻（zǎo）："藻"與"藻"同。生平事迹不詳。《日本國見在書目録》著録《職官要録》三十卷，陶勉撰；《舊唐志》著録《職官要録》三十卷，陶藻撰；《新唐志》著録陶彦藻《職官要録》三十六卷；《宋志》著録陶彦藻《職官要録》七卷，又《職官要録補遺》十八卷；《崇文總目》著録《職官要録》三十卷。《郡齋讀書志》、《直齋書録解題》皆無載，亡佚。

《梁官品格》一卷。

不署撰者。兩《唐志》無載，亡佚。

《百官階次》三卷。

不署撰者。《南齊書》卷一六《百官志序》有曰“欽明階次詳悉”。兩《唐志》著録《宋百官階次》三卷，荀欽明撰。《宋志》無載，亡佚。

《新定將軍名》一卷。

不署撰者。《梁書》卷二載，天監七年（508），增置鎮威將軍以下各有差。《隋書》卷二六載，又詔以將軍之名，高卑舛雜，命更加釐定。大通三年（531），遂成定制。兩《唐志》無載，亡佚。

《吏部用人格》一卷。

不署撰者。兩《唐志》無載，亡佚。

《官族傳》十四卷。何晏撰。

何晏：見本志經部“論語類”。《新唐志》“譜牒類”著録《官族傳》十五卷，然不署撰者。《宋志》無載，亡佚。

《百官春秋》五十卷。王秀道撰。

王秀道：生平事迹不詳。兩《唐志》著録《百官春秋》十三卷，王道秀撰。《宋志》無載，亡佚。

《百官春秋》二十卷。

不署撰者。《新唐志》著録《宋百官春秋》六卷，亦不署撰者，不知是否即此書。《宋志》無載，亡佚。

《魏晉百官名》五卷。

《晉百官名》三十卷。

兩書皆不署撰者。《舊唐志》著録《百官名》四十卷，《新唐志》著録《百官名》十四卷。裴松之注《三國志》之《蘇則傳》、《鍾會傳》，劉孝標注《世説新語》之《德行》、《言語》等多引《百官名》、《晉百官名》。其内容大抵敘爵里人品，或取時評、褒貶之辭。《宋志》無載，亡佚。

《晉官屬名》四卷。

不署撰者。兩《唐志》著録《晉官屬名》四卷，《宋志》無載，亡佚。

《陳百官簿狀》二卷。

不署撰者。兩《唐志》著録《太建十一年百官簿狀》二卷，《宋志》無載，亡佚。

《陳將軍簿》一卷。

不署撰者。兩《唐志》著録此書，《宋志》無載，亡佚。

《新定官品》二十卷。梁沈約撰。

《隋書》卷二六載："梁武受終，多循齊舊。然而定諸卿之位，各配四時，置戎秩之官，百有餘號。"《宋書》、《梁書》、《南史》之《沈約傳》皆未載其撰有此書。《新唐志》著録沈約《梁新定官品》十六卷。《宋志》無載，亡佚。

《梁尚書職制儀注》四十一卷。

不署撰者。《梁書》卷四九載，武帝時，給事中周興嗣撰有《皇帝實録》、《皇德記》、《起居注》、《職儀》等百餘卷。其《職儀》是否即此書。兩《唐志》無載，亡佚。

《職令古今百官注》十卷。郭演撰。

郭演：又作郭演之，生平事迹不詳。《通典》卷一九載，魏“孝文太和中，王肅來奔，爲制官品，百司位號，皆準南朝，改次職令，以爲定制”。《舊唐志》著録《職令百官古今注》十卷，郭演之撰；《新唐志》著録郭演《職令古今百官注》十卷。《宋志》無載，亡佚。

右二十七部，三百三十六卷。通計亡書，合三十六部，四百三十三卷。

三十六部：應爲三十七部，疑其未計王珪之《齊儀》。

古之仕者，名書於所臣之策[1]，各有分職，以相統治。《周官》，冢宰掌建邦之六典[2]，而御史數凡從正者[3]。然則冢宰總六卿之屬[4]，以治其政，御史掌其在位名數，先後之次焉。今《漢書百官表》列衆職之事，記在位之次，蓋亦古之制也。漢末，王隆、應劭等，以《百官表》不具，乃作《漢官解詁》、《漢官儀》等書。是後相因，正史表、志，無復百僚在官之名矣。搢紳之徒，或取官曹名品之書[5]，撰而録之，別行於世。宋、齊已後，其書益繁，而篇卷零疊[6]，易爲亡散，又多瑣細，不足可紀，故删。其見存可觀者，編爲職官篇。

[1] 名書於所臣之策：將名書寫在所臣屬的簡策上。

[2] 冢宰：冢，大也；宰，官也。天子立冢宰使掌邦治，所以總御衆官，使不失職。見《周禮注疏》卷一。

[3] 數凡從正：《周禮注疏》卷二七作“凡數從政”，自公卿以

下至胥徒在朝者皆是凡數，又是從政之人。

[4] 六卿：指六官，即天官冢宰、地官司徒、春官宗伯、夏官司馬、秋官司寇、冬官司空。見《漢書百官公卿表》。

[5] 官曹：官吏辦事的處所。名品：名位、品級。

[6] 零疊：零落、重疊。

儀　注

《漢舊儀》四卷。衛敬仲撰。梁有衛敬仲《漢中興儀》一卷，亡。

衛敬仲：名宏，見本志經部“詩類序”。《後漢書》卷七九下載，衛宏作《漢舊儀》四篇，以載西京雜事。兩《唐志》著録衛宏《漢舊儀》四卷，《宋志》著録衛宏《漢舊儀》三卷，《直齋書録解題》卷六著録《漢官舊儀》三卷，衛宏撰。《四庫全書總目》卷八二“政書類”著録《漢官舊儀》一卷、《補遺》一卷，自《永樂大典》輯出，未署撰者，然提要則論述此書即衛宏所作，其内容爲西漢典禮。此書通行本爲《四庫》本。又有清孫星衍、黄奭、王仁俊輯本。《漢中興儀》：兩《唐志》無載，已亡。

《晉新定儀注》四十卷。晉安成太守傅瑗撰。

傅瑗（生卒年不詳）：字叔玉，北地靈州（今寧夏靈武）人。以學業知名，官歷護軍長史、安成太守。見《晉書》卷四三、《世説新語・識鑒》。《新唐志》著録傅瑗《晉新定儀注》四十卷，《宋志》無載，亡佚。

《晉雜儀注》十一卷。

不署撰者。兩《唐志》著録《晉雜儀注》二十一卷，《宋志》無載，亡佚。

《晉尚書儀》十卷。

不署撰者。兩《唐志》不載此書，然有與其内容相近的《晉尚書儀曹吉禮儀注》三卷、徐廣《晉尚書儀曹新定儀注》四十一卷，《新唐志》又有《晉尚書儀曹事》九卷。

《甲辰儀》五卷。江左撰。

江左：或是人名，生平事迹不詳；或指建都於江南的南朝。兩《唐志》著録《甲辰儀注》五卷，不署撰者。《宋志》無載，亡佚。

《封禪儀》六卷。

不署撰者。兩《唐志》著録令狐德棻《皇帝封禪儀》六卷，《宋志》無載，亡佚。

《宋儀注》十卷。

《宋儀注》二十卷。

《宋尚書雜注》十八卷。本二十卷。

三書皆不署撰者。《舊唐志》著録《宋儀注》三十六卷、《宋儀注》二卷，《新唐志》著録《宋尚書儀注》三十六卷、《宋儀注》二卷。《宋志》無載，亡佚。

《宋東宫儀記》二十三卷。宋新安太守張鏡撰。

張鏡（生卒年不詳）：吴郡吴（今江蘇蘇州）人。新安太守，有盛名，早卒。見《宋書》卷五三。《舊唐志》"故事類"著録《東宫儀記》二十二卷，張鏡撰；《新唐志》"儀注類"著録張鏡《宋東宫儀記》二十二卷。《宋志》無載，亡佚。

《徐爰家儀》一卷。

徐爰：見本志經部"易類"。《新唐志》著録《徐爰家儀》一卷,《宋志》無載，亡佚。

《東宮新記》二十卷。蕭子雲撰。

《梁書》卷三五載，蕭子雲所著《晉書》一百一十卷、《東宮新記》二十卷。《新唐志》著録蕭子雲《東宮雜事》二十卷,《宋志》無載，亡佚。

《梁吉禮儀注》十卷。明山賓撰。

明山賓（443—527）：字孝若，平原鬲（今山東平原）人。起家朝奉請。入梁，爲尚書駕部郎，右記室參軍，掌治吉禮。累遷國子博士、散騎常侍、大中正等。大通元年（527）卒，時年八十五，謚曰質子。所著《吉禮儀注》二百二十四卷、《儀禮》二十卷等。《梁書》卷二七、《南史》卷五〇有傳。兩《唐志》著録明山賓等《梁吉禮》十八卷,《宋志》無載，亡佚。

《梁賓禮儀注》九卷。賀瑒撰。案：梁明山賓撰《吉儀注》二百六卷,《録》六卷；嚴植之撰《凶儀注》四百七十九卷,《録》四十五卷；陸璉撰《軍儀注》一百九十卷,《録》二卷；司馬褧撰《嘉儀注》一百一十二卷,《録》三卷。並亡。存者唯《士》、《吉》及《賓》，合十九卷。

賀瑒：見本志經部“禮類”。《梁書》卷三載，天監初，則何佟之、賀瑒、嚴植之、明山賓等覆述制旨，並撰吉、凶、軍、賓、嘉五禮，凡一千餘卷。高祖稱制斷疑。《梁書》卷二五載，明山賓掌吉禮，嚴植之掌凶禮，賀瑒掌賓禮，陸璉掌軍禮，司馬褧（jiǒng）掌嘉禮，何佟之總其事。並列五禮上尚書之卷數、條數。兩《唐志》著録賀瑒等《梁賓禮》一卷,《宋志》無載，亡佚。嚴植之：見本志經部“孝經類”。兩《唐志》著録嚴植之《梁皇帝崩凶儀》十一卷、《梁王侯已下凶禮》九卷。另外《舊唐志》著録嚴植之《梁凶禮天子喪禮》五卷,《新唐志》著録嚴植之《梁皇太子喪禮》五卷,《宋志》均無載，亡佚。陸璉：史書無傳，官任征虜記室参軍。見《梁書》卷二五。兩《唐志》著録陸璉《梁軍禮》四卷,《宋志》無載，亡佚。司馬褧（？—518）：褧（jiǒng），字元素，河内温（今河南温縣）人。起家奉朝請，梁天監初，除尚書祠部郎中，遷尚書右丞，出爲仁威長史、長沙内史。十七年（518）遷明威將軍，未幾卒。所撰《嘉禮儀注》一百一十二卷。《梁書》卷四〇、《南史》卷六二有傳。本志尚有其一部著述。兩《唐志》著録司馬褧《梁嘉禮》三十五卷。又,《舊唐志》著録司馬褧《梁嘉禮儀注》二十一卷、《新唐志》著録司馬褧《嘉禮儀注》四十五卷。《宋志》無載，亡佚。

《皇典》二十卷。梁豫章太守丘仲孚撰。

丘仲孚（生卒年不詳）：字公叔，吴興烏程（今浙江湖州）人。少好學，齊永明初，爲國子生，後遷曲阿令。入梁，爲山陰令、豫章内史。卒，贈給事黄門郎。撰《皇典》二十卷、《南宫故事》百卷。見《南史》卷七二。《舊唐志》著録《皇典》五卷，丘孝仲撰；《新唐志》著録丘仲孚《皇典》五卷；《宋志》無載，亡佚。

《雜凶禮》四十二卷。

不署撰者。兩《唐志》無載，亡佚。

《政禮儀注》十卷。何胤撰。梁有何胤《士喪儀注》九卷，亡。

何胤：見本志經部“易類”。《新唐志》著録何點《理禮儀注》九卷。《梁書》卷二五載：“文憲薨殂，遺文散逸，後又以事付國子祭酒何胤，經涉九載，猷復未畢。”何點乃何胤兄，隱居，不預此事。原書名爲《治禮儀注》，因避諱而改爲《理禮儀注》。《宋志》無載，亡佚。《士喪儀注》：《新唐志》著録何胤《喪服治禮儀注》九卷，《宋志》無載，亡佚。

《雜儀注》一百八十卷。

不署撰者。《舊唐志》著録《雜儀注》一百八卷，《新唐志》著録《雜儀注》一百卷。《梁書》卷二六載梁岫著《禮論》、《雜儀》、《字訓》行於世。姚振宗疑《雜儀》即此書。《宋志》無載，亡佚。

《陳尚書雜儀注》五百五十卷。

《陳吉禮》一百七十一卷。

《陳賓禮》六十五卷。

《陳軍禮》六卷。

《陳嘉禮》一百二卷。

以上五書皆不署撰者。兩《唐志》著録張彦《陳賓禮儀注》，儀曹撰《陳皇太后崩儀注》四卷及《陳皇太子妃薨儀注》五卷，《陳雜儀注凶儀》十三卷、《陳諸帝后崩儀注》五卷、《陳雜儀注》六卷；另外，《舊唐志》著録《陳尚書曹儀注》二十卷、《陳雜吉儀志》三十卷，《新唐志》著録《陳吉禮儀注》五十卷、《陳雜吉儀注》三十卷。《陳書》卷三三載，沈文阿掌儀禮，撰《儀禮》八十餘卷；沈洙與沈文阿同掌儀禮，沈不害著《五禮儀》一百卷；張崖廣沈文阿《儀注》，撰《五禮》。五書《宋志》皆無載，亡佚。

《後魏儀注》五十卷。

不署撰者。《魏書》卷五五載，魏世宗以朝儀多闕，其一切諸議悉委劉芳修正，於是朝廷吉凶大事皆就諮訪之。《魏書》卷八二載，太常劉芳與常景等撰朝令，未及班行，别典儀注，多所草創，未成，劉芳卒，常景纂成其事。《舊唐志》著録常景《後魏儀注》三十二卷，《新唐志》著録常景《後魏儀注》五十卷。《宋志》無載，亡佚。

《後齊儀注》二百九十卷。

不署撰者。兩《唐志》著録趙彦深《北齊吉禮》七十二卷；《舊唐志》又著録《北齊王太子喪禮》十卷；《新唐志》又著録《北齊皇太后喪禮》十卷。《北史》卷五六載，魏收總議監五禮事，奏請趙彦深、和士開、徐之才共監。此書《宋志》無載，亡佚。

《雜嘉禮》三十八卷。

不署撰者。兩《唐志》無載，亡佚。

《國親皇太子序親簿》一卷。

不署撰者。兩《唐志》"譜牒類"著録《國親皇太子親傳》四卷，賈冠撰。《新唐書》卷一九九卷載，晉賈弼後人賈冠撰《梁國親皇太子序親簿》四篇。此書《宋志》無載，亡佚。

《隋朝儀禮》一百卷。牛弘撰。

《隋書》卷六載，文帝命牛弘、辛彦之等采梁及《北齊儀注》以爲五禮。卷五八載，明克讓與牛弘等修禮議樂，當朝典故多所裁正焉。卷四九載，牛弘奉敕修撰五禮，勒成百卷。《舊唐志》著録高熲等撰《隋吉禮》五十四卷、《隋書禮》七卷，《新唐志》著録高熲《隋吉禮》五十四卷，牛弘、潘徽《隋江都吉禮》一百二十卷。《宋志》無載，亡佚。

《大漢輿服志》一卷。魏博士董巴撰。

董巴（生卒年不詳）：建安、黄初間爲博士，又曾任給事中。見《全三國文》卷二九、《三國志》卷二裴注所引《獻帝傳》。《舊唐志》著録董巴《輿服志》一卷，《新唐志》著録董巴《大漢輿服志》一卷，《宋志》無載，亡佚。

《魏晉謚議》十三卷。何晏撰。

何晏：見本志經部“論語類”。兩《唐志》著録何晏《魏明帝謚議》二卷。何晏死于魏正始末年，不可能撰晉之謚議，其間有誤。《宋志》無載，亡佚。

《汝南君諱議》二卷。

不署撰者。《三國志》卷五二載，應劭議宜爲舊君諱，論者皆彑有異同。事在《風俗通》。張昭對此有所議論。《左傳·成公十年》經疏稱，漢末汝南應劭作《舊君諱議》。兩《唐志》不載此書，亡佚。

《决疑要注》一卷。摯虞撰。

摯虞（？—311）：字仲洽，京兆長安（今陜西西安）人。才學通博，著述不倦。先後任祕書監、衛尉卿、光禄勳、太常卿。永嘉五年（311），洛中荒亂，遂餓而死。撰有《文章志》、《流别集》等。《晉書》卷五一有傳。本志史、集部尚有其五部著述。《晉書》卷一九載，摯虞討論荀顗所撰新禮，凡十五篇，以元康元年上之。中原覆没，其《决疑注》是其遺事。《新唐志》著録摯虞《决疑要注》一卷，《宋志》無載，亡佚。

《車服雜注》一卷。徐廣撰。

《晉書》卷八二載，義熙初，徐廣奉詔撰《車服儀注》。《南史》卷三三載，義熙初，宋武帝使徐廣撰《車服儀注》。兩《唐志》著録徐廣《車服雜注》一卷，《宋志》無載，亡佚。

《禮儀制度》十三卷。王逡之撰。

王逡之（生卒年不詳）：又作王逸。《南齊書》卷五二載："昇明末，右僕射王儉重儒術，逡之以著作郎兼尚書左丞，參定齊國儀禮。"此書兩《唐志》無載，亡佚。

《古今輿服雜事》二十卷。梁周遷撰。

周遷：生平事迹不詳。兩《唐志》著録周遷《古今輿服雜事》十卷，《宋志》無載，亡佚。

《晉鹵簿圖》一卷。

《鹵簿儀》二卷。

《陳鹵簿圖》一卷。

《齊鹵簿儀》一卷。

《諸衛左右廂旗圖様》十五卷。

以上五書皆不署撰者。兩《唐志》不載以上五書，而著録《大駕鹵簿》一卷，《宋志》無載，亡佚。

《内外書儀》四卷。謝元撰。

謝元（生卒年不詳）：字有宗，陳郡陽夏（今河南太康）人。官尚書左丞、太尉諮議參軍。元嘉年間，帝使何承天立史學，謝元立文學。後因與何承天不善，被何承天所糾，遣歸田里，禁錮終身。《宋書》卷六四有傳。《新唐志》著録謝允《書儀》二卷，疑"允"爲"元"之誤。《宋志》無載，亡佚。

《書儀》二卷。蔡超撰。

蔡超：見本志經部"禮類"。兩《唐志》不載此書，亡佚。

《書箋儀》二十一卷。謝朏撰。

謝朏：見本志“總序”。《日本國見在書目録》著録《書箋儀》二十一卷，謝朏撰；《舊唐志》著録《書箋儀》二十卷，朓撰，疑誤；《新唐志》著録謝朏《書箋儀》二十卷。《宋志》無載，亡佚。

《宋長沙檀太妃薨弔答書》十二卷。

不署撰者。兩《唐志》無載，亡佚。

《弔答儀》十卷。王儉撰。

王儉：見本志“總序”。兩《唐志》著録王儉《弔答書儀》十卷，《宋志》無載，亡佚。

《書儀》十卷。王弘撰。

王弘（379—432）：字休元，瑯邪臨沂（今山東臨沂）人。少好學，以清恬知名。弱冠，爲會稽王驃騎參軍主簿。入宋，爲侍中、中書監、太保録尚書事，封華容縣公。元嘉九年（432）卒，時年五十四，謚曰文昭公。《宋書》卷四二、《南史》卷二一有傳。此書兩《唐志》無載，亡佚。

《皇室儀》十三卷。鮑行卿撰。

鮑行卿（生卒年不詳）：東海（今江蘇境内）人。以博學大才稱，官至步兵校尉。有集二十卷，撰《皇室儀》十三卷、《乘輿飛龍記》二卷。《南史》卷六二有傳。兩《唐志》著録《皇室書儀》十三卷，《新唐志》作鮑衡卿撰，疑“衡”爲“行”之誤。《宋志》無載，亡佚。

《吉書儀》二卷。王倹撰。

《新唐志》著録王儉《吉儀》二卷，《宋志》無載，亡佚。

《書儀疏》一卷。周捨撰。

周捨：見本志經部“禮類”。《梁書》卷二五載：“時天下草創，禮儀損益，多自（周）捨出。”兩《唐志》無載，亡佚。

《新儀》三十卷。鮑泉撰。

鮑泉：見本志經部“論語類”。《南史》卷六二載，泉於《儀禮》尤明，撰《新儀》三十卷行於世。《舊唐志》著録《雜儀》三十卷，鮑昶撰；《新唐志》著録鮑泉《新儀》三十卷。《宋志》無載，亡佚。

《文儀》二卷。梁修端撰。

梁修端：生平事迹不詳。兩《唐志》無載，亡佚。

《趙李家儀》十一卷。《録》一卷，李穆叔撰。

李穆叔（生卒年不詳）：名公緒，趙郡平棘（今河北趙縣）人。魏末爲冀州司馬，屬疾去官。入齊，不仕。好天文，善圖緯之學。雅好著書，撰《喪服章句》、《典言》、《古今略記》、《趙記》、《趙語》等，並行於世。《魏書》卷四九、《北史》卷三三有傳。本志子部尚有其一部著述。兩《唐志》不載此書，亡佚。

《書儀》十卷。唐瑾撰。

唐瑾（生卒年不詳）：字附璘，北海平壽（今山東濰坊）人。博涉經史，雅好屬文。累官驃騎大將軍、户部尚書、吏部中大夫等，賜姓宇文氏。卒於位，謚曰方。撰《新儀》十篇，所著賦、頌、碑、誄二十餘萬言。《周書》卷三二、《北史》卷六七有傳。兩

《唐志》不載此書，亡佚。

《言語儀》十卷。

不署撰者。兩《唐志》無載，亡佚。

《嚴植之儀》二卷。

《梁書》卷三八、《南史》卷七一《嚴植之傳》皆未提及嚴植之撰有此書。兩《唐志》無載，亡佚。

《邇儀》四卷。馬樞撰。

馬樞（522—581）：字要理，扶風郿（今陝西眉縣）人。博極經史，尤善佛經及《周易》、《老子》。隱茅山，不仕。太建十三年（581）卒，時年六十。撰《道覺論》二十卷，行於世。《陳書》卷一九、《南史》卷七六有傳。兩《唐志》不載此書，亡佚。

《婦人書儀》八卷。

不署撰者。兩《唐志》著録《婦人書儀》八卷，唐瑾撰。《宋志》無載，亡佚。

《僧家書儀》五卷。釋曇瑗撰。

釋曇瑗（生卒年不詳）：金陵（今江蘇南京）人，住光宅寺，有集六卷。見《全陳文》卷一八。兩《唐志》不載此書，亡佚。

《要典雜事》五十卷。

不署撰者。兩《唐志》著録《要典》三十九卷，王景之撰。不知是否爲此書之殘部，《宋志》無載，亡佚。

右五十九部，二千二十九卷。通計亡書，合六十九部，三千九十四卷。

六十九部：因亡書爲六部，故應爲六十五部。

儀注之興[1]，其所由來久矣。自君臣父子，六親九族[2]，各有上下親疏之别。養生送死，弔恤賀慶，則有進止威儀之數[3]。唐、虞已上，分之爲三[4]，在周因而爲五[5]。《周官》，宗伯所掌吉、凶、賓、軍、嘉[6]，以佐王安邦國，親萬民，而太史執書以協事之類是也。是時典章皆具，可履而行。周衰，諸侯削除其籍。至秦，又焚而去之。漢興，叔孫通定朝儀，武帝時始祀汾陰后土[7]，成帝時初定南北之郊[8]，節文漸具[9]。後漢又使曹褒定漢儀[10]，是後相承，世有制作。然猶以舊章殘缺，各遵所見，彼此紛争，盈篇滿牘。而後世多故，事在通變，或一時之制，非長久之道，載筆之士，删其大綱，編于史志。而或傷於淺近，或失於未達，不能盡其旨要。遺文餘事，亦多散亡。今聚其見存，以爲儀注篇。

[1] 儀注：禮節制度。

[2] 六親：有五種説法，一爲父子、兄弟、姑姊、甥舅、婚媾、姻亞；二爲父、子、兄、弟、夫、婦；三爲父、母、兄、弟、妻、子；四爲父子、兄弟、從父兄弟、從祖兄弟、從曾祖兄弟、同族兄弟；五爲外祖父母、父母、姊妹、妻兄弟之子、從母之子女之子。九族：有兩説，一爲父族四、母族三、妻族二，共九族；一爲從自己算起，上至高祖，下至玄孫爲九族。

[3] 威儀：禮儀細節。

[4] 分之爲三：《通典》卷四一《禮序》曰："據事天事地與人爲三耳。"三指事天、事地、事人之三禮。

[5] 在周因而爲五：五，指吉、凶、賓、軍、嘉五禮。"其實天地唯吉禮也，其餘四禮並人事兼之。"見《通典·禮序》。

[6] 宗伯：古代六卿之一，屬春官，掌邦國祭事典禮。

[7] 始祀汾陰后土：事指漢元鼎四年（前 113），漢武帝行自夏陽，東幸汾陰。十一月甲子，立后土祠於汾陰脽上。見《漢書》卷六。汾陰，今山西萬榮。后土，古代稱地神或土神爲后土。

[8] 初定南北之郊：漢成帝建始元年（前 32）十二月，作長安南北郊，罷甘泉、汾陰祠。二年（前 31）春正月，上始郊祀南郊。見《漢書》卷一〇。

[9] 節文：節制修飾。

[10] 曹褒（生卒年不詳）：字叔通，魯國薛（今山東滕州南）人。後漢章帝元和元年（84）受命，乃次序禮事，依準舊典，雜以五經讖記之文，撰次天子至於庶人冠婚吉凶終始制度，以爲五十篇。見《後漢書》卷三五。

刑 法

《律本》二十一卷。杜預撰。

杜預：見本志經部“禮類”。《晉書》卷三〇載令賈充定法律，令鄭冲、杜預等十四人典其事，就漢九章增十一篇，合二十篇，六百二十條，二萬七千六百五十七言。泰始三年（267），表上。四年（268）正月，大赦天下，乃班新律。《晉書》卷三四載，杜預與賈充等定律令，既成，預爲之注解。《舊唐志》著録《刑法律本》二十一卷，賈充等撰；《新唐志》著録賈充、杜預《刑法律本》二十一卷。《宋志》無載，亡佚。

《漢晉律序注》一卷。晉僮長張斐撰。

《雜律解》二十一卷。張斐撰。案：梁有杜預《雜律》七卷，亡。

張斐（生卒年不詳）：晉僮長，又任明法掾。斐，又作裴、裴、聚。見《全晉文》卷七五、《晉書》卷三〇。其他事迹不詳。《南齊書》卷四八載，張、杜律二十卷，張斐、杜預對晉律，同注一章，而生殺永殊。《舊唐志》著録張斐《律解》二十一卷，《新唐志》著録張斐《律解》二十卷，《宋志》無載，亡佚。杜預《雜律》七卷：疑爲前著録之《律本》的別本。

《晉宋齊梁律》二十卷。蔡法度撰。

《梁律》二十卷。梁義興太守蔡法度撰。

蔡法度（生卒年不詳）：濟陽（今山東濟陽）人。曾任尚書删定郎，又任義興太守。《梁書》卷二載，天監二年（503）四月，蔡法度上《梁律》二十卷、《令》三十卷、《科》四十卷。《隋書》卷二五載，梁武帝得齊舊郎蔡法度，使其損益王植之舊本，以爲《梁律》。兩《唐志》著録蔡法度《梁律》二十卷。《新唐志》又著録《條鈔晉宋齊梁律》二十卷。此二書《宋志》皆無載，亡佚。

《後魏律》二十卷。

不署撰者。《魏書》卷一一一《刑罰志》載，神䴥中，詔司徒崔浩定律令。正平元年（451），游雅與胡方回等改定律制。兩《唐志》不載此書，亡佚。

《北齊律》十二卷。《目》一卷。

不署撰者。《北齊書》卷四三載，河清三年（564），封述與趙彦深、魏收等議定律令。《隋書》卷二五載，河清三年，尚書令趙郡王叡等奏上《齊律》十二篇。兩《唐志》著録趙郡王高叡《北齊律》二十卷，《宋志》無載，亡佚。

《陳律》九卷。范泉撰。

范泉（生卒年不詳）：陳尚書删定郎，其他事迹不詳。《隋書》卷二五載，陳令尚書删定郎范泉參定律令，又敕沈欽、徐陵參知其事，制《律》三十卷、《令律》四十卷。兩《唐志》著録范泉等撰《陳律》九卷，《宋志》無載，亡佚。

《周律》二十五卷。

不署撰者。《隋書》卷二五載，大統十年（544）之後，以趙肅爲廷尉卿，撰定法律。其死後由託拔迪掌之。保定三年（563）三月完成，謂之《大律》，凡二十五篇。《舊唐志》著録《周大律》二十五卷，趙肅等撰；《新唐志》著録趙肅等《周律》二十五卷；《宋志》無載，亡佚。

《周大統式》三卷。

不署撰者。《周書》卷二載，西魏大統十年（544），以周文帝前後所上二十四條及十二條新制，方爲中興永式，乃命蘇綽更損益之，總爲五卷，班於天下。《新唐志》著録蘇綽《大統式》三卷，《宋志》無載，亡佚。

《隋律》十二卷。

不署撰者。《隋書》卷二五載，開皇元年（581），詔高熲、鄭譯、楊素等更定新律，奏上之。兩《唐志》著録高熲等《隋律》十二卷，《宋志》無載，亡佚。

《隋大業律》十一卷。

不署撰者。《隋書》卷二五載，煬帝即位，又敕修律令。大業三年（607），新律成，凡五百條，爲十八篇。兩《唐志》著録《隋大業律》十八卷，《宋志》無載，亡佚。

《晉令》四十卷。

不署撰者。《晉書》卷三〇載，文帝爲晉王，令賈充等定法律。其不宜入律者，或爲令，或爲故事。凡律令合二千九百二十六條，十二萬六千三百言，六十卷，故事三十卷。泰始三年（267）表上。《舊唐志》著録賈充等《晉令》四十卷，《新唐志》著録賈充杜預

《晉令》四十卷，《宋志》無載，亡佚。

《梁令》三十卷。《録》一卷。

《梁科》三十卷。

二書皆不署撰者。《梁書》卷二、《隋書》卷二五載，天監二年（503）四月，尚書删定郎蔡法度表上《令》三十卷、《科》三十卷。兩《唐志》著録蔡法度《梁令》三十卷、《梁科》二卷，《宋志》著録《梁令》三十卷，不署撰者。後亡佚。

《北齊令》五十卷。

《北齊權令》二卷。

二書皆不署撰者。《隋書》卷二五載，河清三年（564），高叡等又上新令四十卷，大抵采魏晉故事，其不可爲定法者，别制《權令》二卷，與之並行。《舊唐志》著録《北齊令》八卷，不署作者；《新唐志》著録趙郡王高叡《北齊令》八卷，《宋志》無載，亡佚。

《陳令》三十卷。范泉撰。

《陳科》三十卷。范泉撰。

《隋書》卷二五載，陳武帝令尚書删定郎范泉等，參定律令，制律三十卷、令四十卷，采酌前代，條流冗雜，綱目雖多，博而寡要。《舊唐志》著録《陳令》三十卷，范泉等撰；《陳科》三十卷，范泉志。《新唐志》著録范泉等《陳令》三十卷、《陳科》三十卷。《宋志》無載，亡佚。

《隋開皇令》三十卷。《目》一卷。

不署撰者。《隋書》卷六六載，開皇元年（581），詔裴政與蘇威等修定律令。裴政采魏晉刑典，下至梁，沿革輕重，取其折衷。《舊唐志》著録《隋開皇令》三十卷，裴正等撰（“正”乃“政”之誤）；《新唐志》著録牛弘等《隋開皇令》三十卷。《宋志》無載，亡佚。

《隋大業令》三十卷。

不署撰者。《隋書》卷三載，大業三年（607）四月甲申，頒律令，大赦天下。《日本國見在書目録》著録《隋大業令》三十卷，兩《唐志》無載，亡佚。

《漢朝議駁》三十卷。應劭撰。案：梁有《建武律令故事》二卷，劉邵《律略論》五卷，亡。

《後漢書》卷四八載，應劭刪定律令爲《漢儀》，又集《駁議》三十篇，以類相從，凡八十二事。《舊唐志》著録《漢朝駁義》三十卷，應劭撰；《新唐志》著録應劭《漢朝議駁》三十卷；又在“故事類”著録應劭《漢朝駁》三十卷，此爲重出。《宋志》無載，亡佚。《建武律令故事》：不署撰者。兩《唐志》著録《漢建武律令故事》三卷，《宋志》無載，亡佚。《律略論》：劉邵又作劉劭，見本志經部“孝經類”。《三國志》卷二一載，劉邵與議郎庾嶷、荀詵等定科令，作《新律》十八篇，著《律略論》。兩《唐志》著録劉邵《律略論》五卷，《宋志》無載，亡佚。

《晉雜議》十卷。

不署撰者。《新唐志》“故事類”著録《晉雜議》十卷，《宋志》無載，亡佚。

《晉彈事》十卷。

不署撰者。兩《唐志》著録《晉彈事》九卷,《宋志》無載,亡佚。

《南臺奏事》二十二卷。

不署撰者。兩《唐志》"刑法類"著録《南臺奏事》二十二卷,《新唐志》"故事類"又著録《南臺奏事》九卷。《宋志》無載,亡佚。

《漢名臣奏事》三十卷。

不署撰者。《舊唐志》著録《漢名臣奏》三十卷,陳壽撰,又二十九卷;《新唐志》著録《漢名臣奏》二十九卷,陳壽《漢名臣奏事》三十卷。《直齋書録解題》卷二二著録《漢名臣奏》一卷,稱"《中興書目》僅存其二,一爲孔光,一爲唐林,今惟唐林而已"。今亡佚。本志集部"總集類"注曰"梁有《漢名臣奏》三十卷,陳長壽撰"(疑此爲"陳壽"之誤)。

《魏王奏事》十卷。

不署撰者。《漢書》卷一下、《後漢書》卷一上之注皆引《魏武奏事》。兩《唐志》無載,亡佚。

《魏名臣奏事》四十卷。《目》一卷,陳壽撰。

本志集部"總集類"著録《梁中表》條下,有注曰:"梁有《魏名臣奏》三十卷,陳長壽撰。"《三國志》卷四、卷八裴注皆引《魏名臣奏》,但均未標作者。《新唐志》"故事類"著録《魏名臣奏事》三十卷,亦不署撰者。《宋志》無載,亡佚。

《魏臺雜訪議》三卷。高堂隆撰。

高堂隆（？—237）：字升平，泰山平陽（今山東新泰）人。建安十八年（213），曹操召其爲丞相軍議掾。黄初中，選爲平原王傅。明帝時，遷侍中，領太史令，又爲光禄勳。景初年間卒。《三國志》卷二五有傳。本志子部尚有其二部著述。兩《唐志》"儀注類"著録高堂隆《魏臺雜訪議》三卷，《新唐志》"故事類"又有《魏臺訪議》三卷，不署撰者。《宋志》無載，亡佚。

《魏廷尉决事》十卷。

不署撰者。《新唐志》"故事類"著録《魏廷尉决事》十卷，《宋志》無載，亡佚。

《晉駁事》四卷。

不署撰者。兩《唐志》著録《晉駁事》四卷，《宋志》無載，亡佚。

《晉雜制》六十卷。

不署撰者。蓋於晉令之外别有此權宜之制。兩《唐志》無載，亡佚。

《晉刺史六條制》一卷。

不署撰者。前漢刺史乘傳周行郡國，歲終則乘傳詣京師奏事。後漢刺史所治始有定處，以六條詔書察治郡國。見《宋書》卷四〇。兩《唐志》不載是書，亡佚。

《齊五服制》一卷。

不署撰者。兩《唐志》無載，亡佚。

《陳新制》六十卷。

不署撰者。兩《唐志》無載，亡佚。

右三十五部，七百一十二卷。通計亡書，合三十八部，七百二十六卷。

刑法者，先王所以懲罪惡，齊不軌者也[1]。《書》述唐、虞之世，五刑有服[2]，而夏后氏正刑有五[3]，科條三千[4]。《周官》，司寇掌三典以刑邦國[5]；司刑掌五刑之法[6]，麗萬民之罪[7]；太史又以典法逆于邦國[8]；内史執國法以考政事。《春秋傳》曰："在九刑不忘[9]。"然則刑書之作久矣。蓋藏於官府，懼人之知争端，而輕於犯。及其末也，肆情越法，刑罰僭濫。至秦，重之以苛虐，先王之正刑滅矣。漢初，蕭何定律九章，其後漸更增益，令甲已下，盈溢架藏。晉初，賈充、杜預，删而定之。有律，有令，有故事。梁時，又取故事之宜於時者爲《梁科》。後齊武成帝時[10]，又於麟趾殿删正刑典，謂之《麟趾格》[11]。後周太祖又命蘇綽撰《大統式》[12]。隋則律令格式並行[13]。自律已下，世有改作，事在《刑法志》。漢律久亡，故事、駁議，又多零失。今録其見存可觀者，編爲刑法篇。

[1] 齊：整治。

[2] 五刑：爲墨、劓、刖、宫、大辟五種刑罰。服，服從。

[3] 夏后氏：禹受舜禪，建夏王朝，國號夏后，姓姒氏。正刑，《左傳·昭公六年》："夏有亂政而作《禹刑》。"

[4] 科條：法令條規。

[5] 司寇：屬秋官，主管刑獄，六卿之一。三典，"刑新邦用輕典，刑平邦用中典，刑亂邦用重典"。見《漢書》卷二三。

[6] 司刑：屬秋官，掌五刑。

[7] 覊：猶繫也。

[8] 逆：奏事上書。

[9] 在九刑不忘：此句見《左傳·文公十八年》。五刑加流、贖、鞭、撲，即爲九刑。

[10] 後齊武成帝（537—568）：高湛，渤海蓨（今河北景縣）人。皇建二年（561）即位，天統元年（565）遜位，尊爲太上皇，四年（568）薨，謚曰武成皇帝，廟號世祖。《北齊書》卷七、《北史》卷八有傳。

[11]《麟趾格》：本志未著録，《新唐志》著録《麟趾格》四卷，文襄帝時撰。其成書時間與此記載有異。

[12] 後周太祖（505—556）：宇文泰，字黑獺，代武川（今内蒙古武川）人。孝閔帝受禪，追尊爲文王，廟號太祖。《周書》卷一、《北史》卷九有傳。蘇綽（498—546），字令綽，武功（今陝西武功）人。得周太祖器重，制文案程式，又爲六條詔書。授大行臺度支尚書，領著作，兼司農卿。大統十二年（546），卒於位，時年四十九。《周書》卷二三、《北史》卷六三有傳。

[13] 格：百官有司之所常行之事也。式：百官有司所常守之法也。見《新唐書》卷五六。

雜　傳

《三輔决録》七卷。漢太僕趙岐撰，摯虞注。

趙岐（？—201）：字邠卿，京兆長陵（今陝西咸陽東）人。初爲梁冀所辟，後爲唐玹追殺，逃難四方。靈帝初，又遭黨錮。獻帝時，拜議郎，遷太僕。因孔融等舉薦，拜爲太常。建安六年（201）卒，時年九十餘。著《孟子章句》、《三輔决録》，傳於時。《後漢書》卷六四有傳。本志子部尚有其著述一部。《三國志》卷一〇引《三輔决録注》"（嚴）象同郡趙岐作《三輔决録》，恐時人不盡其意，故隱其書，唯以示象"。《日本國見在書目録》著録《三輔决録》七卷，漢太僕趙岐撰，摯虞注；《舊唐志》著録《三輔决録》七卷，趙岐撰，摯虞注；《新唐志》著録趙岐《三輔决録》十卷，摯虞注；《宋志》無載，亡佚。《説郛》存一卷，清張澍、黄奭、茆泮林、王仁俊有輯本。

《海内先賢傳》四卷。魏明帝時撰。

此書多記東漢先賢。《舊唐志》著録《海内先賢傳》四卷，魏明帝撰；《新唐志》著録《海内先賢傳》五卷，魏明帝時撰；《宋志》無載，亡佚。

《四海耆舊傳》一卷。

不署撰者。《舊唐志》著録《四海耆舊傳》一卷，李氏撰；《新唐志》著録韋氏《四海耆舊傳》一卷;《宋志》無載，亡佚。

《海内士品》一卷。

不署撰者。《舊唐志》著録《海内士品録》二卷，魏文帝撰;《新唐志》著録魏文帝《海内士品録》三卷;《宋志》無載，亡佚。

《先賢集》三卷。

不署撰者。兩《唐志》著録李氏《海内先賢行狀》三卷,《宋志》無載，亡佚。

《兖州先賢傳》一卷。

不署撰者。《舊唐志》著録《兖州山陽先賢贊》一卷，仲長統撰;《新唐志》著録仲長統《山陽先賢傳》一卷。姚振宗以爲《兖州先賢傳》即《山陽先賢傳》。唐林寶《元和姓纂》稱，晉太宰仲長穀著《山陽先賢傳》。《宋志》不載是書，亡佚。

《徐州先賢傳》一卷。

《徐州先賢傳贊》九卷。劉義慶撰。

劉義慶（403—444）：彭城（今江蘇徐州）人，宋宗室，爲劉道規嗣。永初元年（420），襲封臨川王。元嘉六年（429），加尚書僕射。十六年（439），改授散騎常侍、開府儀同三司。撰《徐州先賢傳》十卷，奏上之。二十一年（444），卒於京邑，時年四十二，謚曰康王。《宋書》卷五一、《南史》卷一三有傳。本志史、子、集部尚有其五部著述。《舊唐志》著録《徐州先賢傳》一卷、《徐州先賢傳》九卷，皆不署撰者;《新唐志》著録王義度（疑爲“臨川王劉義慶”之脱誤）《徐州先賢傳》九卷、又一卷，劉義慶《徐州先賢傳贊》八卷;《宋志》不載此二書，亡佚。

《海岱志》二十卷。齊前將軍記室崔慰祖撰。

崔慰祖（465—499）：字悦宗，清河東武城（今山東武城）人。解褐奉朝請，爲始安王遥光撫軍刑獄，兼記室。著《海岱志》，起太公迄西晉人物，爲四十卷，半成。臨卒，託於其弟，年三十五卒。《南齊書》卷五二、《南史》卷七二有傳。兩《唐志》著録崔慰祖《海岱志》十卷，《宋志》無載，亡佚。

《交州先賢傳》三卷。晉范瑗傳。

范瑗：生平事迹不詳。兩《唐志》著録范瑗《交州先賢傳》四卷，《宋志》無載，亡佚。

《益部耆舊傳》十四卷。陳壽撰。

陳壽：原作陳長壽。據《晉書》卷八二載，陳壽撰《益都耆舊傳》十篇而改。兩《唐志》著録陳壽《益部耆舊傳》十四卷，《宋志》無載，亡佚。

《續益部耆舊傳》二卷。

不署撰者。《新唐志》著録《益州耆舊雜傳記》二卷，《宋志》無載，亡佚。

《諸國清賢傳》一卷。

不署撰者。兩《唐志》著録《諸國先賢傳》一卷，《宋志》無載，亡佚。

《魯國先賢傳》二卷。晉大司農白褒撰。

白褒（生卒年不詳）：其曾任散騎郎、左丞。見《晉書》卷四三、四六。其他事迹不詳。《舊唐志》著録白褒《魯國先賢志》十四卷，《新唐志》著録白褒《魯國先賢傳》十四卷，《宋志》無載，亡佚。

《楚國先賢傳贊》十二卷。晉張方撰。

張方（生卒年不詳）：又作張方賢，見《昭明文選》卷二一《百一詩》注。其他事迹不詳。《舊唐志》著録《楚國先賢志》十二卷，楊方撰（“楊”疑爲“張”之誤）；《新唐志》著録張方《楚國先賢傳》十二卷；《宋志》無載，亡佚。《説郛》存一卷，清陳運溶、王仁俊有輯本。

《汝南先賢傳》五卷。魏周斐撰。

周斐：生平事迹不詳。《舊唐志》著録《汝南先賢傳》三卷，周裴撰（“裴”爲“斐”之誤）；《新唐志》著録周斐《汝南先賢傳》五卷，《宋志》無載，亡佚。

《陳留耆舊傳》二卷。漢議郎圈稱撰。

圈稱（生卒年不詳）：字幼舉，見《元和姓纂》。《史通·雜述》曰：“若圈稱《陳留耆舊》、周斐《汝南先賢》、陳壽《益部耆舊》、虞預《會稽典録》，此之謂郡書者也。”兩《唐志》“地理類”著録圈稱《陳留風俗傳》三卷。《新唐志》“雜傳記類”又著録圈稱《陳留風俗傳》三卷，當爲重出，《宋志》無載，亡佚。

《陳留耆舊傳》一卷。魏散騎侍郎蘇林撰。

蘇林：見本志經部“孝經類”。《玉海》卷五八載：“漢議郎圈稱《陳留耆舊傳》二卷，魏蘇林《廣舊傳》一卷，陳英宗《陳留先賢像贊》一卷。”侯康以爲此書是廣圈稱書之作。見《補三國藝文志》。兩《唐志》著録蘇林《陳留耆舊傳》三卷，《宋志》無載，亡佚。

《陳留先賢像贊》一卷。陳英宗撰。

陳英宗：生平事迹不詳。《舊唐志》著録陳英宗《陳留先賢像贊》一卷，《新唐志》著録陳英宗《陳留先賢傳像贊》一卷，《宋志》無載，亡佚。

《陳留志》十五卷。東晉剡令江敞撰。

江敞：生平事迹不詳。《史記》卷五五《索隱》引《陳留志》。《舊唐志》著録江敞《陳留志》十五卷，《新唐志》著録江敞《陳留人物志》十五卷，《宋志》無載，亡佚。

《濟北先賢傳》一卷。

不署撰者。《後漢書》卷六四注，引《濟北先賢傳》。兩《唐志》著録此書，《宋志》無載，亡佚。

《廬江七賢傳》二卷。

不署撰者。姚振宗根據本類小序“魯、廬江有名德先賢之讃”，以爲“七賢”爲“名賢”之誤。兩《唐志》著録此書爲一卷，《宋志》無載，亡佚。

《東萊耆舊傳》一卷。王基撰。

王基：見本志經部“詩類”。《新唐志》著録王基《東萊耆舊傳》一卷，《宋志》無載，亡佚。

《襄陽耆舊記》五卷。習鑿齒撰。

此書“前載襄陽人物，中載其山川城邑，後載其牧守”。見《郡齋讀書志》卷九。兩《唐志》著録習鑿齒《襄陽耆舊傳》五卷，《宋志》著録習鑿齒《襄陽耆舊記》五卷，後亡佚。《説郛》存一卷，清任兆麟、王仁俊有輯本。

《會稽先賢傳》七卷。謝承撰。

《舊唐志》著録謝承《會稽先賢傳》五卷,《新唐志》著録此書七卷,《宋志》無載，亡佚。

《會稽後賢傳記》二卷。鍾離岫撰。

鍾離岫：生平事迹不詳。兩《唐志》著録鍾離岫《會稽後賢傳》三卷,《宋志》無載，亡佚。

《會稽典録》二十四卷。虞預撰。

《晉書》卷八二載，虞預著《會稽典録》二十篇。兩《唐志》著録虞預《會稽典録》二十四卷,《宋志》無載，亡佚。

《會稽先賢像贊》五卷。

不署撰者。《舊唐志》"雜傳類"著録賀氏《會稽先賢像贊》四卷、《會稽太守像贊》二卷，集部"總集類"又著録此二書，重出;《新唐志》"雜傳類"著録賀氏《會稽先賢傳像贊》四卷、《會稽太守像贊》二卷;《宋志》無載，亡佚。

《漢世要記》一卷。

不署撰者。《宋書》卷六一、《南史》卷一三載，劉義恭撰《要記》五卷，起前漢訖晉太元，表上之。詔付祕閣。疑即此書。兩《唐志》無載，亡佚。

《吴先賢傳》四卷。吴左丞相陸凱撰。

陸凱（198—269）：字敬風，吴郡吴（今江蘇蘇州）人。黄武初，爲永興、諸暨長。先後事孫亮、孫休、孫皓，進封嘉興侯，任左丞相。建衡元年（269）卒，時年七十二。《三國志》卷六一有傳。本志子部尚有其一部著述。《舊唐志》"雜傳類"著録《吴國先賢贊》三卷、集部“總集類”著録《吴國先賢贊論》三卷，均不署撰者；《新唐志》著録陸凱《吴國先賢傳》五卷、《吴國先賢像贊》三卷；《宋志》無載，亡佚。

《東陽朝堂像贊》一卷。晉南平太守留叔先撰。

留叔先：生平事迹不詳。《新唐志》著録留叔先《東陽朝堂書贊》一卷，《宋志》無載，亡佚。

《豫章烈士傳》三卷。徐整撰。

徐整：見本志經部“詩類”。《新唐志》著録徐整《豫章烈士傳》三卷，《宋志》無載，亡佚。

《豫章舊志》三卷。晉會稽太守熊默撰。

熊默：生平事迹不詳。兩《唐志》著録徐整《豫章舊志》八卷，《宋志》無載，亡佚。

《豫章舊志後撰》一卷。熊欣撰。

熊欣：生平事迹不詳。兩《唐志》無載，亡佚。

《零陵先賢傳》一卷。

不署撰者。兩《唐志》著録《零陵先賢傳》一卷，《宋志》無載，亡佚。

《長沙耆舊傳贊》三卷。晉臨川王郎中劉彧撰。

劉彧：生平事迹不詳。《舊唐志》著録劉彧《長沙舊邦傳贊》三卷，《新唐志》著録劉彧《長沙舊邦傳贊》四卷，《宋志》無載，亡佚。《説郛》存一卷，清陳運溶有輯本。

《桂陽先賢畫贊》一卷。吴左中郎張勝撰。

張勝：生平事迹不詳。兩《唐志》著録張勝《桂陽先賢畫贊》五卷，《宋志》無載，亡佚。

《武昌先賢志》二卷。宋天門太守郭緣生撰。

郭緣生：生平事迹不詳。兩《唐志》著録郭緣生《武昌先賢傳》三卷，《宋志》無載，亡佚。

《蜀文翁學堂像題記》二卷。

不署撰者。《漢書》卷八九載，景帝末，文翁爲蜀郡守，在成都市中修學官，於是大化，蜀地學於京師者比齊魯焉。吏民爲立祠堂，歲時祭祀不絶。兩《唐志》著録《益州文翁學堂圖》一卷，《宋志》無載，亡佚。

《聖賢高士傳贊》三卷。嵇康撰，周續之注。

嵇康：見本志經部“春秋類”。《晉書》卷四九載，嵇康撰上古以來高士爲之傳贊。周續之（377—423）：字道祖，雁門廣武（今山西代縣）人。通五經並緯候，入廬山事沙門釋慧遠，與劉遺民、陶淵明並稱“尋陽三隱”。常以嵇康《高士傳》得出入之美，因爲之注。景平元年（423）卒，時年四十七。《宋書》卷九三、《南史》卷七五有傳。本志集部尚有其一部著述。《舊唐志》著録嵇康《高士傳》三卷，《新唐志》著録嵇康《聖賢高士傳》三卷，兩《唐志》著録周續之《上古以來聖賢高士傳讃》三卷，《宋志》無載，亡佚。清王仁俊、馬國翰、嚴可均有輯本。

《高士傳》六卷。皇甫謐撰。

《晉書》卷五一載，皇甫謐又撰《帝王世紀》、《年曆》、《高士》、《逸士》、《列女》等傳。《高士傳自序》稱：“采古今八代之士，身不屈於王公名，不耗於終始，自堯至魏，凡九十餘人。"《直齋書録解題》卷七著録皇甫謐《高士傳》十卷，有曰"序稱自堯至魏咸熙二千四百餘載，得九十餘人。今自被衣至管寧惟八十七人"。《增訂四庫簡明目録標注》卷六稱："謐原書本七十二人，見《續博物志》。此本乃九十六人，蓋原書散佚，後人摭《太平御覽》所引鈔合成編。"《舊唐志》著録皇甫謐《高士傳》七卷，《新唐志》、《宋志》著録此書十卷，《四庫全書總目》著録此書三卷。此書現存最早的本子爲明嘉靖黄省曾刻本，通行本爲《四庫》本、《叢書集成》本、《四部備要》本。

《逸士傳》一卷。皇甫謐撰。

《新唐志》著録此書，《宋志》無載，亡佚。清有王仁俊輯本。

《逸民傳》七卷。張顯撰。

張顯（生卒年不詳）：泰始初爲議郎，有《析言》二十卷。見《全晉文》卷三二。本志子部尚有其一部著述。兩《唐志》著録張顯《逸人傳》三卷，《宋志》無載，亡佚。

《高士傳》二卷。虞槃佐撰。

虞槃佐：見本志經部"孝經類"。兩《唐志》著録此書，《宋志》無載，亡佚。

《至人高士傳讚》二卷。晉廷尉卿孫綽撰。

孫綽：見本志經部"論語類"。此書兩《唐志》無載，亡佚。

《高隱傳》十卷。阮孝緒撰。

《梁書》卷五一載，阮孝緒著《高隱傳》，上自炎黄，終於天監之末，斟酌分爲三品，凡若干卷。《全晉文》卷六六載，阮孝緒

《高隱傳》一帙十卷，序例一卷。《舊唐志》著録阮孝緒《高隱傳》二卷，《新唐志》著録此書爲十卷，《宋志》無載，亡佚。

《高隱傳》十卷。

不署撰者。兩《唐志》有習鑿齒《逸人高士傳》八卷、袁淑《真隱傳》二卷，姚振宗以爲，此二書誤合爲一書，而失撰者名。姑備一説。

《高僧傳》六卷。虞孝敬撰。

虞孝敬（生卒年不詳）：梁湘東王記室，撰《内典博要》，出家改名惠命。見《法苑珠林·傳記篇》。本志史部尚有其一部著述。本志子部“雜家類”著録虞孝敬《高僧傳》，屬重出。《舊唐志》“雜傳類”著録虞孝敬《高僧傳》六卷，《新唐志》“釋家類”著録虞孝敬《高僧傳》六卷，《宋志》無載，亡佚。

《止足傳》十卷。

不署撰者。舊史爲淡泊名利、急流勇退之人立傳，名爲《止足傳》。《舊唐志》著録《止足傳》十卷，王子良撰（疑脱“竟陵”二字）。《新唐志》著録齊竟陵文宣王子良《止足傳》十卷、宗躬《止足傳》十卷，《宋志》無載，亡佚。

《續高士傳》七卷。周弘讓撰。

周弘讓（498？—577？）：汝南安成（今河南汝南東南）人。博學多通，始仕不得志，隱於句容。陳天嘉初，以白衣領太常卿、光禄大夫，加金章紫綬。《陳書》卷二四、《南史》卷三四有傳。本志子部尚有其一部著述。兩《唐志》著録周弘讓《續高士傳》八卷，《宋志》無載，亡佚。

《孝子傳贊》三卷。王韶之撰。

《南史》卷二四載，王韶之撰《孝傳》三卷，行於世。《舊唐志》著録王韶之《孝子傳贊》十五卷，《新唐志》著録王韶之《孝子傳》十五卷、《贊》三卷，《宋志》無載，亡佚。清茆泮林有輯本。

《孝子傳》十五卷。晉輔國將軍蕭廣濟撰。

蕭廣濟：生平事迹不詳。兩《唐志》著録此書，《宋志》無載，亡佚。清茆泮林、黄奭、陶方琦有輯本。

《孝子傳》十卷。宋員外郎鄭緝之撰。

鄭緝之：生平事迹不詳。兩《唐志》著録鄭緝之《孝子傳讃》十卷，《宋志》無載，亡佚。清王仁俊、茆泮林有輯本。

《孝子傳》八卷。師覺授撰。

師覺授（生卒年不詳）：字覺授，南陽涅陽（今河南鎮平南）人。撰《孝子傳》八卷。宋臨川王劉義慶辟其爲祭酒、主簿，皆不就。《宋書》卷九三、《南史》卷七三有傳。兩《唐志》著録此書，《宋志》無載，亡佚。清茆泮林、黄奭有輯本。

《孝子傳》二十卷。宋躬撰。

宋躬：或作宗躬。生平事迹不詳。《舊唐志》著録宗躬《孝子傳》十卷，《新唐志》著録宗躬《孝子傳》二十卷，《宋志》無載，亡佚。清有茆泮林、王仁俊輯本。

《孝子傳略》二卷。

不署撰者。兩《唐志》無載，亡佚。

《孝德傳》三十卷。梁元帝撰。

《梁書》卷五載，梁元帝著有《孝德傳》三十卷，兩《唐志》著録此書，《宋志》無載，亡佚。

《孝友傳》八卷。

不署撰者。《舊唐志》著録梁元帝《孝友傳》八卷，《新唐志》著録申秀《孝友傳》八卷，《宋志》無載，亡佚。

《曾參傳》一卷。

不署撰者。兩《唐志》無載，亡佚。

《忠臣傳》三十卷。梁元帝撰。

《梁書》卷五載，梁元帝撰有《忠臣傳》三十卷。《南史》卷七六載，湘東王（即梁元帝）著《忠臣傳》。兩《唐志》著録此書，《宋志》無載，亡佚。

《顯忠録》二十卷。元懌撰。

元懌（487—520）：字宣仁，魏孝文帝之子，博涉經史，有文才。太和二十一年（497）封清河王。宣武帝初，拜侍中，轉尚書僕射。孝明帝初，遷太尉。爲《顯忠録》二十卷。正光元年（520）遇害，時年三十四。《魏書》卷二二有傳。原文於“元懌”前有“梁”字，爲衍文，删之。兩《唐志》著録元懌《顯忠録》二十卷，《宋志》無載，亡佚。

《丹陽尹傳》十卷。梁元帝撰。

《梁書》卷五載，梁元帝著《丹陽尹傳》十卷。《南史》卷七六載，湘東王著《丹陽尹録》，並先簡（阮）而後施行。兩《唐志》著録此書，《宋志》無載，亡佚。

《英藩可録》二卷。張萬賢撰，邵武侯新注。

張萬賢：生平事迹不詳。邵武侯：生平事迹不詳。《舊唐志》著録《英藩可録》二卷，殷系撰；《新唐志》著録殷系《英藩可録事》三卷，一云張萬賢撰。《宋志》無載，亡佚。

《高才不遇傳》四卷。後齊劉晝撰。

劉晝（生卒年不詳）：字孔昭，渤海阜城（今河北阜城）人。好學，少習三《禮》、《服氏春秋》，俱通大義。河清初，冀州舉秀才入京，考策不第。發憤撰《高才不遇傳》三篇。皇建、大寧間，頻上書，然終不見收采。天統中，卒於家，年五十二。《北齊書》卷四四、《北史》卷八一有傳。兩《唐志》著録此書，《宋志》無載，亡佚。

《良吏傳》十卷。鍾岏撰。

鍾岏（生卒年不詳）：岏（wán），字長岳，潁川長社（今河南長葛）人，官至府參軍、建康令，撰《良吏傳》十卷。見《梁書》卷四九、《南史》卷七二。兩《唐志》著録此書，《宋志》無載，亡佚。

《海内名士傳》一卷。

不署撰者。兩《唐志》無載，亡佚。

《正始名士傳》三卷。袁彦伯撰。

袁彦伯：原作"袁敬仲"，據《晉書》卷九二改。袁彦伯即袁宏，見本志經部"孝經類"。《晉書》卷九二載，袁宏撰《後漢紀》三十卷及《竹林名士傳》三卷，傳於世。兩《唐志》著録袁宏《名士傳》三卷，《宋志》著録袁宏《正始名士傳》二卷，《崇文總目》著録袁氏《正始名士傳》三卷，《郡齋讀書志》、《直齋書録解題》無載，亡佚。

《江左名士傳》一卷。劉義慶撰。

此書兩《唐志》無載，亡佚。

《竹林七賢論》二卷。晉太子中庶子戴逵撰。

戴逵：見本志經部“論語類”。魏晉時，阮籍、嵇康、山濤、劉伶、阮咸、向秀、王戎七人常集於竹林之下，肆意酣暢，故世謂“竹林七賢”。兩《唐志》著録此書，《宋志》無載，亡佚。

《七賢傳》五卷。孟氏撰。

孟氏：兩《唐志》作孟仲暉，武威（今甘肅武威）人。學兼釋氏四諦之義，窮其指歸，時號爲“玄宗先生”。武定五年（547），爲洛州開府長史。見《洛陽伽藍記》卷四。《日本見在書目録》著録孟氏《七賢傳》五卷，兩《唐志》著録孟仲暉《七賢傳》七卷，《宋志》無載，亡佚。

《文士傳》五十卷。張騭撰。

張騭（zhì）：生平事迹不詳。兩《唐志》著録張騭《文士傳》五十卷，《崇文總目》著録張隱《文士傳》十卷，《宋志》著録張隱《文士傳》五卷。《中興館閣書目輯考》卷三稱《文士傳》載六國以來文人，起楚芉原，終魏阮瑀，《崇文目》十卷，終宋謝靈運，已疑不全，今又闕其半。《郡齋讀書志》、《直齋書録解題》無載，亡佚。

《列士傳》二卷。劉向撰。

《新唐志》著録劉向《列士傳》二卷，《宋志》無載，亡佚。

《陰德傳》二卷。宋光禄大夫范晏撰。

范晏（生卒年不詳）：順陽（今河南淅川）人。范泰子，官至侍中、光禄大夫。見《宋書》卷六〇。本志集部尚有其一部著述。兩《唐志》著録此書，《宋志》無載，亡佚。

《悼善傳》十一卷。

不署撰者。兩《唐志》著録《悼善列傳》四卷，《宋志》無載，亡佚。

《雜傳》三十六卷。任昉撰。本一百四十七卷，亡。

任昉：見本志經部“大序”。《梁書》卷一四載，任昉撰《雜傳》二百四十七卷。《新唐志》著録任昉《雜傳》一百二十卷，《舊唐志》著録三種《雜傳》，皆不署撰者。《宋志》無載，亡佚。

《東方朔傳》八卷。

不署撰者。《史記》、《漢書》中皆有東方朔的傳。兩《唐志》著録此書，《宋志》無載，亡佚。

《毌丘儉記》三卷。

不署撰者。《三國志》卷二八有《毌丘儉傳》。兩《唐志》著録此書，《宋志》無載，亡佚。

《管輅傳》三卷。管辰撰。

管辰（生卒年不詳）：平原（今山東平原）人。管輅弟，官至州主簿、部從事，太康之初卒。見《三國志》卷二九“臣松之案”。管輅《三國志》卷二九有傳。兩《唐志》著録管辰《管輅傳》二卷，《宋志》無載，亡佚。

《雜傳》四十卷。賀蹤撰。本七十卷，亡。

賀蹤（生卒年不詳）：天監間學士，曾與劉峻典校祕書，與沈約勘任昉書目。見《梁書》卷一四、卷五〇。兩《唐志》著録《雜傳》四十卷，不署撰者。《宋志》無載，亡佚。

《雜傳》十九卷。陸澄撰。

《南齊書》卷三九載，陸澄家多墳籍，人所罕見，撰地理書及雜傳，死後乃出。《舊唐志》著録《雜傳》六十五卷、《新唐志》著録《雜傳》六十九卷，皆不署撰者。《宋志》無載，亡佚。

《雜傳》十一卷。

不署撰者。兩《唐志》有《雜傳》九卷，不知是否與此有關，《宋志》無載，亡佚。

《玄晏春秋》三卷。皇甫謐撰。

《晉書》卷五一載，皇甫謐自號玄晏先生，撰《玄晏春秋》，傳於世。兩《唐志》著録此書爲二卷，《宋志》無載，亡佚。

《孔子弟子先儒傳》十卷。

不署撰者。兩《唐志》著録《孔子弟子傳》五卷、《先儒傳》五卷，《宋志》無載，亡佚。

《李氏家傳》一卷。

不署撰者。《世説新語·賞譽》注引《李氏家傳》。兩《唐志》無載，亡佚。

《桓氏家傳》一卷。

不署撰者。兩《唐志》無載，亡佚。

《王朗王肅家傳》一卷。

不署撰者。兩《唐志》無載，亡佚。

《太原王氏家傳》二十三卷。

不署撰者。《舊唐志》“雜譜牒類”、《新唐志》“雜傳記類”著録《王氏家傳》二十一卷，《宋志》無載，亡佚。

《褚氏家傳》一卷。褚覬等撰。

褚覬：生平事迹不詳。《舊唐志》“雜譜牒類”、《新唐志》“雜傳記類”著録《褚氏家傳》一卷，褚結撰，褚陶注。《史記》卷一二篇首之《索隱》有曰，韋稜云“《褚顗家傳》褚少孫，梁相褚大弟之孫……”“覬”與“顗”形近，兩《唐志》作此書爲褚結撰，疑誤。《宋志》無載，亡佚。

《薛常侍家傳》一卷。

不署撰者。兩《唐志》著録荀伯子《薛常侍家傳》二卷，《宋志》無載，亡佚。

《江氏家傳》七卷。江祚等撰。

江祚（生卒年不詳）：陳留圉（河南杞縣南）人，江統之父，南安太守。見《晉書》卷五六。《舊唐志》“雜譜牒類”著録江統《江氏家傳》七卷，《新唐志》“雜傳記類”著録江饒《江氏家傳》七卷，《宋志》無載，亡佚。

《庾氏家傳》一卷。庾斐撰。

庾斐：生平事迹不詳。兩《唐志》無載，亡佚。

《裴氏家傳》四卷。裴松之撰。

《南史》卷三三、《梁書》卷三〇載，裴松之曾孫裴子野續《裴氏家傳》。《舊唐志》“雜譜牒類”、《新唐志》“雜傳記類”著録裴松之《裴氏家記》三卷，《宋志》無載，亡佚。

《虞氏家記》五卷。虞覽撰。

虞覽：生平事迹不詳。《舊唐志》“雜譜牒類”、《新唐志》“雜傳記類”著録虞覽《虞氏家傳》五卷，《宋志》無載，亡佚。

《曹氏家傳》一卷。曹毗撰。

曹毗：見本志經部“論語類”。兩《唐志》著録此書，《宋志》無載，亡佚。

《范氏家傳》一卷。范汪撰。

兩《唐志》不載此書，亡佚。

《紀氏家紀》一卷。紀友撰。

紀友（生卒年不詳）：丹楊秣陵（今江蘇南京）人，官至廷尉。見《晉書》卷六八。此書兩《唐志》無載，亡佚。

《韋氏家傳》一卷。

不署撰者。《舊唐志》“雜譜牒類”、《新唐志》“雜傳記類”著録皇甫謐《韋氏家傳》三卷，《宋志》無載，亡佚。

《何顒使君家傳》一卷。

不署撰者。《後漢書》卷六七《黨錮列傳》有《何顒傳》。兩《唐志》著録《何顒傳》一卷，《宋志》無載，亡佚。

《明氏家訓》一卷。僞燕衛尉明岌撰。

明岌（生卒年不詳）：仕前燕，爲黄門郎。將死，誡其子。見《全晉文》卷一四九。兩《唐志》不載此書，亡佚。

《明氏世録》六卷。梁信武記室明粲撰。

明粲：生平事迹不詳。《舊唐志》"雜譜牒類"著録明粲《明氏世録》五卷，《新唐志》"雜傳記類"著録明粲《明氏世録》六卷，《宋志》無載，亡佚。

《陸史》十五卷。

不署撰者。《舊唐志》"雜譜牒類"、《新唐志》"雜傳記類"著録陸煦《陸史》十五卷。陸煦（生卒年不詳）：吴郡吴（今江蘇蘇州）人。學涉有思理，位太子家令。著《陸史》十五卷、《陸氏驪泉志》一卷，並行於世。《梁書》卷二六、《南史》卷四八有傳。《宋志》不載此書，亡佚。

《王氏江左世家傳》二十卷。王褒撰。

王褒（513？—576）：字子淵，琅邪臨沂（今山東臨沂）人。曾祖王儉、祖王騫、父王規並有重名於江左。襲南昌縣侯，事梁武帝、梁元帝。入周，爲車騎大將軍、儀同三司，封石泉縣子，出爲宜州刺史，卒於位，時年六十四。《梁書》卷四一、《周書》卷四一、《北史》卷八三有傳。本志子部尚有其一部著述。兩《唐志》不載此書，亡佚。

《孔氏家傳》五卷。

不署撰者。兩《唐志》無載，亡佚。

《崔氏五門家傳》二卷。崔氏撰。

《新唐志》著録崔鴻《崔氏世傳》七卷,《宋志》無載，亡佚。

《暨氏家傳》一卷。

不署撰者。《舊唐志》“雜譜牒類”、《新唐志》“雜傳記類”著録《暨氏家傳》一卷,《宋志》無載，亡佚。

《周齊王家傳》一卷。姚氏撰。

姚氏:《周書》卷四七載，姚最特爲周齊王宇文憲禮接，恩顧過隆，乃録其功績爲傳，送上史局。疑姚氏爲姚最。兩《唐志》不載此書，亡佚。

《尒朱家傳》二卷。王氏撰。

《舊唐志》“雜譜牒類”著録王邵《爾朱氏家傳》二卷,《新唐志》“雜傳記類”著録王劭《爾朱氏家傳》二卷,《宋志》無載，亡佚。

《周氏家傳》一卷。

不署撰者。兩《唐志》無載，亡佚。

《令狐氏家傳》一卷。

不署撰者。《舊唐志》“雜譜牒類”、《新唐志》“雜傳記類”著録《令狐家傳》一卷，令狐德棻撰,《宋志》無載，亡佚。

《新舊傳》四卷。

不署撰者。本志子部“雜家類”、《新唐志》子部“雜家類”著録《新舊傳》四卷,《宋志》無載，亡佚。

《漢南庾氏家傳》三卷。

不署撰者。《舊唐志》“雜譜牒類”著録庾守業《庾氏家傳》三卷,《新唐志》“雜傳記類”著録庾守業《漢南庾氏家傳》三卷,《宋志》無載，亡佚。

《何氏家傳》三卷。

不署撰者。《舊唐志》“雜譜牒類”、《新唐志》“雜傳記類”著録《何妥家傳》二卷,《宋志》無載，亡佚。

《童子傳》二卷。王瑱之撰。

王瑱之：生平事迹不詳。《金樓子》卷二《聚書篇》“隱士王瑱之經餉書如《童子傳》之例是也”。兩《唐志》無載，亡佚。

《幼童傳》十卷。劉昭撰。

《梁書》卷四九載，劉昭著《幼童傳》十卷。兩《唐志》著録此書,《宋志》無載，亡佚。

《訪來傳》十卷。來奥撰。

兩《唐志》不載此書，亡佚。

《懷舊志》九卷。梁元帝撰。

《梁書》卷五載梁元帝著《懷舊志》一卷,《南史》卷八載梁元帝著《懷舊志》二卷,《金樓子》卷五《著述篇》著録《懷舊志》一帙一卷，並有其所撰序。《日本國見在書目録》著録梁元帝《懷舊志》九卷,《新唐志》著録梁元帝《懷舊志》九卷,《宋志》無載，亡佚。

《知己傳》一卷。盧思道撰。

盧思道（536—586）：字子行，小字釋奴，范陽（今北京南）人。師事邢子才，才學兼著。仕北齊、後周。隋開皇初，起爲散騎侍郎，奏内史侍郎事，卒於京師，時年五十二。《北齊書》卷四二、《隋書》卷五七、《北史》三〇有傳。兩《唐志》著録此書，《宋志》無載，亡佚。

《全德志》一卷。梁元帝撰。

《梁書》卷五、《南史》卷八載，梁元帝撰《全德志》一卷。《金樓子》卷五著録《全德志》一卷，並有梁元帝所作序。兩《唐志》著録此書，《宋志》無載，亡佚。

《同姓名録》一卷。梁元帝撰。

《梁書》卷五載，梁元帝撰《古今同姓名録》一卷，《金樓子》卷五著録《同姓名録》一帙一卷，兩《唐志》著録此書。《郡齋讀書志》卷一四著録梁元帝《同姓名録》三卷，稱此書"纂類歷代同姓名人，成書一卷。唐陸善經續增廣之。齊梁間士大夫之俗，喜徵事以爲其學淺深之候，梁武帝與沈約徵栗事是也。類書之起，當在是時，故以此録爲首"。《直齋書録解題》卷一一著録《古今同姓名録》一卷，梁元帝撰。有陸善經者續之至五代時。《四庫全書總目》卷一三五著録《古今同姓名録》二卷，梁元帝撰。稱《郡齋》、《直齋》所録之本皆不傳，"此本爲《永樂大典》所載，又元人葉森所增補者也"。今通行本爲《四庫》本、《叢書集成》本。

《列女傳》十五卷。劉向撰，曹大家注。

《漢書》卷三六載，劉向"采取《詩》、《書》所載賢妃貞婦，興國顯家可法則，及孽嬖亂亡者，序次爲《列女傳》，凡八篇，以戒天子”。《漢書·諸子略》著録劉向所序六十七篇，其中包括《列女傳頌圖》。《舊唐志》著録劉向《列女傳》二卷，《新唐志》著録劉向《列女傳》十五卷，曹大家注。《宋志》著録劉向《古列女傳》九卷，《崇文總目》著録劉向《列女傳》八篇。《直齋書録解題》卷七著録劉向《古列女傳》九卷，稱第八篇爲頌義，蓋以七篇分爲上下，並頌爲十五卷。《四庫全書總目》卷五七著録《古列女傳》七卷、《續列女傳》一卷。《增訂四庫簡明目録標注》卷六稱，《續傳》不知誰作，或曰班昭，或曰項原，皆影附無據也。此書現存最早的本子爲明嘉靖黄魯曾刻本，通行本爲《四庫》本、《四部叢刊》本、《四部備要》本。

《列女傳》七卷。趙母注。

趙母：《世説新語》卷一九注引《列女傳》所載，趙姬才敏多覽，作《列女傳解》，號趙母注。《新唐志》著録趙母《列女傳》七卷，《宋志》無載，亡佚。

《列女傳》八卷。高氏撰。

高氏：不詳何人。兩《唐志》無載，亡佚。

《列女傳頌》一卷。劉歆撰。

劉歆：見本志經部“春秋類序”。《顔氏家訓·書證》“《列女傳》亦（劉）向所造，其子歆又作《頌》”。《日本國見在書目録》著録《列女傳頌》一卷，劉歆撰。《四庫全書總目》卷五七著録《古列女傳》七卷、《續列女傳》一卷，並稱：“其《頌》本向所作，曾鞏及（王）回所言不誤，而晁公武《讀書志》乃執《隋志》之文，詆其誤信顔籀之注。”姚振宗以爲，將劉向《列女傳》中之《頌》歸之劉歆自是舛誤，貿然否定劉歆亦作《頌》也欠妥，推測其别爲一書，亡已久矣。兩《唐志》無載，亡佚。

《列女傳頌》一卷。曹植撰。

曹植（192—232）：字子建，沛國譙（今安徽亳州）人，魏文帝同母弟。建安十六年（211）封平原侯，十九年（214）徙封臨菑侯。文帝即位，與諸侯並就國。黄初二年（221），被指醉酒悖慢，貶爵安鄉侯。明帝太和六年（232），以陳四縣封植爲陳王。十一月，發疾而薨，時年四十一。《三國志》卷一九有傳。本志子、集部尚有其二部著述。《新唐志》著録曹植《列女傳頌》一卷，《宋志》無載，亡佚。

《列女傳贊》一卷。繆襲撰。

繆襲（186—245）：字熙伯，東海（包括今山東、江蘇部分地區）人。有才學，多所述叙，歷事魏四世，官至尚書、光禄勳。正始六年（245）卒，時年六十。見《三國志》卷二一。此書兩《唐志》無載，亡佚。

《列女後傳》十卷。項原撰。

項原：生平事迹不詳。《舊唐志》著録顔原《列女後傳》十卷，《新唐志》著録項宗《列女後傳》十卷，《宋志》無載，亡佚。

《列女傳》六卷。皇甫謐撰。

《晉書》卷五一載，皇甫謐撰《逸士》、《高士》、《列女》等傳，並重於世。兩《唐志》著録此書，《宋志》無載，亡佚。今存一卷，在《説郛》、《五朝小説》等叢書中。

《列女傳》七卷。綦毋邃撰。

綦毋邃（生卒年不詳）：爵里未詳，有《孟子注》七卷。《通典》卷九五載，晉哀帝興寧中，有綦毋邃駁尚書奏事一條。見《全晉文》卷一三三。兩《唐志》著録此書，《宋志》無載，亡佚。

《列女傳要録》三卷。

不署撰者。姚振宗據《南史》卷三五所載，庾仲容抄子書三十卷、諸集三十卷、《列女傳》三卷，並行於世。疑此書即庾仲容所抄《列女傳》三卷。兩《唐志》不載此書，亡佚。

《女記》十卷。杜預撰。

《晉書》卷三四載，杜預又撰《女記贊》。《史通·雜説下》曰，"杜元凱撰《列女記》，博采經籍前史，顯録古老明言，而事有可疑，猶闕而不載。"《舊唐志》著録杜預《女記》十卷，《新唐志》著録杜預《列女記》十卷，《宋志》無載，亡佚。

《美婦人傳》六卷。

不署撰者。兩《唐志》無載，亡佚。

《妬記》二卷。虞通之撰。

虞通之（生卒年不詳）：會稽餘姚（今浙江餘姚）人。有學行，善言《易》，官至步兵校尉。見《南史》卷七二。《南史》卷二三載，使近臣虞通之撰《妬婦記》。《日本國見在書目録》著録《妬記》二卷，不署撰者。《新唐志》著録虞通之《后妃記》四卷，又《妬記》二卷。《宋志》無載，亡佚。

《道人善道開傳》一卷。康泓撰。

"善道開"當作"單道開"，《晉書》卷九五有傳。康泓：單道開弟子，其他事迹不詳。兩《唐志》無載，亡佚。

《名僧傳》三十卷。釋寶唱撰。

釋寶唱（生卒年不詳）：俗姓岑，吴郡（今江蘇蘇州周邊）人，揚都莊嚴寺僧，高足。博識洽聞，罕人能比之，深受梁武帝崇敬，敕撰《經律異相》，又别撰《名僧傳》。見《開元釋教録》卷六、《法苑珠林・傳記》。本志集部尚有其二部著述。《舊唐志》“雜傳類”著録釋寶唱《名僧傳》三十卷，《新唐志》“釋家類”著録僧寶唱《名僧傳》三十卷，《宋志》無載，亡佚。

《高僧傳》十四卷。釋慧皎撰。

釋慧皎：原作“釋僧祐”，據《開元釋教録》及兩《唐志》改。釋慧皎（497—554），會稽上虞（今浙江紹興）人。學通内外，博訓經律。住嘉祥寺，春夏弘法，秋冬著述。以寶唱《名僧傳》頗多浮冗，而著《高僧傳》一部，序録一卷、傳十三卷，始於漢明帝永平十年（67），終至梁天監十八年（519），凡四百五十三載，合四百九十六人。見《開元釋教録》卷六。《日本國見在書目録》著録《高僧傳》十四卷，釋僧祐撰；《舊唐志》“雜傳類”、《新唐志》“釋家類”著録釋惠皎《高僧傳》十四卷；《宋志》著録僧慧皎《高僧傳》十四卷。現存最早的本子爲明正統五年（1440）内府刻北藏本，通行本爲中華書局點校本。

《江東名德傳》三卷。釋法進撰。

釋法進（生卒年不詳）：或道進，或法迎。俗姓唐，凉州張掖（今甘肅張掖）人。精苦習誦，有超邁之德，爲沮渠蒙遜所重。通撰論傳，而辭事闕略，並互有繁簡，出没成異，考之行事，未見所歸。見《高僧傳》卷一二及其序。姚振宗據《全晉文》卷六二有孫綽《名德沙門論目》，疑此書爲孫綽所作。姑備一説。兩《唐志》無載，亡佚。

《法師傳》十卷。王巾撰。

王巾（？—505）：字簡棲，琅邪臨沂（今山東臨沂）人。起家郢州從事征南記室，有學業，爲《頭陀寺碑》，文詞巧麗，爲世所重。天監四年（505）卒。見《昭明文選》卷五九《頭陀寺碑文》注。本志集部尚有其著述一部。據《高僧傳序》所載，此書以竟陵王《三寶記》爲藍本撰成，名爲《僧史》。兩《唐志》無載，亡佚。

《衆僧傳》二十卷。裴子野撰。

《梁書》卷四一載，裴子野又撰《衆僧傳》二十卷。本志子部“雜家類”著録裴子野《衆僧傳》二十卷，與此重矣。《舊唐志》“雜傳類”、《新唐志》“釋家類”著録裴子野《名僧録》十五卷，《宋志》無載。亡佚。

《薩婆多部傳》五卷。釋僧祐撰。

釋僧祐（445—518）：俗姓俞，祖籍彭城下邳（今江蘇邳州）。入道師事沙門法穎，法穎一時名匠，爲律學所宗。祐竭思鑽求，無懈昏曉，遂大精律部，有邁先哲，深受皇家禮遇，凡黑白門徒一萬一千餘人。天監十七年（518）卒于建初寺。有《三藏記》、《法苑記》、《世界記》、《釋迦譜》、《弘明集》等行於世。見《高僧傳》卷一一。《法苑珠林·傳記篇》“《薩婆多師資傳》五卷，梁朝揚州建安寺沙門釋僧祐撰”。本志史、集部尚有其三部著述。《舊唐志》“雜傳類”著録釋僧祐《薩婆多部傳》五卷，《新唐志》“釋家類”著録釋僧祐《薩婆多師資傳》四卷，《宋志》無載，亡佚。

《梁故草堂法師傳》一卷。

不署撰者。《舊唐志》“雜傳類”著録《草堂法師傳》一卷，陶弘景撰；又一卷，蕭理撰。《新唐志》“釋家類”著録陶弘景《草堂法師傳》一卷，蕭回理《草堂法師傳》一卷。《宋志》無載，亡佚。

《尼傳》二卷。釋寶唱撰。

釋寶唱（生卒年不詳）：原作“皎法師”，據《開元釋教録》、兩《唐志》改。《開元釋教録》卷六載，梁釋寶唱又撰《尼傳》四卷，述晉宋齊梁四代尼行。《舊唐志》“雜傳類”、《新唐志》“釋家類”皆著録《比丘尼傳》四卷，《宋志》“釋家類”著録僧寶唱《比丘尼傳》五卷。《郡齋讀書志》卷九著録《比丘尼傳》四卷，稱“起晉昇平，訖梁天監，得尼六十五人，爲之傳”。今亡佚。

《法顯傳》二卷。

《法顯行傳》一卷。

兩書皆不署撰者。《高僧傳》、《魏書·釋老志》、《法苑珠林·傳記篇》有對法顯的記載。兩《唐志》無載是書，《宋志》“釋家類”著録《法顯傳》一卷，《説郛》存《法顯傳》一卷。

《梁武皇帝大捨》三卷。嚴翯撰。

嚴翯（hào）：生平事迹不詳。《南史》卷六載，梁武帝在中大通元年（529）、中大同元年（546）、太清元年（547）三次捨身施佛。本志子部“雜家類”著録《皇帝菩薩清静大捨記》三卷，謝吴撰。不知與此書是何關係。兩《唐志》無載，亡佚。

《列仙傳贊》三卷。劉向撰，鬷續，孫綽贊。

鬷（zōng）：鬷爲姓，疑下有脱文。不詳何人。今本《列仙傳總贊》曰：“余得秦大夫阮倉撰《列仙圖》，自六代迄今七百餘人。”《顔氏家訓·書證》稱《列仙傳》劉向所造，而贊云七十四人出佛經，由後人所羼，非本文也。《舊唐志》“雜傳類”著録劉向《列仙傳贊》二卷,《新唐志》“神仙類”著録劉向《列仙傳》二卷,《宋志》“神仙類”著録劉向《列仙傳》三卷。《直齋書録解題》卷一二著録劉向《列仙傳》二卷，稱“凡七十二人，每傳有贊，似非向本書，西漢人文章不爾也”。《四庫全書總目》卷一四六著録劉向《列仙傳》二卷，提要以爲此書“或魏晉間方士爲之，託名於向耶”。現存最早的本子爲明嘉靖黄魯曾刻二卷本，通行本有《四庫》本、《道藏》本、《指海》本等。

《列仙傳贊》二卷。劉向撰，晉郭元祖贊。

郭元祖：生平事迹不詳。兩《唐志》無載，亡佚。

《神仙傳》十卷。葛洪撰。

《晉書》卷七二載，葛洪撰《神仙傳》十卷。《舊唐志》“雜傳類”、《新唐志》“神仙類”著録葛洪《神仙傳》十卷,《宋志》“神仙類”著録葛洪《神仙傳》十卷。《四庫全書總目》卷一四六著録葛洪《神仙傳》十卷，稱此書凡録八十四人，其間不免附會虚誕之事。現存最早的本子爲明萬曆刻《廣漢魏叢書》本，通行本爲《四庫》本、《龍威祕書》本等。

《説仙傳》一卷。朱思祖撰。

朱思祖：生平事迹不詳。兩《唐志》無載，亡佚。

《養性傳》二卷。

不署撰者。兩《唐志》著録《養性傳》二卷,《宋志》無載，亡佚。

《漢武内傳》三卷。

不署撰者。《舊唐志》“雜傳類”、《新唐志》“神仙類”著録

《漢武帝傳》二卷，《宋志》"傳記類"著録《漢武内傳》二卷。《西京雜記序》末曰，有《漢武帝禁中起居注》一卷、《漢武故事》二卷，世人稀有之。《玉海》卷五八載："《漢武帝内傳》二卷載西王母事，後有淮南王、公孫卿、稷丘君八事，乃唐終南玄都道士游岩所附。"《四庫全書總目》卷一四二著録《漢武帝内傳》一卷，稱舊題班固撰，已無《玉海》所言"八事"，蓋明人删竄之本，非完書矣。今有明萬曆刻《廣漢魏叢書》本、《説郛》本、《四庫》本、《墨海金壺》本等。

《太元真人東鄉司命茅君内傳》一卷。弟子李遵撰。

李遵：生平事迹不詳。《太平御覽》卷六六一、《雲笈七籤》卷四載李遵撰《太元真人東嶽上卿司命真君傳》事。《舊唐志》"雜傳類"著録《茅君内傳》一卷，《新唐志》"神仙類"著録李遵《茅君内傳》一卷、李遵《茅三君内傳》一卷，疑有重出。《宋志》"神仙類"著録李遵《三茅君内傳》一卷，《郡齋讀書志》、《直齋書録解題》無載，亡佚。

《清虚真人王君内傳》一卷。弟子華存撰。

華存（生卒年不詳）：姓魏，字賢安，任城（今山東濟寧）人。晉司徒文康公魏舒女，清虚真人弟子，爲紫虚元君領上真司命南岳夫人。范邈爲其作内傳，顯於世。見《太平御覽》卷六六一。《太平御覽》卷六六一引《三洞珠囊》所載清虚真人王褒事迹。《舊唐志》"雜傳類"、《新唐志》"神仙類"著録《清虚真人内傳》一卷，《宋志》"神仙類"著録《南嶽夫人清虚玉君内傳》一卷，《郡齋讀書志》、《直齋書録解題》皆無載，亡佚。

《清虚真人裴君内傳》一卷。

不署撰者。《太平御覽》卷六六一、《雲笈七籤》卷一〇五載裴玄仁事迹。《舊唐志》“雜傳類”著録《清虚真人裴君内傳》一卷，鄭子雲撰；《新唐志》“神仙類”著録鄭雲千《清虚真人内傳》一卷；《雲笈七籤》著録《清靈真人裴君傳》一卷，鄧雲子撰；《宋志》無載，亡佚。

《正一真人三天法師張君内傳》一卷。

不署撰者。《後漢書》卷七五、《太平御覽》卷六六一載正一真人張陵事迹。《舊唐志》“雜傳類”、《新唐志》“神仙類”著録王莨《三天法師張君内傳》一卷，《宋志》無載，亡佚。

《太極左仙公葛君内傳》一卷。

不署撰者。《晉書》卷七二、《太平御覽》六六二載左仙公葛玄事迹。《舊唐志》“雜傳類”著録《太極左仙公葛君内傳》一卷，吕先生注；《新唐志》“神仙類”著録吕先生《太極左仙公葛君内傳》一卷，《宋志》無載，亡佚。

《仙人馬君陰君内傳》一卷。

不署撰者。《太平御覽》卷六六一載仙人馬明生事迹，《太平御覽》卷六六二載仙人陰長生事迹。《舊唐志》“雜傳類”著録趙昇《仙人馬君陰君内傳》一卷，《新唐志》“神仙類”著録趙昇等《仙人馬君陰君内傳》一卷，《宋志》“神仙類”著録《仙人馬君陰君内傳》一卷，《郡齋讀書志》、《直齋書録解題》無載，亡佚。

《仙人許遠游傳》一卷。

不署撰者。《晉書》卷八〇有《許邁傳》，許邁改名許玄，字遠游，王羲之自爲之傳，述靈異之迹甚多，不可詳記。《舊唐志》“雜傳類”著録王羲之《許先生傳》一卷，《新唐志》“神仙類”著録王羲之《許先生傳》一卷，《宋志》“神仙類”著録《許邁傳》

一卷,《直齋書録解題》、《郡齋讀書志》皆無載，亡佚。

《靈人辛玄子自序》一卷。

《真誥》卷一六言及辛玄子事迹。《舊唐志》“雜傳類”、《新唐志》“神仙類”著録《靈人辛玄子自序》一卷,《宋志》無載，亡佚。

《劉君内記》一卷。王珍撰。

王珍：生平事迹不詳。《神仙傳》載王莽時，衡府君使府掾王珍往劉根（即劉君）處問起居，劉根教其守一行氣、存神等法。《後漢書》卷八二下有《劉根傳》。兩《唐志》無載，亡佚。

《陸先生傳》一卷。孔稚珪撰。

孔稚珪（447—501）：字德璋，會稽山陰（今浙江紹興）人。少學涉廣，有美譽。仕宋，入齊歷南郡太守、都官尚書、太子詹事，加散騎常侍。永元三年（501）卒，時年五十五。《南齊書》卷四八、《南史》卷四九有傳。本志集部尚有其一部著述。《雲笈七籤》卷五載陸修静事迹。兩《唐志》不載此書，亡佚。

《列仙贊序》一卷。郭元祖撰。

此書可能是前著録郭元祖所作《列仙傳贊》的序，或是其中一部分。

《集仙傳》十卷。

不署撰者。洪邁《容齋隨筆五》卷四稱,《集仙傳》所載内容見於《太平廣記》，其撰者爲晉張敏。兩《唐志》無載，亡佚。

《洞仙傳》十卷。

不署撰者。《舊唐志》“雜傳類”、《新唐志》“神仙類”著録見素子《洞仙傳》十卷,《宋志》無載，亡佚。

《王喬傳》一卷。

不署撰者。《後漢書》卷八二有《王喬傳》。《舊唐志》"雜傳類"、《新唐志》"神仙類"著録《王喬傳》一卷,《宋志》無載，亡佚。

《關令内傳》一卷。鬼谷先生撰。

鬼谷先生（生卒年不詳）:《史記》卷六九載，蘇秦習之於鬼谷先生。《風俗通義》曰："鬼谷先生，六國時縱横家。"樂壹注《鬼谷子》書曰："蘇秦欲神祕其道，故假名鬼谷。"《漢志》著録《關尹子》九篇。班固注曰："名喜，爲關吏，老子過關，喜去吏而從之。"《列仙傳》卷上載關令尹事迹。《舊唐志》"雜傳類"、《新唐志》"神仙類"著録《關令尹喜傳》一卷，鬼谷先生撰，四皓注。《宋志》無載，亡佚。

《南嶽夫人内傳》一卷。

南嶽夫人：即魏華存。《太平御覽》卷六六一載其事迹，並稱其弟子范邈爲其作傳。《舊唐志》"雜傳類"、《新唐志》"神仙類"著録范邈《紫虚元君南嶽夫人内傳》一卷,《宋志》無載，亡佚。

《蘇君記》一卷。周季通撰。

周季通（生卒年不詳）：名義山，汝陰（今安徽合肥）人，漢周勃七世孫，紫陽真人。見《太平御覽·道部》所引《周君内傳》。《太平御覽》卷六六一、六六二載蘇林事迹。《舊唐志》"雜傳類"、《新唐志》"神仙類"著録周季通《蘇君記》一卷,《宋志》"神仙類"著録《玄洲上卿蘇君記》一卷。《郡齋讀書志》、《直齋書録解題》無載，亡佚。

《嵩高寇天師傳》一卷。

不署撰者。《魏書》卷一一四《釋老志》載寇謙之事迹。《舊唐志》“雜傳類”、《新唐志》“神仙類”著録宋都能《嵩高少室寇天師傳》三卷，《宋志》無載，亡佚。

《華陽子自序》一卷。

華陽子：即陶弘景，《梁書》卷五一有傳，載其自號“華陽隱居”。《舊唐志》“雜傳類”、《新唐志》“神仙類”著録茅處玄《華陽子自序》一卷，《宋志》無載，亡佚。

《太上真人内記》一卷。李氏撰。

李氏：不知何人。此書兩《唐志》無載，亡佚。

《道學傳》二十卷。

不署撰者。《陳書》卷一九載，馬樞隱茅山，撰《道覺論》二十卷。《舊唐志》“雜傳類”、《新唐志》“神仙類”著録馬樞《學道傳》二十卷，《宋志》無載，亡佚。

《宣驗記》十三卷。劉義慶撰。

《宋書》卷五一、《南史》卷一三《劉義慶傳》均未提及此書，兩《唐志》無載，亡佚。《説郛》存一卷，近人魯迅輯有一卷。

《應驗記》一卷。宋光禄大夫傅亮撰。

傅亮（375—426）：字季友，北地靈州（今寧夏靈武）人。博涉經史，尤善文辭。仕晉爲中書黄門侍郎，宋初建，令書除侍中，領世子中庶子。太祖即位，加散騎常侍，左光禄大夫。元嘉三年（426），伏誅，時年五十二。《宋書》卷四三、《南史》卷一五有傳。本志史、集部尚有其二部著述。兩《唐志》無載，亡佚。

《冥祥記》十卷。王琰撰。

王琰（生卒年不詳）：《法苑珠林·敬佛篇》稱其爲宋居士，《傳記篇》載《冥祥記》一部十卷，齊王琰撰。《舊唐志》“雜傳類”著録王琰《冥祥記》十卷，《新唐志》“小説家”著録王琰《冥祥記》一卷，《宋志》無載，亡佚。《説郛》存一卷，近人魯迅輯有一卷。

《列異傳》三卷。魏文帝撰。

魏文帝（187—226）：曹操之子曹丕，字子桓，沛國譙（今安徽亳州）人。建安十六年（211）爲五官中郎將、副丞相，二十二年（217）立爲魏太子。延康元年（220）受禪，改元稱帝，黄初七年（226）崩，時年四十。文帝好文學，以著述爲務，著有《典論》，又使諸儒編成《皇覽》千餘篇。《三國志》卷二有傳。本志子、集部尚有其二部著述。兩《唐志》無載，亡佚。

《感應傳》八卷。王延秀撰。

王延秀（生卒年不詳）：太原（今山西太原）人，泰始中爲祠部郎。見《全宋文》卷五六。本志“雜家類”著録《感應傳》八卷，宋尚書郎王延秀撰，爲重出。《舊唐志》“雜傳類”、《新唐志》“小説家”著録王延秀《感應傳》八卷，《宋志》無載，亡佚。

《古異傳》三卷。宋永嘉太守袁王壽撰。

袁王壽：生平事迹不詳。《舊唐志》“雜傳類”著録袁仁壽《古異傳》三卷、《新唐志》“小説家”著録袁王壽《古異傳》三卷，《宋志》無載，亡佚。近人魯迅輯有一卷。

《甄異傳》三卷。晉西戎主簿戴祚撰。

戴祚（生卒年不詳）：江東（今安徽蕪湖以下長江南岸地區）

人，晉末從劉裕西征姚泓。見《封氏聞見記》卷七。《水經注》卷一五《洛水》注稱，劉裕命參軍戴延之等即舟窮覽洛川。戴祚與戴延之當爲一人。本志史部尚有其二部著述。《舊唐志》“雜傳類”、《新唐志》“小説家”著録此書，《宋志》無載，亡佚。《説郛》存一卷，近人魯迅輯有一卷。

《述異記》十卷。祖冲之撰。

祖冲之（429—500）：字文遠，范陽薊（今天津薊州）人。少稽古，有機思。解褐南徐州迎從事，公府參軍。出爲婁縣令，謁者僕射。入齊，轉長水校尉。永元二年（500）卒，時年七十二。釋《論語》、《孝經》，注《九章》，造《綴述》數十篇。《南齊書》卷五二、《南史》卷七二有傳。本志集部尚有其一部著述。《舊唐志》“雜傳類”、《新唐志》“小説家”著録此書，《宋志》無載，亡佚。近人魯迅輯有一卷。

《異苑》十卷。宋給事劉敬叔撰。

劉敬叔（？—468）：彭城（今江蘇徐州）人。起家中兵參軍，義熙十三年（417）爲長沙王驃騎參軍。元嘉三年（426），爲給事黄門郎，太始中卒。見《四庫全書總目》卷一四二。兩《唐志》、《宋志》皆無載，明胡震亨獲此書刊入《祕册彙函》。今尚有《津逮祕書》本、《四庫》本、《學津討原》本等。

《續異苑》十卷。

不署撰者。兩《唐志》無載，亡佚。

《搜神記》三十卷。干寶撰。

《晉書》卷八二載，干寶撰集古今神祇靈異人物變化，名爲《搜神記》，凡三十卷。《舊唐志》“雜傳類”、《新唐志》“小説家”

著録干寶《搜神記》三十卷,《宋志》“小説家”著録干寶《搜神總記》十卷,《崇文總目》、《郡齋讀書志》、《直齋書録解題》皆不載。《四庫全書總目》卷一四二稱，其著録《搜神記》爲明胡震亨所刻，胡應麟《甲乙剩言》言此書不過是從《法苑》、《御覽》、《藝文》、《初學》書抄諸書中録出耳。現《搜神記》二十卷本有《祕册彙函》本、《四庫》本、《學津討原》本、《叢書集成》本等，八卷本有《廣漢魏叢書》本、《稗海》本、《龍威祕書》本等。

《搜神後記》十卷。陶潛撰。

陶潛（372—427）：字淵明，尋陽柴桑（今江西九江西南）人。少有高趣，宅邊有五柳樹，作《五柳先生傳》。曾爲州祭酒、彭澤令。賦《歸去來辭》明志，不再爲官。元嘉四年（427）卒。世號“靖節先生”。《晉書》卷九四、《宋書》卷九三、《南史》卷七五有傳。本志集部尚有其一部著述。《日本國見在書目録》著録《搜神後記》十卷，陶潛撰。兩《唐志》、《宋志》無載,《四庫全書總目》卷一四二著録此書，稱舊題陶潛作，實爲僞託，然非唐以後人所能，今傳刻猶古本，不可謂其非六代遺書。此書十卷本有《祕册彙函》本、《津逮祕書》本、《四庫》本等，一卷本有《唐宋叢書》本、《説郛》本、《龍威祕書》本等，二卷本有《五朝小説》本、《增訂漢魏叢書》本等。

《靈鬼志》三卷。荀氏撰。

荀氏：不詳何人。《舊唐志》“雜傳類”、《新唐志》“小説家”著録荀氏《靈鬼志》三卷,《宋志》無載，亡佚。《説郛》存一卷，近人魯迅輯有一卷。

《志怪》二卷。祖台之撰。

祖台之（生卒年不詳）：字元辰，范陽（今北京南）人。官至侍中、尚書左丞、光禄大夫。撰志怪書行於世。見《晉書》卷七五。本志集部尚有其一部著述。《舊唐志》“雜傳類”、《新唐志》“小説家”著録祖台之《志怪》四卷,《宋志》無載，亡佚。《説郛》存一卷，近人魯迅輯有一卷。

《志怪》四卷。孔氏撰。

孔氏：不詳何人。《舊唐志》“雜傳類”、《新唐志》“小説家”著録孔氏《志怪》四卷,《宋志》無載，亡佚。近人魯迅輯有一卷。

《神録》五卷。劉之遴撰。

劉之遴（477—548）：字思貞，南陽涅陽（今河南鎮平南）人。起家寧朔主簿，歷任南郡太守、都官尚書、太常卿。太清二年（548）卒，時年七十二。好屬文，多學古體。好古愛奇，聚古器多種。《梁書》卷四〇、《南史》卷五〇有傳。本志集部尚有其一部著述。《舊唐志》“雜傳類”、《新唐志》“小説家”著録此書《宋志》無載，亡佚。近人魯迅輯有一卷。

《齊諧記》七卷。宋散騎侍郎東陽无疑撰。

東陽无疑：生平事迹不詳。《舊唐志》“雜傳類”著録東陽無疑《齊諧記》七卷,《新唐志》“小説家”著録東陽无疑《齊諧記》七卷,《宋志》無載，亡佚。清馬國翰、近人魯迅各輯有一卷。

《續齊諧記》一卷。吴均撰。

《日本國見在書目録》著録《續齊諧記》三卷，吴均撰;《舊唐志》“雜傳類”、《新唐志》“小説家”、《宋志》“小説家”著録吴均《續齊諧記》一卷;《崇文總目》“小説家”著録吴均《續齊諧記》三卷。《直齋書録解題》卷一一著録此書，稱：“齊諧志怪，本莊子語也。《唐志》又有東陽無疑《齊諧志》，今不傳。此書殆續之者歟？"《四庫全書總目》卷一四二著録此書，稱吴均續東陽無疑書，所記皆神怪之事，唐代李善、劉禹錫等多引之。今有《顧氏文房小説》本、《廣漢魏叢書》本、《四庫》本、《五朝小説》本、《説郛本》等。

《幽明録》二十卷。劉義慶撰。

《宋書》卷五一未載劉義慶曾撰此書。《舊唐志》"雜傳類"、《新唐志》"小説類"著録劉義慶《幽明録》三十卷，《宋志》無載，亡佚。《説郛》存一卷，近人魯迅輯有一卷。

《補續冥祥記》一卷。王曼穎撰。

王曼穎（生卒年不詳）：太原（今山西太原）人。卒，家貧，無力辦後事，得南平王蕭偉周濟。見《梁書》卷二二。《舊唐志》"雜傳類"、《新唐志》"小説類"著録王曼穎《續冥祥記》十一卷，《宋志》無載，亡佚。

《漢武洞冥記》一卷。郭氏撰。

郭氏：疑爲郭憲（生卒年不詳），字子横，汝南宋（今安徽太和北）人。光武即位，拜博士、光禄勳。見《後漢書》卷八二上。《日本國見在書目録》著録《漢武洞冥記》四卷，郭子横撰；《舊唐志》"雜傳類"著録《漢别國洞冥記》四卷，郭憲撰；《新唐志》"神仙類"著録郭憲《漢武帝别國洞冥記》四卷；《宋志》"傳記類"著録郭憲《洞冥記》四卷，"小説家"著録《漢武帝洞冥記》四卷，郭憲編；《崇文總目》著録《漢武帝列國洞冥記》一卷。《郡齋讀書志》卷九著録郭憲《漢武洞冥記》五卷，引其序曰："洞心於道，教使冥迹之奥，昭然顯著，故曰洞冥。"《直齋書録解題》卷一一著録郭憲《洞冥記》四卷、《拾遺》一卷，稱四卷亦非全書。《四庫全書總目》卷一四二著録郭憲《漢武洞冥記》四卷，稱晁公武所引郭憲自序與《拾遺》俱已佚，此書所載皆怪誕不根之談，文詞縟艷，不似東漢文，或六朝人僞託。今存四卷本有萬曆刻《漢魏叢書》本、明抄本、《四庫》本、《廣漢魏叢書》本、《子書百家》本等；一卷本有《説郛》本、《五朝小説》本等。

《嘉瑞記》三卷。陸瓊撰。

《陳書》卷三〇載，陸瓊父雲公奉梁武帝敕撰《嘉瑞記》，陸瓊述其旨而續焉，自永定訖於至德，勒成一家之言。此書兩《唐志》無載，亡佚。

《祥瑞記》三卷。

不署撰者。《舊唐志》"雜家類"著録《祥瑞圖》十卷，不署撰者；《新唐志》著録顧野王《祥瑞圖》十卷，可能與此書有關，《宋志》無載，亡佚。

《符瑞記》十卷。許善心撰。

兩《唐志》"雜家類"著録許善心《皇隋瑞文》十四卷，疑即此書，《宋志》無載，亡佚。

《靈異録》十卷。

不署撰者。兩《唐志》無載，亡佚。

《靈異記》十卷。

不署撰者。《隋書》卷五八、《北史》卷八三載，許善心奉敕與崔祖濬撰《靈異記》十卷。《日本國見在書目録》著録《靈異記》十卷，兩《唐志》無載，亡佚。

《研神記》十卷。蕭繹撰。

《南史》卷七六載，湘東王蕭繹著《研神記》。《金樓子》卷五載《研神記》一帙一卷，《日本國見在書目録》著録梁湘東王《研神記》一卷，《舊唐志》"雜傳類"、《新唐志》"小説家"著録梁元帝《妍神記》十卷，《宋志》無載，亡佚。

《旌異記》十五卷。侯君素撰。

侯君素（生卒年不詳）：名白，魏郡臨漳（今河北臨漳）人。好學有捷才，舉秀才，爲儒林郎。隋文帝聞其名，令於祕書省修國史。著《旌異記》十五卷，行於世。見《北史》卷八三。《法苑珠林·傳記》載《旌異傳》一部二十卷，隋朝相州秀才儒林郎侯君素奉文帝敕撰。《舊唐志》"雜傳類"、《新唐志》"小説家"著録侯君素《旌異記》十五卷，《宋志》無載，亡佚。

《近異録》二卷。劉質撰。

劉質：生平事迹不詳。《舊唐志》"雜傳類"、《新唐志》"小説家"著録劉質《近異録》二卷，《宋志》無載，亡佚。

《鬼神列傳》一卷。謝氏撰。

謝氏：不詳何人。《舊唐志》"雜傳類"、《新唐志》"小説家"著録謝氏《鬼神列傳》二卷，《宋志》無載，亡佚。

《志怪記》三卷。殖氏撰。

殖氏：不詳何人。此書兩《唐志》無載，亡佚。

《舍利感應記》三卷。王劭撰。

《法苑珠林·舍利篇》載，《舍利感應記》二十卷，隋著作郎王邵撰。兩《唐志》無載，亡佚。

《真應記》十卷。

不署撰者。兩《唐志》無載，亡佚。

《周氏冥通記》一卷。

不署撰者。《舊唐志》“雜傳類”著録《周氏冥通記》一卷，陶弘景撰；《崇文總目》著録周子良《冥通録》三卷；《宋志》“小説類”著録周子良《冥通記》四卷。《四庫全書總目》卷一四七載《冥通記》四卷，周子良撰。稱此書卷首有陶弘景作《子良傳》，周子良（生卒年不詳），字元歙，本汝南（今河南境内）人，寓居丹陽。年十二從師陶弘景。此書所記遇仙事，逐日縷載，亦陶弘景《真誥》之流也。今存《祕册彙函》本、《唐宋叢書》本、《津逮祕書》本、《叢書集成》本、《説郛》本、《道藏》本等。

《集靈記》二十卷。*顔之推撰*。

顔之推：見本志經部“小學類”。《舊唐志》“雜傳類”、《新唐志》“小説類”著録顔之推《集靈記》十卷，《宋志》無載，亡佚。《説郛》存一卷，近人魯迅輯有一卷。

《冤魂志》三卷。*顔之推撰*。

《法苑珠林・傳記篇》載，《承天達性論》、《冤魂志》一卷、《誡殺訓》一卷，右三部，齊光禄大夫顔之推撰。《舊唐志》“雜傳類”、《新唐志》“小説類”著録顔之推《冤魂志》三卷；《宋志》、《崇文總目》著録顔之推《還冤志》三卷；《直齋書録解題》卷一一著録《北齊還冤志》三卷，顔之推撰。《四庫全書總目》卷一四二著録《還冤志》三卷，隋顔之推撰。稱此書文詞亦頗古雅，殊異小説之冗濫，存爲鑒戒，固亦無害於義矣。《還冤志》三卷本，有《四庫》本；《還冤記》一卷本有《唐宋叢書》本、《説郛》本、《五朝小説》本等。

右二百一十七部，一千二百八十六卷。通計亡書，合二百一十九部，一千五百三卷。

二百一十七部：實際著録二百零七部。合二百一十九部：此計二部亡書，應指任昉《雜傳》、賀蹤《雜傳》，而這二書還有部分留存，不應計爲亡書。故應合二百零七部。

古之史官，必廣其所記，非獨人君之舉。《周官》，外史掌四方之志，則諸侯史記，兼而有之。《春秋傳》曰："虢仲、虢叔，王季之穆，勳在王室，藏於盟府[1]。"臧紇之叛，季孫命太史召掌惡臣而盟之[2]。《周官》，司寇凡大盟約，涖其盟書，登於天府[3]。太史、内史、司會、六官[4]，皆受其貳而藏之。是則王者誅賞，具録其事，昭告神明，百官史臣，皆藏其書。故自公卿諸侯，至于群士，善惡之迹，畢集史職。而又閭胥之政[5]，凡聚衆庶，書其敬敏任卹者，族師每月書其孝悌睦婣有學者[6]，黨正歲書其德行道藝者[7]，而入之於鄉大夫[8]。鄉大夫三年大比[9]，考其德行道藝，舉其賢者能者，而獻其書。王再拜受之，登于天府，内史貳之。是以窮居側陋之士，言行必達，皆有史傳。自史官曠絶，其道廢壞，漢初，始有丹書之約，白馬之盟[10]。武帝從董仲舒之言，始舉賢良文學。天下計書[11]，先上太史，善惡之事，靡不畢集。司馬遷、班固，撰而成之，股肱輔弼之臣[12]，扶義俶儻之士[13]，皆有記録。而操行高潔，不涉於世者，《史記》獨傳夷、齊[14]，《漢書》但述楊王孫之儔[15]，其餘皆略而不説。又漢時，阮倉作《列仙圖》[16]，劉向典校經籍，始作《列仙》、《列士》、《列女》之傳，皆因其志尚，率爾而作，不在正史。後漢光武，始詔南陽，撰作《風俗》[17]，故沛、三輔有耆舊節士之序[18]，魯、廬江有名德先賢之贊。郡國之書，由是而作。魏文帝又作《列異》，以序鬼物奇怪之事，嵇康作《高士傳》，以叙聖賢之風。因其事類，相繼而作者甚衆，名目轉廣，而又雜以虚誕怪妄之説。推其本源，蓋亦史官之末事也。載筆之士，删采其要焉。魯、沛、三輔，序贊並亡[19]，後之作者，亦多零失。今取其見存，部而類之，謂之雜傳。

[1]“《春秋傳》”至“藏於盟府”：此内容見《春秋左傳・僖公五年》。虢叔、虢仲爲王季之子，周文王同母弟。盟府，司盟之官。

[2]“臧紇之叛”至“而盟之”：事見《春秋左傳・襄公二十三年》。臧紇斬鹿門之關以出，奔邾，致防而奔齊。季孫召外史掌奔亡者而載書之首。

[3]“司寇”至“登於天府”：見《周禮・秋官・大司寇》。盟書，盟誓之書。天府，周官名，屬春官，掌祖廟的守護和保管。凡民數的登記册、邦國的盟書、訴訟的簿籍，皆於天府保存。

[4]司會：周官名，屬天官，主管財政經濟。六官，六卿之官，即天官冢宰、地官司徒、春官宗伯、夏官司馬、秋官司寇、冬官司空。

[5]閭胥：周官名，屬地官，掌其閭之徵令。

[6]族師：周官名，屬地官，掌其族之戒令政事。孝悌（tì）：亦作“孝弟”，孝順父母，敬愛兄長。睦婣（yīn）：婣，同“姻”。睦，親於九族；婣，親於外親。

[7]黨正：周官名，屬地官，轄五百家之政令、教治。

[8]鄉大夫：周官名，屬地官，掌鄉之政教禁令。

[9]大比：周制，每三年對鄉吏進行考核，選擇賢能，稱大比。

[10]“丹書”至“白馬之盟”：見《漢書》卷一六《高惠高後文功臣表》“於是申以丹書之信，重以白馬之盟”。丹書，是帝王頒給功臣的契約，以金匱、石室藏之宗廟。白馬之盟，爲刑白馬歃血以爲盟。

[11] 計書：考核官吏業績之文書。

[12] 股肱（gōng）：大腿和胳膊，常以此比喻輔佐君王的大臣。

[13] 俶（tì）儻：卓異不凡。

[14] 夷齊：即伯夷、叔齊，商孤竹君之子。孤竹君欲傳位於次子叔齊，其死後，叔齊讓位給伯夷，伯夷不受，二人皆出奔。周滅商，二人恥食周粟，雙雙餓死在首陽山。見《史記》卷六一。

[15] 楊王孫：漢武帝時人，習黄老術。臨終囑其子，他要薄葬。班固贊其賢於秦始皇遠矣。見《漢書》卷六七。儔（chóu），同輩。

[16] 阮倉：據今本《列仙傳》卷末劉向贊曰："余嘗得秦大夫阮倉撰《仙圖》，自六代迄今七百餘人……"阮倉應爲秦人，而此稱漢時阮倉，不知孰是。

[17]《風俗》：應是一部講述風俗的書，但不是後漢應劭所撰《風俗通義》。

[18] 三輔：漢治理京畿地區的三個職官。漢武帝時，京兆尹治長安以東，左馮翊治長陵以北，右扶風治渭城以西。

[19] 序贊並亡：觀前之著録，多爲各地先賢傳，少有序贊，故出此言。

地　理

《山海經》二十三卷。郭璞注。

《晉書》卷七二載，郭璞注《山海經》，傳於世。《漢志·數術·形法》著録《山海經》十三篇。郭璞稱，此書跨世七代，歷載三千，雖暫顯於漢，而尋亦寢廢，其山川名號所在，多有舛謬，與今不同。《顔氏家訓·書證》以爲此書皆由後人所羼，非本文也。《日本國見在書目録》著録《山海經》二十一卷，郭璞撰，見十八卷。《舊唐志》著録《山海經》十八卷，郭璞撰；《新唐志》著録郭璞注《山海經》二十三卷。《郡齋讀書志》卷八著録《山海經》十八卷，稱大禹製，郭璞傳，漢奉車都尉劉秀校定。《中興館閣書目輯考》卷三著録《山海經》十八卷，晉郭璞傳，凡二十三卷。《宋志》無載。《四庫全書總目》卷一四二著録《山海經》十八卷，稱《隋志》、兩《唐志》著録皆爲二十三卷，此十八卷乃後人並卷所致，非闕佚。研究《山海經》之成果有清郝懿行撰《山海經箋疏》十八卷、吴任臣撰《山海經廣注》十八卷等。現存最早的本子爲宋淳熙七年（1180）刻本，通行本爲《四庫》本、《四部叢刊》本、《叢書集成》本等。

《水經》三卷。郭璞注。

《唐六典》卷七曰："桑欽《水經》所引天下之水百三十七，江、河在焉。"《舊唐志》著録《水經》二卷，郭璞撰；《新唐志》

著録桑欽《水經》三卷，郭璞注。姚振宗以爲，注《水經》者，唯酈道元一家，郭璞未注《水經》。疑此書爲他人取郭氏《山海經注》移出而爲《水經》之注。《宋志》無載，亡佚。

《黄圖》一卷。記三輔宫觀陵廟明堂辟雍郊畤等事。

不署撰者。《日本國見在書目録》著録《黄圖》一卷，兩《唐志》著録《三輔黄圖》一卷。《郡齋讀書志》卷八著録《三輔黄圖》三卷，稱此書出於梁、陳之間。《四庫全書總目》卷六八著録《三輔黄圖》六卷，提要稱書中有唐至德二年（757）事，疑爲唐肅宗以後人所補。現存最早的本子爲元致和元年（1328）刻六卷本，通行本有一卷之《説郛》本、《叢書集成》本，六卷之《四庫》本、《廣漢魏叢書》本、《四部叢刊》本等。

《洛陽記》四卷。

不署撰者。兩《唐志》無載，亡佚。民初葉昌熾輯一卷。

《洛陽記》一卷。陸機撰。

兩《唐志》著録此書，《宋志》無載，亡佚。《説郛》存一卷，民初葉昌熾輯一卷。

《洛陽宫殿簿》一卷。

不署撰者。《日本國見在書目録》著録《洛陽宫殿簿》一卷，兩《唐志》著録《洛陽宫殿簿》三卷，《宋志》無載，亡佚。

《洛陽圖》一卷。晉雍州刺史楊佺期撰。

雍州：原作“懷州”，晉無懷州，據《晉書・楊佺期傳》改。楊佺期（？—399）：弘農華陰（今陝西華陰）人。少仕軍府。咸康中，拜廣威將軍、河南太守，戍洛陽。後爲都督梁、雍、秦三州諸軍事，雍州刺史。隆安三年（399），桓玄舉兵討之，楊佺期死，傳首京師，梟於朱雀門。《晉書》卷八四有傳。兩《唐志》著録此書，《宋志》無載，亡佚。

《述征記》二卷。郭緣生撰。

兩《唐志》著録此書，《宋志》無載，亡佚。民初葉昌熾輯一卷。

《西征記》二卷。戴延之撰。

戴延之：即戴祚。《舊唐志》著録戴祚《西征記》一卷，《新唐志》著録戴祚《西征記》二卷，《宋志》無載，亡佚。《説郛》存一卷，民初葉昌熾輯一卷。

《婁地記》一卷。吴顧啓期撰。

顧啓期：生平事迹不詳。婁地：漢縣，屬會稽郡。三國孫權之封國，故城在今江蘇昆山東北。兩《唐志》不載此書，亡佚。

《風土記》三卷。晉平西將軍周處撰。

周處（236—297）：字子隱，義興陽羨（今江蘇宜興）人。年少膂力絶人，縱情肆欲，爲人所惡。後勵志好學，有文思。仕吴，爲東觀左丞。孫皓末，遷御史中丞。西征氐人，戰死，追贈平西將軍。著《默語》三十篇及《風土記》，並撰《吴書》。《晉書》卷五八有傳。兩《唐志》著録周處《風土記》十卷，《宋志》無載，亡佚。《説郛》存一卷，清王謨輯一卷。

《吴興記》三卷。山謙之撰。

山謙之（？—454？）：正史無傳。宋太祖有意封禪，詔學士山謙之草封禪儀注。孝武初，山謙之以奉朝請受詔踵成何承天所創《宋書》，以疾卒。見《宋書》卷一六、七七。本志史部尚有其一部著述。兩《唐志》不載此書，亡佚。清范鍇、民初繆荃孫各輯一卷。

《吴郡記》一卷。顧夷撰。

顧夷：見本志經部“易類”。兩《唐志》無載，亡佚。

《京口記》二卷。宋太常卿劉損撰。

劉損（生卒年不詳）：字子騫，沛郡蕭（今安徽蕭縣）人，家在京口。元嘉中，爲義興太守、吴郡太守，卒，追贈太常卿。《宋書》卷四五、《南史》卷一七有傳。東漢末，孫權初鎮丹徒，謂之京城。後遷建業，於此置京口鎮。自吴至陳，京口皆爲重鎮。兩《唐志》著録劉損《京口記》二卷，《宋志》無載，亡佚。

《南徐州記》二卷。山謙之撰。

晉末大亂南遷，僑立郡縣。宋文帝元嘉八年（431），以江北爲南兖州，江南爲南徐州，治京口。兩《唐志》著録此書，《宋志》無載，亡佚。民初葉昌熾輯一卷。

《會稽土地記》一卷。朱育撰。

朱育：見本志經部“詩類”。兩《唐志》“雜傳類”著録朱育《會稽記》四卷，《宋志》無載，亡佚。近人魯迅輯有一卷。

《會稽記》一卷。賀循撰。

賀循：見本志經部“禮類”。兩《唐志》無載，亡佚。近人魯迅輯有一卷。

《隨王入沔記》六卷。宋侍中沈懷文撰。

沈懷文（409—462）：字思明，吴興武康（今浙江湖州）人。少好玄理，善文。爲尚書殿中郎，隨王劉誕鎮襄陽，爲後軍主簿，又領義成太守。大明中，爲侍中，屢忤上意，六年（462），免官，賜死，時年五十四。《宋書》卷八二、《南史》卷三四有傳。本志集部尚有其一部著述。《舊唐志》著録沈懷文《隋（應爲隨）王入沔記》十卷，《新唐志》著録《隨王入沔記》十卷，《宋志》無載，亡佚。

《荆州記》三卷。宋臨川王侍郎盛弘之撰。

盛弘之：生平事迹不詳。《通典》卷一七一《州郡序》自注："……盛弘之《荆州記》之類，皆自述鄉國靈怪，人賢物盛。"兩《唐志》無載，亡佚。《説郛》存一卷，清陳運溶、王仁俊及民初葉昌熾、曹元忠有輯本。

《神壤記》一卷。記滎陽山水。黄閔撰。

黄閔：生平事迹不詳。兩《唐志》無載，亡佚。

《豫章記》一卷。雷次宗撰。

雷次宗：見本志經部"詩類"。《新唐志》著録雷次宗《豫章記》一卷，《宋志》著録雷次宗《豫章古今記》三卷。《四庫全書總目》卷七七著録《豫章古今記》三卷，不署撰者，提要稱書中有皇唐、大唐字樣，記載寥寥，無體例，疑此書爲唐以後人雜鈔而成。《説郛》存一卷，清王仁俊、民初葉昌熾各輯一卷。

《蜀王本記》一卷。揚雄撰。

揚雄：見本志經部"論語類"。《史通》卷一八《雜説下》曰："觀其（揚雄）《蜀王本紀》，稱杜魄化而爲鵑，荆尸變而爲鼈，其言如之，何其鄙哉。”兩《唐志》著録揚雄《蜀王本紀》一卷，《宋志》無載，亡佚。清洪頤煊、王仁俊有輯本。

《三巴記》一卷。譙周撰。

此書記巴郡、巴東、巴西事。兩《唐志》著録此書，《宋志》無載，亡佚。

《珠崖傳》一卷。僞燕聘晉使蓋泓撰。

蓋泓：生平事迹不詳。《漢書》卷六載，武帝元鼎六年（前111），“定越地，以爲南海……珠崖、儋耳郡”。應劭曰：“二郡在大海中崖岸之邊。出真珠，故曰珠崖。儋耳者，種大耳。”兩《唐志》不載此書，亡佚。

《陳留風俗傳》三卷。圈稱撰。

兩《唐志》著録圈稱《陳留風俗傳》三卷。姚振宗以爲此書與前著録之《陳留耆舊傳》爲一書。《宋志》無載，亡佚。《説郛》存一卷，清王仁俊輯一卷。

《鄴中記》二卷。晉國子助教陸翽撰。

陸翽（huì）：生平事迹不詳。《新唐志》著録陸翽《鄴中記》二卷。《直齋書録解題》卷八著録《鄴中記》一卷，“不著名氏。記自魏而下，及僭僞都鄴者，六家宫殿事迹”。《四庫全書總目》卷六六著録《鄴中記》，稱二卷本見《隋志》，一卷本見《直齋》。書中有後人摭入翽書者，然不能因此以爲此書出自唐以後人。原書久佚，《説郛》所存寥寥數頁，此乃從《永樂大典》輯出，排比成編，仍爲一卷。《説郛》存一卷，通行本有《四庫》本、《五朝小説》本、《叢書集成》本等。

《春秋土地名》三卷。晉裴秀客京相璠撰。

此書已見本志經部“春秋類”，此爲重出。

《衡山記》一卷。宗居士撰。

宗居士：即宗測（？—495），字敬微，又字茂深，南陽（今河南南陽）人，家居江陵。少静退，不樂人間，徵辟一無所就。頗好音律，善《易》、《老》。嘗游衡山七嶺，著《衡山》、《廬山記》。建武二年（495）卒。《南齊書》卷五四、《南史》卷七五有傳。兩《唐志》無載，亡佚。清陳運溶有輯本。

《游名山記》一卷。謝靈運撰。

《宋書》卷六七載，謝靈運出爲永嘉太守，郡有名山水，素其所好，遂肆意游遨，遍歷諸縣。兩《唐志》無載，亡佚。

《聖賢冢墓記》一卷。李彤撰。

李彤：見本志經部“小學類”。《新唐志》著録李彤《聖賢塚墓記》一卷，《宋志》無載，亡佚。

《佛國記》一卷。沙門釋法顯撰。

兩《唐志》不載此書，《四庫全書總目》卷七一著録《佛國記》一卷，提要稱，法顯在晉義熙中自長安游天竺，經三十餘國還京，與天竺禪師參互辨定，以成是書。明胡震亨將此書刻入《祕册彙函》。提要以爲此書與本志“雜傳”著録之《法顯傳》二卷、《法顯行傳》是“一書兩收，三名互見”。《説郛》存此書一卷，通行本有《祕册彙函》本、《四庫》本、《津逮祕書本》等。

《游行外國傳》一卷。沙門釋智猛撰。

釋智猛（生卒年不詳）：京兆（今陝西西安附近）人。少襲法服。晉安帝元興元年（402），自長安入流沙，歷鄯善、龜茲、于闐諸國至阿育王舊都，以甲歲發天竺，還於凉州，造傳記所游歷。元嘉末卒。見《高僧傳》卷三。《舊唐志》著録釋智猛《外國傳》一卷，《新唐志》著録僧智猛《游行外國傳》一卷，《宋志》無載，亡佚。

《交州以南外國傳》一卷。

不署撰者。兩《唐志》著録《交州已來外國傳》一卷（疑"來"爲"南"之誤），《宋志》無載，亡佚。清陳運溶輯一卷。

《十洲記》一卷。東方朔撰。

《日本國見在書目録》著録《十洲記》一卷，東方朔撰；《舊唐志》著録《十洲記》一卷，東方朔撰；《新唐志》"神仙類"著録東方朔《十洲記》一卷。《四庫全書總目》卷一四二著録《海内十洲記》一卷，提要稱，舊題漢東方朔撰，其内容大抵恍惚支離，不可究詰。蓋六朝詞人所依託。名《十洲記》者，有《道藏》本；名《海内十洲記》者，《説郛》存一卷，有《四庫》本、《五朝小説》本、《廣漢魏叢書》本等。

《神異經》一卷。東方朔撰，張華注。

張華（232—300）：字茂先，范陽方城（今河北固安）人。晉受禪，拜黄門侍郎，封關内侯。惠帝時，歷任侍中、中書監、司空。後爲趙王倫等所害，夷三族，時年六十九。張華强記默識，四海之内，若指諸掌。其博物洽聞，世無與比，著《博物志》十篇。《晉書》卷三六有傳。本志子、集部尚有其三部著述。《日本國見在書目録》著録《神異經》一卷，東方朔撰，張華注；《舊唐志》著録《神異經》二卷，東方朔撰；《新唐志》著録東方朔《神異經》二卷，張華注；《直齋書録解題》卷一一著録《神異經》一卷，東方朔撰，張茂先傳。《四庫全書總目》卷一四二著録《神異經》一卷，提要稱舊題東方朔所撰，所載皆荒外之言，怪誕不經。既不是東方朔所作，亦非張華所注，乃六朝文士影撮而成。《説郛》存一卷，通行本有《四庫》本、《漢魏叢書》本、《五朝小説》本等。另有清王仁俊所輯一卷。

《異物志》一卷。後漢議郎楊孚撰。

楊孚：生平事迹不詳。《後漢書》卷六〇上注引楊孚《異物志》，《藝文類聚》卷九一引楊孝元《交州異物志》，卷九二引楊孝元《交趾異物志》。兩《唐志》著録楊孚《交州異物志》一卷，《宋志》無載，亡佚。清曾釗輯一卷。

《南州異物志》一卷。吴丹陽太守萬震撰。

萬震：生平事迹不詳。南州，泛指南方，此書記南方異物。兩《唐志》著録此書，《宋志》無載，亡佚。清陳運溶輯一卷。

《蜀志》一卷。東京武平太守常寬撰。

常寬（生卒年不詳）：字泰恭，蜀郡江原（今四川崇州）人。治《毛詩》、三《禮》、《春秋》，博涉《史》、《漢》，强識多聞。舉秀才，爲侍御史。晉元帝時，拜武平太守，三年去官，卒於交州。著《蜀後志》、《後賢傳》，續陳壽《耆舊》，作《梁益篇》。見《華陽國志》卷一一《後賢傳》。兩《唐志》不載此書，亡佚。

《發蒙記》一卷。束皙撰。載物産之異。

束皙：見本志經部“小學類”。“小學類”著録之書即爲《發蒙記》一卷，然此處著録之《發蒙記》一卷下有“載物産之異”的説明，可以認爲二書同名而内容不同，是兩部書。兩《唐志》不載此書，亡佚。

《地理書》一百四十九卷。《録》一卷。陸澄合《山海經》已來一百六十家，以爲此書。澄本之外，其舊事並多零失。見存别部自行者，唯四十二家，今列之於上。

《史通》卷三《書志》有曰："自沈瑩著《臨海水土》、周處撰《陽羡風土》，厥類衆夥，諒非一族。是以地理爲書，陸澄集而難盡。"《舊唐志》著録《地理書》一百五十卷，陸澄撰；《新唐志》著録鄧基、陸澄《地理書》一百五十卷。《宋志》無載，亡佚。唯四十二家：實際爲三十九家。

《三輔故事》二卷。晉世撰。

不署撰者，但稱"晉世撰"，説明此書出自晉代。兩《唐志》"故事類"著録韋氏《三輔舊事》一卷，《新唐志》"地理類"又著録《三輔舊事》三卷，不署撰者。據《後漢書》卷二六載，韋彪數次受召，問及三輔舊事、禮儀風俗。或疑此書出自後漢韋氏，而非晉世，俟考。《宋志》無載，亡佚。清張澍輯《三輔舊事》一卷，又輯《三輔故事》一卷。

《湘州記》二卷。庾仲雍撰。

庾仲雍：生平事迹不詳。《宋書》卷三七載，湘州刺史，晉懷帝永嘉元年（307），分荆州之長沙、衡陽、湘東、邵陵、零陵、營陽、建昌，江州之桂陽八郡立，治臨湘。《新唐志》著録《湘州記》四卷，不署撰者。《宋志》無載，亡佚。清陳運溶、王仁俊有輯本。

《吴郡記》二卷。晉本州主簿顧夷撰。

前已著録顧夷《吴郡記》一卷，疑此爲重出。

《日南傳》一卷。

不署撰者。日南，郡名，故秦象郡，漢武帝元鼎六年（前 111）更名，屬交州。顔師古注："言其在日之南，所謂開北户以向日者。"兩《唐志》著録此書，《宋志》無載，亡佚。

《江記》五卷。庾仲雍撰。

《漢水記》五卷。庾仲雍撰。

兩《唐志》著録庾仲雍《江記》五卷、《漢水記》五卷，《宋志》無載，亡佚。

《居名山志》一卷。謝靈運撰。

《宋書》卷六七載，謝靈運作《山居賦》，並自注以言其事。兩《唐志》無載，亡佚。

《西征記》一卷。戴祚撰。

前已著録戴延之《西征記》二卷，戴延之與戴祚爲一人，故此書爲重出。

《廬山南陵雲精舍記》一卷。

不署撰者。兩《唐志》無載，亡佚。

《永初山川古今記》二十卷。齊都官尚書劉澄之撰。

劉澄之（生卒年不詳）：彭城（今江蘇徐州）人。其父爲宋高祖族弟。昇明元年（477），以驃騎長史爲南豫州刺史。見《宋書》卷一〇、五一。《新唐志》著録劉澄之《永初山川古今記》二十卷，《宋志》無載，亡佚。清王謨、王仁俊及民初葉昌熾有輯本。

《元康三年地記》六卷。

不署撰者。兩《唐志》無載，亡佚。

《司州記》二卷。

不署撰者。宋武帝置司州刺史，實土三郡。少帝景平初，司州陷於北方。文帝元嘉末，僑立於汝南，尋廢。明帝又於南豫州之義陽郡立司州，漸成實土，領四郡二十縣。兩《唐志》無載，亡佚。

《并帖省置諸郡舊事》一卷。

不署撰者。以州帖府（見《晉書》卷六七），其言指以刺史帖都督府，以都督兼刺史。兩《唐志》無載，亡佚。

《地記》二百五十二卷。梁任昉增陸澄之書八十四家，以爲此記。其所增舊書，亦多零失。見存别部行者唯十二家，今列之於上。

《梁書》卷一四載，任昉撰《地記》二百五十二卷。兩《唐志》著録此書，《宋志》無載，亡佚。唯十二家：實際爲十三家。

《山海經圖贊》二卷。郭璞注。

兩《唐志》著録《山海經圖贊》二卷，郭璞注。《中興館閣書目》著録《山海經》十八卷，郭璞傳，凡二十三篇，每卷有贊。《宋志》著録郭璞《山海經贊》二卷，《四庫全書總目》無載。此書二卷本有《祕册彙函》本，一卷本有《子書百家》本等。另外，清王謨、錢熙祚、嚴可均有輯本。

《山海經音》二卷。

不署撰者。兩《唐志》著録《山海經音》二卷，《宋志》無載，亡佚。

《水經》四十卷。酈善長注。

酈善長（？—527）：名道元，范陽涿鹿（今河北涿鹿）人。太和中，爲尚書主客郎，歷任輔國將軍、東荆州刺史、安南將軍、御史中尉，後爲蕭寶夤所害，死於陰盤驛亭。好學，遍覽奇書，撰注《水經》四十卷、《本志》十三篇，又有《七聘》等，皆行於世。《魏書》卷八九、《北史》二七有傳。《唐六典》卷七注，言《水經》引天下水百三十七，酈道元《水經注》引其枝流一千五百五十二。兩《唐志》著録酈道元注《水經》四十卷，《宋志》著録桑欽《水經》四十卷，酈道元注。《四庫全書總目》卷六九著録酈道元《水經注》四十卷。《增訂四庫簡明目録標注》卷七稱，《水經注》“自明以來，傳刻舛誤，經注混淆，今以《永樂大典》所載舊本重爲校正，補其佚脱者二千一百二十八字，删其妄補者一千四百四十八字，正其臆改者三千七百一十五字”。此書現存最早的本子有宋刻本（存十二卷）、明嘉靖黄省曾刻本，通行本有《四庫》本、《四部叢刊》本、《四部備要》本等。研究《水經注》有成就者爲清趙一清、全祖望等。

《廟記》一卷。

不署撰者。兩《唐志》著録《廟記》一卷，《宋志》無載，亡佚。

《地理書抄》二十卷。陸澄撰。

此書或即其《地理書》，或他人所抄《地理書》，兩《唐志》無載，亡佚。

《地理書抄》九卷。任昉撰。

此書或即其《地理書》，或他人所抄《地理書》，兩《唐志》無載，亡佚。

《地理書抄》十卷。劉黄門撰。

劉黄門：黄門似其官職，非名也。生平事迹不詳。兩《唐志》無載，亡佚。

《洛陽伽藍記》五卷。後魏楊衒之撰。

楊衒之（生卒年不詳）：曾官撫軍司馬、鄴都期城郡守。見《洛陽伽藍記》及《法苑珠林・傳記》。《舊唐志》"地理類"著録陽衒之《洛陽伽藍記》五卷，《新唐志》"釋家類"著録陽衒之《洛陽伽藍記》五卷，《宋志》著録楊衒之《洛陽伽藍記》三卷。《郡齋讀書志》卷八著録羊衒之《洛陽伽藍記》三卷，稱後魏遷都洛陽，一時王公大夫多造佛寺，或捨私第爲之，故僧舍多爲天下最。衒之載其本末及事迹甚備。《直齋書録解題》卷八著録楊衒之《洛陽伽藍記》五卷，稱楊衒之專記洛陽城内外寺院，爾朱之亂，城郭邱墟，追述斯記。《四庫全書總目》卷七〇著録楊衒之《洛陽伽藍記》五卷，提要稱其書原有自注，而所行本保存甚少。現存最早的本子爲明如隱堂刻本，通行本爲《四庫》本、《學津討原》本、《四部叢刊》本、《四部備要》本等。近人周祖謨撰《洛陽伽藍記校釋》，指出原書確有自注，但多與正文混淆，融爲一體，難以分辨。

《荆南地志》二卷。蕭世諴撰。

蕭世諴（xiǎn）：即梁元帝蕭繹（508—555），世諴（《梁書》、《南史》皆作"世誠"）乃其字。《梁書》卷五、《南史》卷八載梁元帝著《荆南志》一卷，《金樓子・著書》"《荆南志》一秩二卷，金樓自撰"。《新唐志》著録梁元帝《荆南地志》二卷，《宋志》無載，亡佚。清陳運溶、王仁俊有輯本。

《巴蜀記》一卷。

不署撰者。兩《唐志》無載，亡佚。

《交州異物志》一卷。楊孚撰。

兩《唐志》著録此書，《宋志》無載，亡佚。前已著録楊孚《異物志》一卷，疑即此書，此爲異名重出。

《元康六年户口名簿記》三卷。

不署撰者。元康六年（296），晉惠帝在位。兩《唐志》無載，亡佚。

《元嘉六年地記》三卷。

不署撰者。兩《唐志》無載，亡佚。

《九州郡縣名》九卷。

不署撰者。前著録司馬彪《九州春秋》，疑此所言，爲三國時期之九州郡縣名。兩《唐志》無載，亡佚。

《扶南異物志》一卷。朱應撰。

朱應（生卒年不詳）：吴孫權時爲宣化從事，其他事迹不詳。見《梁書》卷五四。兩《唐志》著録此書，《宋志》無載，亡佚。清陳運溶有輯本。

《臨海水土異物志》一卷。沈瑩撰。

沈瑩（？—280）：三國時爲吴丹陽太守。見《三國志》卷四八。《史通・書志》提及沈瑩作《臨海水土》。兩《唐志》著録此書，《宋志》無載，亡佚。《説郛》存《臨海異物志》一卷，清王仁俊及民國楊晨各輯《臨海異物志》一卷。

《益州記》三卷。李氏撰。

李氏：疑爲李膺（生卒年不詳）。《南史》卷五五載，涪令李膺，字公胤，有才辯，得梁武帝賞識，爲益州别駕，著《益州記》三卷，行於世。《新唐志》著録李充《益州記》三卷，《宋志》無載，亡佚。

《湘州記》一卷。郭仲産撰。

郭仲産（生卒年不詳）：宋尚書庫部郎，爲南郡王劉義宣從事，參與義宣謀反，被誅。見《史通》卷一二、《渚宫舊事》。兩《唐志》無載，《崇文總目》著録郭仲産《湘州記》一卷，《宋志》無載，亡佚。清有陳運溶、王仁俊輯本。

《湘州圖副記》一卷。

不署撰者。《舊唐志》著録《湘州圖記》一卷，《新唐志》著録《湘州圖副記》一卷，《宋志》無載，亡佚。

《四海百川水源記》一卷。釋道安撰。

釋道安（？—385）：姓衛氏，常山扶柳（今河北冀州）人。十二歲出家，至鄴，從師佛圖澄。後從苻堅入長安。晉太元十年（385），無疾而終。見《高僧傳》卷五。《舊唐志》著録釋道安《四海百川水記》一卷，《新唐志》著録僧道安《四海百川水源記》一卷，《宋志》無載，亡佚。

《京師寺塔記》十卷。《録》一卷。劉璆撰。

劉璆（生卒年不詳）：璆（qiú），沛國沛（今江蘇沛縣東）人。曾任黄門郎，有名江左。見《周書》卷四二。《法苑珠林·傳記篇》載，《京師寺塔記》一部二十卷，梁尚書兵部郎中兼學士臣劉璆奉敕撰。兩《唐志》無載，亡佚。

《華山精舍記》一卷。張光禄撰。

張光禄：生平事迹不詳。兩《唐志》無載，亡佚。

《南雍州記》六卷。鮑至撰。

鮑至（生卒年不詳）：東海（今江蘇境内）人。以才藝知名，爲湘東王五佐之一。在雍州與庾肩吾等十人抄撰衆籍，成果頗豐，號“高齋學士”。侯景攻陷建鄴，被害。見《南史》卷五〇、卷六二。《新唐志》著録鮑堅（疑爲“至”之誤）《南雍州記》三卷，《宋志》無載，亡佚。

《京師寺塔記》二卷。釋曇宗撰。

釋曇宗（生卒年不詳）：姓虢，秣陵（今江蘇南京）人。出家止靈味寺，少好學，博通衆典，著《京師寺塔記》二卷。見《高僧傳》卷一三。兩《唐志》不載此書，亡佚。

《張騫出關志》一卷。

不署撰者。據《漢書》卷六一載，張騫建元中爲郎，應募使月氏，途經大宛、大月氏、大夏、康居，而傳聞其旁大國五六，具爲天子言其地形，所有。疑此書即爲張騫所記。兩《唐志》無載，亡佚。

《外國傳》五卷。釋曇景撰。

釋曇景（生卒年不詳）：不知何許人。於齊代譯《摩耶經》等二部。見《開元釋教録》卷六。兩《唐志》無載，亡佚。

《歷國傳》二卷。釋法盛撰。

釋法盛（生卒年不詳）：高昌（今新疆吐魯番）人。於涼代譯《投身餓虎經》一卷，經往外國，有傳四卷。見《開元釋教録》卷四下。《日本見在書目録》著録《歷國》四卷，釋法盛撰。兩《唐志》著録釋法盛《歷國傳》二卷，《宋志》無載，亡佚。

《西京記》三卷。

不署撰者。據《周書》卷三八、《北史》卷三六載，薛寘河東汾陰（今山西萬榮）人，少覽篇籍，好屬文。仕西魏，入周位驃騎大將軍、開府儀同三司。撰《西京記》三卷，引據該洽，世稱博聞。兩《唐志》著録薛冥（疑爲“薛寘”之誤）《西京記》三卷，《宋志》無載，亡佚。

《京師録》七卷。

不署撰者。兩《唐志》無載，亡佚。

《尋江源記》一卷。

不署撰者。《舊唐志》於庾仲雍《尋江源記》五卷後，又著録“又一卷”，疑爲此書。《宋志》無載，亡佚。

《後園記》一卷。

不署撰者。兩《唐志》無載，亡佚。

《江表行記》一卷。

不署撰者。兩《唐志》無載，亡佚。

《淮南記》一卷。

不署撰者。兩《唐志》無載，亡佚。

《古來國名》二卷。

不署撰者。兩《唐志》無載，亡佚。

《十三州志》十卷。闞駰撰。

闞駰（生卒年不詳）：字玄陰，敦煌（今甘肅敦煌）人。博通經傳，聰敏過人。注王朗《易傳》，學者藉以通經。撰《十三州志》，行於世。加奉車都尉，遷尚書。《魏書》卷五二、《北史》卷三四有傳。《史通・雜述》稱闞駰書“斯則言皆雅正，事無偏黨者矣”。兩《唐志》著録闞駰《十三州志》十四卷，《宋志》無載，亡佚。清張澍、王謨、王仁俊及民初葉昌熾有輯本。

《慧生行傳》一卷。

不署撰者。《魏書》卷一一四載，熙平元年（516），詔遣沙門惠生使西域，采諸經律。正光三年（522）冬，還京師，所得經論一百七十部，行於世。此書應爲記惠生使西域事，也可能即其所記。兩《唐志》無載，亡佚。

《宋武北征記》一卷。戴氏撰。

錢大昕《廿二史考異》卷三四曰，戴氏即戴延之。兩《唐志》無載，亡佚。

《林邑國記》一卷。

不署撰者。林邑國本漢象林縣，即馬援鑄柱之處，去南海三千里。見《晉書》卷九七。兩《唐志》著録此書，《宋志》無載，亡佚。《説郛》存一卷。

《凉州異物志》一卷。

不署撰者。《新唐志》著録《凉州異物志》二卷，《宋志》無載，亡佚。清張澍有輯本。

《闕象傳》二卷。閭先生撰。

閭先生：缺名，生平事迹不詳。《漢志》"陰陽家"著録《閭丘子》十三篇，班固注曰："名快，魏人，在南公前。"疑此書爲《閭丘子》殘秩，兩《唐志》無載，亡佚。

《司州山川古今記》三卷。劉澄之撰。

前已著録劉澄之《永初山川古今記》，此爲重出。

《江圖》一卷。張氏撰。

張氏：不知何人。《尚書》卷六《正義》解"九江孔殷"，引張須元《緣江圖》，不知是否即此《江圖》。兩《唐志》無載，亡佚。

《江圖》二卷。劉氏撰。

劉氏：不知何人。《新唐志》著録《江圖》二卷，不署撰者；《宋志》無載，亡佚。

《廣梁南徐州記》九卷。虞孝敬撰。

記廣州、梁州、南徐州三州事，兩《唐志》無載，亡佚。

《水飾圖》二十卷。

不署撰者。《太平廣記》卷二二六引《大業拾遺記》稱"煬帝别敕學士杜寶修《水飾圖經》十五卷，新成。以三月上巳日，會群臣於曲水，以觀水飾"。兩《唐志》無載，亡佚。

《甌閩傳》一卷。

不署撰者。《漢書》卷一下顔師古注曰："閩越，今泉州建安是其地也。"此書當記此地諸事。兩《唐志》無載，亡佚。

《北荒風俗記》二卷。

不署撰者。記北方極荒遠之地的風俗。兩《唐志》無載，亡佚。

《諸蕃風俗記》二卷。

不署撰者。記各蕃國之風俗。兩《唐志》無載，亡佚。

《男女二國傳》一卷。

不署撰者。《南史》卷七九載，扶桑國沙門慧深來荆州，曰“扶桑東千餘里有女國”。《隋書》卷八三載，女國在葱嶺之南，其國代以女爲王。兩《唐志》無載，亡佚。

《突厥所出風俗事》一卷。

不署撰者。突厥，其先居西海之右，獨爲部落，匈奴之别種；或曰突厥本平凉雜胡；又曰突厥之先，出於孛國，在匈奴之北。見《北史》卷九九。兩《唐志》無載，亡佚。

《古今地譜》二卷。

不署撰者。兩《唐志》無載，亡佚。

《輿地志》三十卷。陳顧野王撰。

顧野王：見本志經部“小學類”。《陳書》卷三〇載，顧野王撰《輿地志》三十卷。《日本國見在書目録》著録顧野王《輿地志》，兩《唐志》著録顧野王《輿地志》三十卷，《宋志》無載，亡佚。清王謨、王仁俊有輯本。

《序行記》十卷。姚最撰。

《周書》卷四七載，姚最只撰《梁後略》十卷，而載其父姚僧垣撰《行記》三卷，行於世。兩《唐志》著録姚最《述行記》二卷,《宋志》無載，亡佚。

《魏永安記》三卷。温子昇撰。

温子昇（495—547）：字鵬舉，自稱太原人，久居江左。北魏永熙中，爲侍讀兼中書舍人，後爲散騎常侍、中軍大將軍領本州大中正。及元僅等作亂，齊文襄疑子昇知其謀，乃餓諸晉陽獄，食敝襦而死。《魏書》卷八五、《北史》卷八三有傳。此書記魏孝莊帝永安年間事,《史通·叙事》注引王劭《齊志》，提及温子昇撰《永安記》。《新唐志》"故事類"著録温子昇《魏永安故事》三卷,《宋志》無載，亡佚。

《國都城記》二卷。

不署撰者。兩《唐志》無載，亡佚。

《周地圖記》一百九卷。

不署撰者。《舊唐志》著録《周地圖》九十卷,《新唐志》著録《周地圖》一百三十卷,《宋志》無載，亡佚。

《冀州圖經》一卷。

不署撰者。兩《唐志》無載，亡佚。

《齊州圖經》一卷。

不署撰者。兩《唐志》無載，亡佚。

《齊州記》四卷。李叔布撰。

李叔布：生平事迹不詳。兩《唐志》著録李叔布《齊州記》四卷,《宋志》無載，亡佚。

《幽州圖經》一卷。

不署撰者。兩《唐志》無載，亡佚。

《魏聘使行記》六卷。

不署撰者。《宋書》卷九五載，義熙十三年（417），高祖西伐長安，魏明元帝遣使求和，自是使命歲通。《梁書》卷三載，武帝大同三年（537）七月，魏遣使來聘。兩《唐志》著録《魏聘使行記》五卷，《宋志》無載，亡佚。

《聘北道里記》三卷。江德藻撰。

江德藻（509—565）：濟陽考城（今河南蘭考）人。好學，善屬文。起家梁南中郎武陵王行參軍。高祖受禪，授祕書監，兼尚書左丞。後拜振遠將軍、通直散騎常侍。天嘉四年（563），與中書郎劉師知使齊，著《北征道里記》三卷。六年（565），卒官，年五十七。《陳書》卷三四、《南史》卷六〇有傳。兩《唐志》無載，亡佚。

《李諧行記》一卷。

不署撰者。《魏書》卷一二載，魏孝静帝天平四年（537）七月，遣兼散騎常侍李諧與盧元明、李鄴使於蕭衍。《魏書》卷六五、《北史》卷四三載，李諧字虔和，頓丘（今河南清豐）人。天平末，魏欲與梁修好。李諧兼常侍，爲聘使主，與盧元明、李業興聘焉。此書當記其聘使之事，也可能即李諧所記。兩《唐志》無載，亡佚。

《聘游記》三卷。劉師知撰。

劉師知（？—567）：沛國相（今安徽濉溪）人。好學，有當世才，爲中書舍人。陳武帝受命，任遇甚重。光大元年（567），坐事於北獄賜死。《陳書》卷一六、《南史》卷六八有傳。《江德藻傳》言及劉師知與其使齊。兩《唐志》無載，亡佚。

《朝覲記》六卷。

不署撰者。兩《唐志》無載，亡佚。

《封君義行記》一卷。李繪撰。

李繪（生卒年不詳）：字敬文，趙郡平棘（今河北趙縣南）人。天平初，高澄用爲丞相司馬。武定初，兼常侍，爲聘梁使主。使還，拜平南將軍、高陽内史。《北齊書》卷二九、《北史》卷三三有傳。《北齊書》卷四三載，封述字君義。梁散騎常侍陸晏子、沈警來聘，以封君義兼通直郎使梁。兩《唐志》不載此書，亡佚。

《輿駕東行記》一卷。薛泰撰。

薛泰：生平事迹不詳。兩《唐志》著録薛泰《輿駕東幸記》一卷，《宋志》無載，亡佚。

《北伐記》七卷。諸葛潁撰。

《巡撫揚州記》七卷。諸葛潁撰。

諸葛潁（536—612）：字漢，丹陽建康（今江蘇南京）人。起家梁邵陵王參軍事。侯景亂，奔齊。得晉王楊廣器重，引爲參軍事，轉記室。煬帝即位，得親幸。後從駕北巡，卒於道，時年七十七。撰《鑾駕北巡記》三卷、《幸江都道里記》一卷、《洛陽古今記》一卷、《馬名録》二卷，並行於世。《隋書》卷七六、《北史》卷八三有傳。《舊唐志》著録諸葛潁《巡總揚州記》七卷，《新唐志》著録諸葛潁《巡撫揚州記》七卷，不載《北伐記》。《宋志》兩書皆無載，亡佚。

《大魏諸州記》二十一卷。

不署撰者。《舊唐志》著録《魏諸州記》二十卷，《新唐志》著録《後魏諸州記》二十卷，《宋志》無載，亡佚。

《并州入朝道里記》一卷。*蔡允恭撰。*

蔡允恭（生卒年不詳）：荆州江陵（今湖北江陵）人。仕隋，任著作佐郎、起居舍人。貞觀初，除太子洗馬。尋致仕，卒於家。有集十卷，又撰《後梁春秋》十卷。《周書》卷四八、《舊唐書》卷一九〇上、《新唐書》卷二〇一有傳。兩《唐志》無載，亡佚。

《趙記》十卷。

不署撰者。據《北史》卷三三載，李公緒撰《趙記》八卷、《趙語》十二卷，行於世。兩《唐志》無載，亡佚。

《代都略記》三卷。

不署撰者。十六國時期拓跋氏建代國，此書當記代王拓跋珪改元天興，定國號爲魏，遷都平城之前代京之事。兩《唐志》無載，亡佚。

《世界記》五卷。*釋僧祐撰。*

《法苑珠林·傳記篇》載，《世界記》一十卷，梁朝揚州建安寺沙門釋僧祐撰。兩《唐志》無載，亡佚。

《州郡縣簿》七卷。

不署撰者。兩《唐志》無載，亡佚。

《大隋翻經婆羅門法師外國傳》五卷。

不署撰者。兩《唐志》無載，亡佚。

《隋區宇圖志》一百二十九卷。

不署撰者。《隋書》卷七七載，大業五年（609），崔賾受詔與諸儒撰《區宇圖志》二百五十卷，奏之。煬帝不善之，更令虞世基、許善心衍爲六百卷。《隋書》卷六七載，虞世基字茂世。兩《唐志》著録虞茂（即虞茂世，避太宗諱，去“世”字）《區宇圖》一百二十八卷，《宋志》無載，亡佚。

《隋西域圖》三卷。裴矩撰。

裴矩（？—627）：字弘大，河東聞喜（今山西聞喜）人。博學。早知名。仕北齊，爲高平王文學。隋文帝即位，爲給事郎。煬帝大業初，裴矩撰《西域圖記》三卷，入朝奏之。此書被稱別造地圖，窮其要害。降唐，封安邑縣公。武德年間，官歷太子詹事、民部尚書等。貞觀元年（627）卒，贈絳州刺史，謚曰敬。《隋書》卷六七、《北史》卷三八、《舊唐書》卷六三、《新唐書》卷一〇〇有傳。《新唐志》著録裴矩《西域圖記》三卷，《宋志》無載，亡佚。

《隋諸州圖經集》一百卷。郎蔚之撰。

郎蔚之（541？—614）：名茂，恒山新市（今河北新樂西南）人。及長，稱爲學者，頗解屬文。仕北齊，入北周。煬帝即位，爲尚書左丞，撰《州郡圖經》一百卷，奏之。後除名爲民，徙且末郡。大業十年（614），追還京師，歲餘卒，時年七十五。《隋書》卷六六、《北史》卷五五有傳。兩《唐志》著録郎蔚之《隋圖經集記》一百卷，《宋志》無載，亡佚。

《隋諸郡土俗物産》一百五十一卷。

不署撰者。兩《唐志》著録《諸郡土俗物産記》十九卷,《宋志》無載，亡佚。

《西域道里記》三卷。

不署撰者。《舊唐志》著録《西域道里記》三卷,《宋志》無載，亡佚。

《諸蕃國記》十七卷。

不署撰者。兩《唐志》無載，亡佚。

《方物志》二十卷。許善心撰。

《隋書》卷五八載，大業四年（608），許善心撰《方物志》，奏之。兩《唐志》無載，亡佚。

《并州總管内諸州圖》一卷。

不署撰者。兩《唐志》無載，亡佚。

右一百三十九部，一千四百三十二卷。通計亡書，合一百四十部，一千四百三十四卷。

一百三十九部：實際爲一百三十八部。一百四十部：因並未著録亡書，故應作一百三十八部。

昔者先王之化民也，以五方土地[1]，風氣所生，剛柔輕重，飲食衣服，各有其性，不可遷變。是故疆理天下[2]，物其土宜，知其利害，達其志而通其欲，齊其政而修其教。故曰廣谷大川異制，人居其間異俗。《書》録禹别九州[3]，定其山川，分其圻界[4]，條其物産，辨其貢賦[5]，斯之謂也。

周則夏官司險[6]，掌建九州之圖，周知山林川澤之阻，達其道路。地官誦訓[7]，掌方志以詔觀事，以知地俗。春官保章[8]，以星土辨九州之地[9]，所封之域，以觀祆祥[10]。夏官職方[11]，掌天下之圖地，辨四夷八蠻九貉五戎六狄之人[12]，與其財用九穀六畜之數[13]，周知利害，辨九州之國，使同其貫[14]。司徒掌邦之土地之圖，與其人民之教，以佐王擾邦國[15]，周知九州之域，廣輪之數[16]，辨其山林川澤丘陵墳衍原隰之名物[17]，及土會之法[18]。然則其事分在衆職，而冢宰掌建邦之六典，實總其事。太史以典逆冢宰之治，其書蓋亦總爲史官之職。漢初，蕭何得秦圖書，故知天下要害。後又得《山海經》，相傳以爲夏禹所記。武帝時，計書既上太史，郡國地志，固亦在焉。而史遷所記，但述河渠而已[19]。其後劉向略言地域，丞相張禹使屬朱貢條記風俗[20]，班固因之作《地理志》。其州國郡縣山川夷險時俗之異，經星之分[21]，風氣所生，區域之廣，户口之數，各有攸叙，與古《禹貢》、《周官》所記相埒。是後載筆之士，管窺末學，不能及遠，但記州郡之名而已。晉世，摯虞依《禹貢》、《周官》，作《畿服經》，其州郡及縣分野封略事業[22]，國邑山陵水泉，鄉亭城道里土田[23]，民物風俗，先賢舊好，靡不具悉，凡一百七十卷，今亡。而學者因其經歷，並有記載，然不能成一家之體。齊時，陸澄聚一百六十家之説，依其前後遠近，編而爲部，謂之《地理書》。任昉又增陸澄之書八十四家，謂之《地記》。陳時，顧野王抄撰衆家之言，作《輿地志》。隋大業中，普詔天下諸郡，條其風俗物產地圖，上于尚書。故隋代有《諸郡物產土俗記》一百五十一卷，《區宇圖志》一百二十九卷，《諸州圖經集》一百卷。其餘記注甚衆。今任、陸二家所記之内而又別行者，各録在其書之上，自餘次之於下，以備地理之記焉。

[1] 五方：東、西、南、北、中爲五方。

[2] 疆理：劃分、整理。

[3] 九州：禹所别九州爲冀、豫、雍、揚、兖、徐、梁、青、荆州。

[4] 垠（yín）：同垠，邊際。

[5] 貢賦：下之所供爲貢，上之所取爲賦，即爲賦税。

[6] 司險：官名。見《周禮注疏》卷三〇。

[7] 誦訓：官名。見《周禮注疏》卷一六。

[8] 保章：官名。見《周禮注疏》卷二六。

[9] 星土：星所主土也，即以星位（二十八宿或十二星次）分主九州土地或諸國封域。

[10] 祅祥：祅（yāo），地面的反常異變現象；祥，吉凶之徵兆。

[11] 職方：官名。見《周禮注疏》卷三三。

[12] 四夷八蠻九貉五戎六狄：《周禮注疏》卷三三曰，東方曰夷，南方曰蠻，西方曰戎，北方曰貉狄。四、八、九、五、六，周邊所服之國數。

[13] 九穀：九種穀物，但説法不一。《周禮·天官·大宰》鄭司農曰，黍、稷、秫、稻、麻、大小豆、大小麥。六畜，即牛、羊、馬、豬、雞、犬。

[14] 使同其貫：《周禮注疏》卷三三此句作"使同貫利"，《注疏》曰，貫，事也。使同其事利，不失其所也。

[15] 擾：馴服、安撫。

[16] 廣輪：《周禮注疏》卷一〇引馬融語，"東西爲廣，南北爲輪"。

[17] 山林：積石曰山，竹木曰林。川澤，注瀆曰川，水鍾曰澤。丘陵，土高曰丘，大阜曰陵。墳衍，水崖曰墳，下平曰衍。原隰，高平曰原，下濕曰隰。見《周禮注疏》卷一〇鄭玄注。

[18] 土會之法：辨山林、川澤、丘陵、墳衍、原隰五類土地所産之物，以制定貢稅。

[19] 但述河渠：指《史記》中有《河渠書》。

[20] "其後劉向"至"朱貢條記風俗"：此内容見《漢書》卷二八下《地理志》，"朱貢"作"朱贛"。

[21] 經星：舊稱二十八宿等恒星爲經星。

[22] 分野：即把十二星辰的位置與地上州、國的位置相對應，如鶉尾對應楚等。封略，即封疆。

[23] 道里：道路、村落。

譜　系

《世本王侯大夫譜》二卷。

《世本》二卷。劉向撰。

二書書名有異，前者不署撰者，後者署劉向。但二者很可能是一本書。《漢志》“春秋類”著録《世本》十五篇，班固注曰：“古史官記黄帝以來訖春秋時諸侯大夫。”《史記集解序》之《索隱》引劉向語：“《世本》，古史官明於古事者所記也。録黄帝以來帝王諸侯及卿大夫系謚名號，凡十五篇也。”這顯然是劉向《别録》介紹《世本》的内容，而且與班固觀點一致，此書爲古史官所爲，非劉向所作。《史通·正史》有曰：“楚漢之際，有好事者，録自古帝王公卿大夫之世，終乎秦末，號曰《世本》十五篇。”所言近是。兩《唐志》無載，亡佚。

《世本》四卷。宋衷撰。

宋衷：又作宋忠，見本志經部“易類”。《史記》卷三四之《索隱》曰：“案，今《系本》（即《世本》，避唐諱）無燕代系，宋衷依《太史公書》以補其闕。”可知宋衷注《世本》，並有所補闕。兩《唐志》著録宋衷撰《世本》四卷，《宋志》無載，亡佚。清秦嘉謨、孫馮翼、雷學淇、茆泮林、張澍、王謨、王仁俊有輯本，或十卷、或五卷、或二卷、或一卷，皆稱宋衷注。

《漢氏帝王譜》三卷。梁有《宋譜》四卷，劉湛《百家譜》二卷，亡。

不署撰者。兩《唐志》著録《漢氏帝王譜》二卷，《宋志》無載，亡佚。《宋譜》：不署撰者。記南朝劉裕所建宋王朝之世系。劉湛（392—440）：字弘仁，南陽涅陽（今河南鎮平南）人。博涉經史，諳前世舊典。景平元年（423）召入，累遷領軍將軍、丹陽尹、金紫光禄大夫、散騎常侍。彭城王劉義康威傾内外，劉湛愈推崇之，無復人臣之禮，文帝不能平。元嘉十七年（440）下獄，伏誅，時年四十九。《宋書》卷六九、《南史》卷三五有傳。《南史》卷五九稱，劉湛"始撰《百家》以助銓序，而傷於寡略"。兩《唐志》無載，亡佚。

《齊帝譜屬》十卷。

不署撰者。記蕭道成所建南齊王朝之世系。兩《唐志》無載，亡佚。

《百家集譜》十卷。王儉撰。梁有王逡之續儉《百家譜》四卷，《南族譜》二卷，《百家譜拾遺》一卷，又有《齊梁帝譜》四卷，《梁帝譜》十三卷。亡。

《南齊書》卷五二載，永明中，衛軍王儉抄次《百家譜》，與賈淵參懷撰定。《南史》卷五九載，齊衛將軍王儉對劉湛《百家譜》復加去取，得繁省之衷。兩《唐志》著録王儉《百家集譜》十卷，《宋志》無載，亡佚。《百家譜》：王逡之續作。《南齊書》卷五二《王逡之傳》未提及此書，然其與王儉同時代，又有學術往來，即有可能續王儉《百家譜》。《南族譜》：不署撰者。唐柳芳言，過江則爲僑姓，王、謝、袁、蕭爲大；東南則爲吴姓，朱、張、顧、陸爲大。王僧孺繼王儉之後，演益爲十八篇。見《新唐書》卷一九九。疑此十八篇即《南族譜》。《百家譜拾遺》：不署撰者。不知何人所爲。《齊梁帝譜》：不署撰者。記蕭道成所建南齊王朝之世系，亦記蕭衍所建梁王朝之世系。又，齊、梁同祖，梁武帝之父爲齊高帝族弟。《梁帝譜》：不署撰者。僅記梁代世系。

《百家譜》三十卷。王僧孺撰。

《百家譜集鈔》十五卷。王僧孺撰。

王僧孺（465—522）：字僧孺，東海郯（今山東郯城）人。篤愛墳籍，多識古事。梁初，待詔文德省，後轉北中郎諮議參軍，入直西省，知撰譜事。梁武帝留意譜籍，詔僧孺改定《百家譜》。其所撰，同范陽張等九族以代雁門解等九姓。其東南諸族别爲一部，不在百家之數。集《十八州譜》七百一十卷、《百家譜集》十五卷、《東南譜集鈔》十卷、文集三十卷等，並行於世。普通三年（522）卒，時年五十八。《梁書》卷三三、《南史》卷五九有傳。本志集部尚有其一部著述。兩《唐志》著録王僧孺《百家譜》三十卷，《宋志》無載，亡佚。清王仁俊有輯本。兩《唐志》不載《百家譜集鈔》，亡佚。

《百家譜》二十卷。賈執撰。

賈執：史書無傳。《新唐書》卷一九九載柳芳言，晉賈弼撰《姓氏譜狀》，其孫賈希鏡撰《姓氏要狀》，其曾孫賈執作《姓氏英賢》一百篇，又作《百家譜》，廣王儉、王僧孺之作。兩《唐志》著録賈執《百家譜》五卷，《宋志》無載，亡佚。

《百家譜》十五卷。傅昭撰。

傅昭（454—528）：字茂遠，北地靈州（今寧夏靈武）人。仕齊，爲尚書左丞、本州大中正。入梁，累任左民尚書、太常卿、散騎常侍、金紫光禄大夫等。傅昭博極古今，尤善人物，魏晉以來，更是舉而論之，無所遺失。大通二年（528）卒，時年七十五，謚貞子。《梁書》卷二六、《南史》卷六〇有傳。此書兩《唐志》無載，亡佚。

《百家譜世統》十卷。

不署撰者。兩《唐志》無載，亡佚。

《百家譜鈔》五卷。

不署撰者。兩《唐志》無載，亡佚。

《姓氏英賢譜》一百卷。賈執撰。案：梁有《王司空新集諸州譜》十一卷，又别有《諸姓譜》一百一十六卷，《益州譜》四十卷，《關東關北譜》三十三卷，《梁武帝總集境内十八州譜》六百九十卷，亡。

兩《唐志》著録賈執《姓氏英賢譜》一百卷，《宋志》無載，亡佚。《王司空新集諸州譜》：不署撰者。王司空又不知爲何人。《諸姓譜》：不署撰者。似亦出於王司空。《益州譜》、《關東關北譜》，亦不署撰者。應記當地譜系。《梁武帝總集境内十八州譜》：《梁書》卷三三載，王僧孺入直西省，知撰譜事，集《十八州譜》七百一十卷。兩《唐志》著録王僧孺《十八州譜》七百一十二卷，《宋志》無載，亡佚。

《後魏辯宗録》二卷。元暉業撰。

元暉業（？—551）：字紹遠，魏景穆帝玄孫。及長，涉子史，亦頗屬文。歷任司空、太尉，加特進，領中書監，録尚書事。天保二年（551），被文宣帝所殺。撰魏蕃王家世，號爲《辯宗録》四十卷，行於世。《魏書》卷一九上、《北齊書》卷二八、《北史》卷一七有傳。兩《唐志》著録元暉業《後魏辯宗録》二卷，《宋志》無載，亡佚。

《後魏皇帝宗族譜》四卷。

不署撰者。《魏書》卷七下載，孝文帝太和二十年（496）正月，詔改姓爲元氏。此書當記皇族元氏之宗譜。《新唐志》著録《後魏皇帝宗族譜》四卷，《宋志》無載，亡佚。

《魏孝文列姓族牒》一卷。

不署撰者。《魏書》卷一一三載，太和十九年（495），有詔令穆亮、元儼等詳定北人姓，務令平均。隨所了者，三月一列簿帳，送門下以聞，於是升降始有區别。此書記所别姓族之譜牒。兩《唐志》著録《後魏譜》二卷，不知與此有無關係。

《後齊宗譜》一卷。

不署撰者。記齊高祖高歡所建齊王朝之世系。兩《唐志》無載，亡佚。

《益州譜》三十卷。

不署撰者。不知與前所著録已亡之《益州譜》四十卷有無關係。兩《唐志》無載，亡佚。

《冀州姓族譜》二卷。

不署撰者。《舊唐志》著録《冀州譜》七卷，《新唐志》著録《冀州姓族譜》七卷，《宋志》無載，亡佚。

《洪州諸姓譜》九卷。

不署撰者。《舊唐志》著録《洪州譜》九卷，《新唐志》著録《洪州諸姓譜》九卷，《宋志》無載，亡佚。

《吉州諸姓譜》八卷。

不署撰者。兩《唐志》無載，亡佚。

《江州諸姓譜》十一卷。

不署撰者。兩《唐志》無載，亡佚。

《諸州雜譜》八卷。

不署撰者。兩《唐志》無載，亡佚。

《袁州諸姓譜》八卷。

不署撰者。《舊唐志》著録《袁州譜》七卷，《新唐志》著録《袁州諸姓譜》七卷，《宋志》無載，亡佚。

《揚州譜鈔》五卷。

不署撰者。兩《唐志》無載，亡佚。

《京兆韋氏譜》二卷。

不署撰者。《南史》卷五八載，韋鼎聘周，曾遇隋文帝。文帝曰："卿百代卿族，豈忘本也。"請韋鼎還杜陵。韋鼎自楚太傅孟以下二十餘世，並參論昭穆，作《韋氏譜》七卷。《舊唐志》著録韋鼎等《韋氏譜》十卷，《新唐志》著録韋鼎《韋氏譜》十卷，《宋志》無載，亡佚。

《謝氏譜》一十卷。

不署撰者。《新唐志》著録《謝氏譜》二卷，然列於唐人撰述之間，疑非此書。亡佚。

《楊氏血脉譜》二卷。

不署撰者。兩《唐志》無載，亡佚。

《楊氏家譜狀并墓記》一卷。

不署撰者。兩《唐志》無載，亡佚。

《楊氏枝分譜》一卷。

不署撰者。兩《唐志》無載，亡佚。

《楊氏譜》一卷。

不署撰者。兩《唐志》著録《楊氏譜》一卷，《宋志》無載，亡佚。

《北地傅氏譜》一卷。

不署撰者。疑述北地靈州傅昭家譜系。兩《唐志》無載，亡佚。

《蘇氏譜》一卷。

不署撰者。兩《唐志》著録《蘇氏譜》一卷，《宋志》無載，亡佚。

《述系傳》一卷。姚最撰。

《周書》卷四七僅載姚最撰《梁後略》，未及《述系傳》。兩《唐志》無載，亡佚。

《氏族要狀》十五卷。

不署撰者。《南齊書》卷五二、《南史》卷七二載，賈淵（440—501），字希鏡，平陽襄陵（今山西襄汾）人。其祖弼之廣集百世譜記，專心習業。希鏡三世傳學，凡十八州士族譜，合百帙，七百餘卷。官至北中郎參軍，中興元年（501）卒，時年六十二。撰《姓氏要狀》與《人名書》，並行於世。兩《唐志》著録賈希鏡《姓氏要狀》十五卷，《宋志》無載，亡佚。

《姓苑》一卷。何氏撰。

何氏：應爲何承天。《新唐書》卷一九九載柳芳語，其稱何承天有《姓苑》二篇，兩《唐志》著録何承天《姓苑》十卷，《崇文總目》著録《姓苑》十卷，何承天撰，《宋志》著録何承天《姓苑》十卷。《四庫全書總目》無載，亡佚。

《複姓苑》一卷。

不署撰者。述複姓之事。兩《唐志》無載，亡佚。

《齊永元中表簿》五卷。

不署撰者。《舊唐志》著録《永元中表簿》六卷，《新唐志》著録《齊永元中表簿》六卷，《宋志》無載，亡佚。《南史》卷五九載，王僧孺入直文德省，撰起居注、中表簿。中表簿當記皇后族親之世系，屬譜學之支系。

《竹譜》一卷。

不署撰者。兩《唐志》“農家類”著録戴凱之《竹譜》一卷。《郡齋讀書志》卷一二著録《竹譜》一卷，戴凱之撰，又謂，凱之字慶預，武昌人。裒輯竹子，四字一讀，有韻，類賦頌。李邯鄲曰“未詳何人”。《四庫全書總目》卷一一五著録《竹譜》一卷，提要稱，舊題著者戴凱之，《百川學海》始言其爲晉人，後人多采之。姚振宗則認爲其當爲劉宋時人。此書現存有《百川學海》本、《廣漢魏叢書》本、《四庫》本等。

《錢譜》一卷。顧烜撰。

顧烜（生卒年不詳）：烜（xuǎn），吴郡吴（今江蘇蘇州）人。信威臨賀王記事，兼本州五官掾，以儒術知名。見《陳書》卷三〇。兩《唐志》“農家類”著録顧烜《錢譜》一卷，《宋志》“小説家”著録顧烜《錢譜》一卷。《四庫全書總目》無載，亡佚。

《錢圖》一卷。

不署撰者。兩《唐志》無載，亡佚。

右四十一部，三百六十卷。通計亡書，合五十三部，一千二百八十卷。

氏姓之書，其所由來遠矣。《書》稱：“別生分類[1]。”《傳》曰：“天子建德，因生以賜姓[2]。”周家小史定繫世，辨昭穆[3]，則亦史之職也。秦兼天下，剗除舊迹[4]，公侯子孫，失其本繫。漢初，得《世本》，叙黄帝已來祖世所出。而漢又有《帝王年譜》，後漢有《鄧氏官譜》。晉世，摯虞作《族姓昭穆記》十卷，齊、梁之間，其書轉廣。後魏遷洛，有八氏十姓[5]，咸出帝族。又有三十六族，則諸國之從魏者；九十二姓，世爲部落大人者，並爲河南洛陽人。其中國士人，則第其門閥，有四海大姓、郡姓、州姓、縣姓[6]。及周太祖入關，諸姓子孫有功者，並令爲其宗長，仍撰譜録，紀其所承。又以關内諸州，爲其本望[7]。其《鄧氏官譜》及《族姓昭穆記》，晉亂已亡。自餘亦多遺失。今録其見存者，以爲譜系篇。

[1] 別生分類：見《尚書正義》卷三。其《傳》曰：“生，姓也。別其姓族，分其類，使相從。”

[2]《傳》曰：見《春秋左傳正義》卷四《隱公八年》。

[3] 昭穆：古代宗法制度，宗廟或墓地的輩分排列，以始祖居中，二世、四世、六世，位於始祖之左，稱昭；三世、五世、七世，位於始祖之右，稱穆。以昭穆分辨宗族内長幼、親疏、遠近。

[4] 剗除：剗（chǎn），通“剷”。

[5] 八氏：魏獻帝時，魏獻帝與其七兄弟爲八氏。十姓，即八氏加魏獻帝叔父、疏屬兩支爲十姓。

[6] 郡姓：魏晉南北朝時期，以中國士人差第門閥爲之制，區分氏族等級，有甲、乙、丙、丁四等大姓，郡姓、州姓、縣姓皆爲氏族等級之一。參見《新唐書》卷一九九柳芳語。

[7] 本望：本門族、郡望。

簿　録

《七略别録》二十卷。劉向撰。

《漢志》曰，劉向校書，“每一書已，向輒條其篇目，撮其指意，録而奏之”。梁阮孝緒《七録序》曰：“昔劉向校書，輒爲一録，論其指歸，辨其訛謬，隨竟奏上，皆載本書。時又别集衆録，謂之《别録》，即今之《别録》是也。”見《廣弘明集》卷三。兩《唐志》著録劉向《七略别録》二十卷，《宋志》無載，亡佚。清洪頤煊、陶濬宣、馬國翰、王仁俊、姚振宗有輯本。

《七略》七卷。劉歆撰。

《漢書》卷三六載，河平中，劉歆受詔與父劉向領校祕書，父亡，卒父前業。集六藝群書，種别爲《七略》。梁阮孝緒《七録序》曰，漢哀帝使劉歆嗣父前業，歆遂總括群篇，奏其《七略》。見《廣弘明集》卷三。《漢志》稱，劉歆《七略》“有《輯略》，有《六藝略》，有《諸子略》，有《詩賦略》，有《兵書略》，有《術數略》，有《方技略》”。而班固“今删其要，以備篇籍”。撰成《漢志》。兩《唐志》著録劉歆《七略》七卷，《宋志》無載，亡佚。清洪頤煊、陶濬宣、姚振宗有輯本。

《晉中經》十四卷。荀勖撰。

《晉書》卷三九載，荀勖與張華依劉向《别録》整理記籍，得汲冢中古文竹書，詔荀勖撰次，以爲《中經》列在祕書。梁阮孝緒《七録序》曰："晉領祕書監荀勖因魏《中經》，更著新簿，雖分爲十有餘卷者，總以四部别之。惠、懷之亂，其書略盡。"見《廣弘明集》卷三。《舊唐志》著録荀勖《中書簿》十四卷,《新唐志》著録荀勖《晉中經簿》十四卷,《宋志》無載，亡佚。清王仁俊有輯本。

《晉義熙已來新集目録》三卷。

不署撰者。《舊唐志》著録丘深之《義熙已來雜集目録》三卷,《新唐志》著録丘深之《義熙以來新集目録》三卷。丘深之即丘淵之（生卒年不詳），字思玄，吴興烏程（今浙江湖州）人。累任侍中、都官尚書、吴郡太守。見《宋書》卷八一、《南史》卷三五。《宋志》不載此書，亡佚。

《宋元徽元年四部書目録》四卷。王儉撰。

《南齊書》卷二三載，王儉又撰定《元徽四部書目》。《舊唐志》著録王儉《元徽元年書目》四卷,《新唐志》著録王儉《元徽元年四部書目録》四卷,《宋志》無載，亡佚。

《今書七志》七十卷。王儉撰。

《南齊書》卷二三載，王儉依《七略》撰《七志》四十卷，上表獻之，表辭甚典。《宋書》卷九載，元徽元年（473）八月，祕書丞王儉表上所撰《七志》三十卷。阮孝緒《七録序》曰，儉又依《别録》之體撰爲《七志》，其中朝遺書收集稍廣，然所亡者猶大半焉。見《廣弘明集》卷三。《舊唐志》著録《今書七志》七十卷，王儉撰，賀縱（或作"蹤"）補;《新唐志》著録王儉《今書七志》七十卷，賀縱補注;《宋志》無載，亡佚。

《梁天監六年四部書目録》四卷。殷鈞撰。

殷鈞：見本志“大序”。《梁書》卷二七載，殷鈞任職祕書丞，啓校定祕閣四部書，更爲目録。兩《唐志》無載，亡佚。

《梁東宫四部目録》四卷。劉遵撰。

劉遵（？—535）：字孝陵，彭城（今江蘇徐州）人。有學行，工屬文。起家著作郎。中大通二年（530），除中庶子。大同元年（535），卒官。《梁書》卷四一、《南史》卷三九有傳。兩《唐志》不載此書，亡佚。

《梁文德殿四部目録》四卷。劉孝標撰。

《梁書》卷五〇載，天監初，劉孝標被召入西省，與學士賀蹤典校祕書。《梁書》卷一四載，天監初，任昉轉祕書監，領前軍將軍。自齊永元以來，祕閣四部篇卷紛雜。任昉手自讎校，由是篇目定焉。阮孝緒《七録序》曰，（梁）又於文德殿内别藏衆書，使學士劉孝標等重加校進。見《廣弘明集》卷三。兩《唐志》無載，亡佚。

《七録》十二卷。阮孝緒撰。

《梁書》卷五一載，阮孝緒所著《七録》等書二百五十卷，行於世。《七録序》稱自“總集衆家更爲新録。其方内經史至于術技合爲五録，謂之内篇；方外佛道各爲一録，謂之外篇。凡爲録有七，故名《七録》”。見《廣弘明集》卷三。兩《唐志》著録阮孝緒《七録》十二卷，《宋志》無載，亡佚。清王仁俊有輯本。

《魏闕書目録》一卷。

不署撰者。《魏書》卷七下載，太和十九年（495）六月癸丑，詔求天下遺書，祕閣所無、有裨益時用者，加以優賞。兩

《唐志》無載，亡佚。

《陳祕閣圖書法書目録》一卷。

不署撰者。兩《唐志》無載，亡佚。

《陳天嘉六年壽安殿四部目録》四卷。

不署撰者。兩《唐志》著録《陳天嘉四部書目》四卷，《宋志》無載，亡佚。

《陳德教殿四部目録》四卷。

不署撰者，兩《唐志》無載，亡佚。

《陳承香殿五經史記目録》二卷。

不署撰者。兩《唐志》無載，亡佚。

《開皇四年四部目録》四卷。

不署撰者。《隋書》卷一載，隋文帝開皇三年（583）三月丁巳，詔購求遺書於天下。《北史》卷七二載，開皇初，牛弘上表請開獻書之路，文帝納之，於是下詔，獻書一卷，賚縑一疋。一二年間，篇籍稍備。兩《唐志》著録牛弘《隋開皇四年書目》四卷，《宋志》無載，亡佚。

《開皇八年四部書目録》四卷。

不署撰者。兩《唐志》無載，亡佚。

《香厨四部目録》四卷。

不署撰者。兩《唐志》著録王劭《隋開皇二十年書目》四卷，或爲此書。

《隋大業正御書目録》九卷。

不署撰者。《資治通鑑》卷一八二載，初西京嘉則殿有書三十七萬卷，煬帝命祕書監柳顧言等詮次，除其複重猥雜，得正御本三萬七千餘卷，納於東都修文殿。又寫五十副本，簡爲三品，分置西京、東都宮省官府。此書應是記録這些書的目録。兩《唐志》無載，亡佚。

《法書目録》六卷。

不署撰者。法書，言名人書法。《舊唐志》著録虞和《法書目録》六卷，《新唐志》著録虞龢《法書目録》六卷，《宋志》無載，亡佚。

《雜儀注目録》四卷。

不署撰者。兩《唐志》無載，亡佚。

《雜撰文章家集叙》十卷。荀勖撰。

《舊唐志》著録荀勖《新撰文章家集》五卷，《新唐志》著録荀勖《新撰文章家集叙》五卷，《宋志》無載，亡佚。

《文章志》四卷。摯虞撰。

《晉書》卷五一載，摯虞撰《文章志》四卷。兩《唐志》著録摯虞《文章志》四卷，《宋志》無載，亡佚。

《續文章志》二卷。傅亮撰。

兩《唐志》著録傅亮《續文章志》二卷，《宋志》無載，亡佚。

《晉江左文章志》三卷。宋明帝撰。

宋明帝：見本志經部“易類”。《新唐志》著録宋明帝《晉江左文章志》二卷,《宋志》無載，亡佚。

《宋世文章志》二卷。沈約撰。

《梁書》卷一三載，沈約撰《宋文章志》三十卷。《新唐志》著録《宋世文章志》二卷,《宋志》無載，亡佚。

《書品》二卷。

不署撰者。兩《唐志》無載，亡佚。

《名手畫録》一卷。

不署撰者。兩《唐志》無載，亡佚。

《正流論》一卷。

不署撰者。兩《唐志》無載，亡佚。

右三十部，二百一十四卷。

三十部：實際爲二十九部。

古者史官既司典籍，蓋有目録，以爲綱紀，體制堙滅[1]，不可復知。孔子删書，别爲之序，各陳作者所由。韓、毛二《詩》，亦皆相類。漢時劉向《别録》、劉歆《七略》，剖析條流，各有其部，推尋事迹，疑則古之制也。自是之後，不能辨其流别，但記書名而已。博覽之士，疾其渾漫[2]，故王儉作《七志》，阮孝緒作《七録》，並皆别行。大體雖準向、歆，而遠不逮矣。其先代目録，亦多散亡。今總其見存，編爲簿録篇。

[1] 堙滅：埋没。

[2] 渾漫：混漫、雜亂。

凡史之所記，八百一十七部，一萬三千二百六十四卷。通計亡書，合八百七十四部，一萬六千五百五十八卷。

八百一十七部：實際爲八百零二部。八百七十四部：實際爲八百六十五部。

夫史官者，必求博聞强識[1]，疏通知遠之士[2]，使居其位，百官衆職，咸所貳焉。是故前言往行，無不識也；天文地理，無不察也；人事之紀，無不達也。内掌八柄，以詔王治，外執六典，以逆官政。書美以彰善，記惡以垂戒，範圍神化[3]，昭明令德，窮聖人之至賾[4]，詳一代之亹亹[5]。自史官廢絶久矣，漢氏頗循其舊，班、馬因之。魏、晉已來，其道逾替[6]。南、董之位[7]，以禄貴游[8]；政、駿之司[9]，罕因才授。故梁世諺曰："上車不落則著作[10]，體中何如則祕書[11]。"於是尸素之儔[12]，盱衡延閣之上[13]，立言之士，揮翰蓬茨之下[14]。一代之記，至數十家，傳説不同，聞見舛駁[15]，理失中庸，辭乖體要[16]。致令允恭之德[17]，有闕於典墳，忠肅之才，不傳於簡策。斯所以爲蔽也。班固以《史記》附《春秋》，今開其事類，凡十三種，别爲史部。

[1] 强識：很强的記憶力。

[2] 疏通：通達。

[3] 範圍：規範、概括。

[4] 至賾（zé）：至極之精微、深奥。

[5] 亹亹（wěi wěi）：勤勉不倦。

[6] 逾替：逾通"愈"，更加衰敗。

[7] 南、董：南，春秋時齊史官南史；董，晉史官董狐。二人

皆以直筆不諱著稱。

[8] 以禄貴游：讓無官職的王公貴族擔任史官。

[9] 政、駿：政，即劉向，其字子政；駿，即劉歆，其字子駿。

[10] 上車不落則著作：登車不下來就是著作郎。

[11] 體中何如則祕書：體察其中緣由就是祕書郎。

[12] 尸素之儔（chóu）：居官食禄而不管事之輩。

[13] 盱（xū）衡：揚眉舉目。

[14] 蓬茨：以蓬蒿蓋頂的房屋。

[15] 舛駁：雜亂不純。

[16] 體要：大體與綱要。

[17] 允恭：信實而恭勤。